»Eines Tages las ich ein Buch, und mein ganzes Leben veränderte sich.« Osman, der Ingenieurstudent aus Istanbul, verfällt nicht nur dem rätselhaften Buch, sondern auch der wunderschönen Kommilitonin Canan, die es ihm gibt. Von der ersten Seite an hat er das Gefühl, daß die Seiten seine Lebensgeschichte erzählen. Osman beschließt, jene fremde Welt des Buches zu erkunden und schlägt alle Warnungen in den Wind. Als Canan spurlos verschwindet, macht sich Osman auf die Suche nach der Geliebten. Er beginnt ziellos mit Reisebussen die Türkei zu durchfahren. Am Ende schließt sich der Kreis von Osmans Reise – er durchlebt einen Verkehrsunfall in einem Déjà-vu ein zweites Mal ...

»Wie man dieses meisterlich geschliffene Juwel eines märchenhaften Romans vor dem Leser-Auge auch dreht und wendet: es blitzt und funkelt in immer neuen, anderen Lichtbrechungen.« Wolfram Schütte, *Frankfurter Rundschau*

Orhan Pamuk, 1952 in Istanbul geboren, studierte Architektur und Journalismus und lebte mehrere Jahre in New York. Für seine Romane erhielt er 1990 den Independent Foreign Fiction Award, 1991 den Prix de la découverte européene, 2003 den internationalen Literaturpreis IMPAC, 2005 den Ricarda-Huch-Preis und in demselben Jahr den Friedenspreis des Deutschen Buchhandels sowie den Prix Médicis. 2006 wurde er mit dem Nobelpreis für Literatur ausgezeichnet und 2007 mit der Ehrendoktorwürde der FU Berlin als »Ausnahmeerscheinung der Weltliteratur«. Pamuk lebt in Istanbul. Zuletzt erschienen der Roman ›Schnee‹ (2005), der Essayband ›Der Blick aus meinem Fenster‹ (2006) und das Erinnerungsbuch ›Istanbul‹ (2006). Im Fischer Taschenbuch Verlag liegen bereits vor: ›Das schwarze Buch‹ (Bd. 12992), ›Das neue Leben‹ (Bd. 14561), ›Rot ist mein Name‹ (Bd. 15660).

Unsere Adresse im Internet: www.fischerverlage.de

Orhan Pamuk
Das neue Leben
Roman

Aus dem Türkischen
von Ingrid Iren

Fischer Taschenbuch Verlag

10. Auflage: April 2007

Veröffentlicht im Fischer Taschenbuch Verlag,
einem Unternehmen der S. Fischer Verlag GmbH,
Frankfurt am Main, April 2001

Lizenzausgabe mit freundlicher Genehmigung des
Carl Hanser Verlages, München
Die türkische Originalausgabe erschien 1994
unter dem Titel ›Yeni Hayat‹
im Verlag İletişim Yayınları, Istanbul
© Orhan Pamuk 1994
Für die deutschsprachige Ausgabe:
© Carl Hanser Verlag, München Wien 1998
Druck und Bindung: Clausen & Bosse, Leck
Printed in Germany
ISBN 978-3-596-14561-4

Für Şeküre

»... die andern haben ja das nämliche gehört,
und keinem ist so etwas begegnet.«

Novalis, *Heinrich von Ofterdingen*

ERSTES KAPITEL

Eines Tages las ich ein Buch, und mein ganzes Leben veränderte sich. Auf den ersten Seiten schon bekam ich die Kraft dieses Buches innerlich so stark zu spüren, daß ich glaubte, mein Körper habe sich von Tisch und Stuhl, wo ich saß, gelöst und abgehoben. Aber trotz dieses Gefühls schien ich fester als eh und je mit meinem ganzen Sein und allen Fasern meines Körpers auf dem Stuhl am Tisch zu sitzen, und das Buch bewies seine ganze Wirkung nicht nur in meinem Geist, sondern in allem, was mich zu mir selbst machte. So kraftvoll war die Wirkung, daß ich meinte, mir sprühe beim Lesen aus den Seiten dieses Buches Licht entgegen, ein Licht, das meinen Verstand vollkommen stumpf und im gleichen Moment überaus glänzend werden ließ. Und mir kam der Gedanke, ich würde neu und anders werden in diesem Licht, und ich ahnte, es würde mich auf einen anderen Weg führen, dieses Licht, und ich nahm in diesem Licht die Schemen eines Daseins wahr, das ich später kennenlernen, mit dem ich vertraut sein würde. So saß ich am Tisch, wußte mit einem Zipfel meines Verstandes, daß ich dort saß, schlug die Seiten um und las immer neue Wörter auf immer neuen Seiten, während sich mein Leben veränderte. Aber die Hilflosigkeit, die ich nach einer Weile empfand, das Gefühl, kaum bereit zu sein für das, was mich erwartete, ließ mich mein Gesicht instinktiv abwenden von den Seiten, als wolle ich mich vor der Kraft schützen, die dem Buch entströmte. Da sah ich mit Schrecken, daß sich die Welt um mich herum von A bis Z verwandelt hatte, und verspürte eine bis dahin ungeahnte Einsamkeit. Ganz so, als sei ich allein geblieben in einem Land, dessen Sprache, Gewohnheiten und geographische Lage mir fremd waren.

Die Ratlosigkeit, die aus dem Gefühl des Alleinseins entstand, brachte mich plötzlich dem Buch noch näher. Es würde mir zeigen, was ich in diesem neuen Land, in das ich unverhofft hineingestolpert war, tun und lassen mußte, was ich zu glauben wünschte, was ich sehen, welchen Weg mein Leben nehmen wollte. Jetzt las ich das Buch, während ich Seite für Seite umblätterte, wie einen Wegweiser durch ein wildes, fremdes Land. Hilf mir, wollte ich sagen, hilf mir, damit ich das neue Leben finde, ohne Schaden zu nehmen. Doch ich wußte auch, daß dieses neue Leben aus den Wörtern des Wegweisers bestand. Einerseits versuchte ich beim Lesen jedes einzelnen Wortes, meinen Pfad zu finden, andererseits erfand ich selbst voller Staunen jedes einzelne jener Wunder der Phantasie, die mich dazu bringen sollten, meinen Weg zu verlassen.

Unterdessen lag das Buch auf dem Tisch und sprühte mir sein Licht ins Gesicht, doch schien es die ganze Zeit lang einer der wohlbekannten Gegenstände in meinem Zimmer zu sein. Und während ich voller Freude und Staunen dem vor mir liegenden neuen Leben, der Existenz einer neuen Welt entgegensah, spürte ich auch, daß dieses Buch, das mein Leben so unglaublich verändern sollte, eigentlich ein ganz normaler Gegenstand war. Und während mein Verstand allmählich seine Fenster und Türen den Wundern und Ängsten der neuen Welt öffnete, die mir die Wörter versprachen, dachte ich noch einmal über den Zufall nach, der mich zu diesem Buch geführt hatte, doch es blieb an der Oberfläche meines Verstandes, ohne tiefer einzudringen. Beim Weiterlesen schien mir die Hinwendung zu diesem Gedanken einer gewissen Angst zu entspringen – war doch die neue Welt, die mir das Buch eröffnete, so fremd, so seltsam und verwirrend, daß ich das Bedürfnis hatte, irgend etwas absolut Konkretes, Gegenwärtiges zu spüren, um nicht gänzlich in jener Welt verschüttet zu werden. Denn ich fürchtete mehr und mehr, in meiner Umgebung nichts mehr so vorzufinden, wie es gewesen war, wenn ich den Blick vom Buch lösen und mein Zimmer, meinen Schrank und mein Bett betrachten und einen Blick aus dem Fenster werfen würde.

Minuten und Seiten folgten einander, in der Ferne fuhren Züge, ich hörte meine Mutter aus dem Haus gehen und viel später zurückkommen; ich hörte das stete Dröhnen der Stadt, die Klingel des Yoghurtverkäufers, der an der Tür vorüberging, und die Automotoren und vernahm all die bekannten Geräusche als fremde Laute. Ich glaubte für einen Moment, es regne draußen, doch es war das Geschrei von seilspringenden Mädchen. Ich glaubte, das Wetter kläre sich auf, doch es klopften Regentropfen an mein Fenster. Ich las die nächste Seite, die übernächste, las weitere Seiten und sah das Licht, das über die Schwelle des anderen Lebens sickerte, sah mir bisher Unbekanntes und Bekanntes, sah mein eigenes Leben, sah den Weg, den mein Leben nun wohl nehmen würde ...

Während ich nach und nach die Seiten umblätterte, drang eine Welt in mein Gemüt, von deren Existenz ich bis dahin nichts gewußt, keine Vorstellung, keine Ahnung gehabt hatte, und nistete sich dort ein. Viele mir bis jetzt bewußte und vertraute Dinge verwandelten sich in Kleinigkeiten, die keine Beachtung verdienten, unbekannte Dinge aber kamen aus ihrem Versteck hervor und sandten mir Signale zu. Wäre ich bei der Lektüre des Buches nach ihnen gefragt worden, so hätte ich wohl nichts über sie sagen können, denn ich erkannte beim Lesen, daß ich allmählich auf einem Weg ohne Umkehr war, ich spürte, daß mein Interesse für einige Dinge, die ich hinter mir ließ, erlosch, doch ich war so aufgeregt, so neugierig auf das vor mir offen liegende neue Leben, daß mir einfach alles, was existierte, der näheren Betrachtung wert schien. Als mich Neugier und Begeisterung so richtig packten und meine Beine zu schaukeln begannen, verwandelten sich Reichtum, Fülle und Vielfalt dessen, was auf mich zukam, in meinem Innern zu etwas, was mich erschreckte.

Mit Erschrecken sah ich in dem Licht, das mir aus dem Buch entgegenströmte, schäbige Räume, rasende Autobusse, müde Menschen, verblaßte Lettern, vergessene Ortschaften und gescheiterte Existenzen und Gespenster. Es ging um eine Reise, ständig ging es darum, alles war eine Reise. Ich sah einen Blick, der mir überall auf dieser Reise folgte, der an den unmöglichsten Orten vor mir aufzutauchen schien, dann wieder verschwand und sich suchen ließ, weil er verschwand, ein sanfter Blick, längst geläutert von Schuld und Sünde ... Ich wünschte, dieser Blick sein zu können. Ich wünschte, in jener Welt zu sein, die dieser Blick sah. Ich wünschte dies so sehr, daß ich daran glauben wollte, in jener Welt zu leben. Nein, daran zu glauben war nicht nötig, ich lebte ja schon dort. Nachdem ich nun einmal dort lebte, mußte natürlich auch das Buch von mir sprechen. Und dies war so, weil jemand meine Überlegungen bereits vor mir gedacht und aufgezeichnet hatte.

Auf diese Weise wurde mir klar, daß es etwas ganz anderes sein mußte, was man mir in Worten zu verstehen gab. Hatte ich doch von Anfang an geahnt, daß dieses Buch für mich geschrieben worden war! Das war auch der Grund, warum mich jedes einzelne Wort des Textes im Innersten traf. Nicht, weil es wundervolle Wörter und brillante Ausdrücke waren, sondern weil mich das Gefühl gepackt hatte, das Buch spreche von mir. Woher dieses Gefühl kam, konnte ich nicht ergründen. Vielleicht aber fand ich's heraus und vergaß es wieder, denn ich versuchte, zwischen Mördern, Unfällen, Toten und Zeichen des Verlustes meinen Weg zu finden.

So verwandelten sich beim Lesen und Weiterlesen meine Anschauungen in die Wörter des Buches und die Wörter des

Buches in meine Anschauungen. Meine vom Licht geblendeten Augen konnten die Welt im Buch und das Buch in der Welt nicht mehr voneinander unterscheiden. Es war, als sei eine einzige Welt, alles Existierende, jede mögliche Farbe und Sache in dem Buch unter den Wörtern enthalten, und dennoch ließ ich während des Lesens glücklich und erstaunt alle nur erdenklichen Dinge in meinem eigenen Verstand Wirklichkeit werden. Lesend begriff ich, was mir das Buch zunächst flüsternd, dann hämmernd und schließlich mit rigoroser Gewalt zeigte und was wohl seit Jahren in den Tiefen meines Gemüts geruht hatte. Das Buch hob einen Schatz, der sich jahrhundertelang vergessen auf dem Grunde des Meeres befunden hatte, und ich wollte dem, was ich unter Zeilen und Wörtern entdeckte, erklären, daß es jetzt auch mir gehöre. Und irgendwo auf den letzten Seiten wollte ich sagen, dies hier sei auch mein Gedanke gewesen. Als ich später ganz und gar in die Welt des Buches eingetaucht war, sah ich zwischen Dunkelheit und Dämmerung, einem Engel gleich, den Tod hervortreten. Meinen eigenen Tod ...

Auf einmal begriff ich, daß mein Leben unvorstellbar reich geworden war. In jenem Augenblick hatte ich keine Furcht davor, beim Betrachten der Umwelt, der Gegenstände, meines Zimmers oder der Straßen nicht das zu sehen, was das Buch beschrieb, mich bewegte nur die Angst, von dem Buch getrennt zu sein. Mit beiden Händen hielt ich es fest und sog, wie nach dem Lesen der Bildergeschichten in meiner Kindheit, den Geruch von Papier und Druckerschwärze ein, der aus den Seiten drang. Es war der gleiche Geruch.

Ich stand auf, ging zum Fenster, lehnte meine Stirn an das kalte Glas und schaute hinaus auf die Straße, ganz so wie in meinen Kindertagen. Der Lastwagen, der fünf Stunden zuvor, als ich am Nachmittag das Buch auf den Tisch gelegt und zu lesen begonnen hatte, am Bürgersteig gegenüber vorgefahren war, stand nun nicht mehr dort, man hatte Spiegelschränke, schwere Tische, Ständer, Kartons und Stehlampen abgeladen, und in der leeren Wohnung auf der anderen Seite war eine neue Familie eingezogen. Da es noch keine Vorhänge gab, konnte ich im Licht einer starken, nackten Glühbirne ein Elternpaar in mittleren Jahren, einen Sohn und eine Tochter in meinem Alter beim Abendessen vor dem Fernseher erkennen. Die Haare des Mädchens waren dunkelblond, der Fernsehschirm war grün.

Eine Zeitlang schaute ich den neuen Nachbarn zu; mag sein, das Zuschauen gefiel mir, weil sie neu waren; und das schien mir irgendwie Schutz zu bieten. Ich mochte der Tatsache, daß sich meine altvertraute Umwelt ganz und gar verändert hatte, nicht ins Auge sehen, doch weder waren die Straßen die alten Straßen noch mein Zimmer mein altes Zimmer, noch meine Mutter oder meine Freunde die gleichen Menschen, das wurde mir jetzt klar. Es mußte etwas wie Feindseligkeit, etwas Bedrohliches und Angsterweckendes an allem sein, das ich aber nicht genau benennen konnte. Ich zog mich einen Schritt vom Fenster zurück, wandte mich jedoch nicht wieder dem Buch zu, das vom Tisch her nach mir rief. Dort hinter mir, auf dem Tisch, da wartete das auf mich, was mein Leben aus der Bahn warf. Ich konnte ihm ruhig den Rücken kehren, der Anfang aller Dinge lag dort, zwischen den Zeilen des Buches, und ich würde von jetzt an jenen Weg beschreiten.

Die Trennung von meinem bisherigen Dasein ist mir wohl für einen Augenblick so schrecklich erschienen, daß ich, wie alle Menschen, deren Lebensweg durch eine Katastrophe unweigerlich verändert wird, Trost in der Vorstellung zu finden suchte, mein Leben würde auch weiterhin in seiner alten Bahn verlaufen und der Unfall, die Katastrophe oder was auch immer das Erschreckende war, sei gar nicht geschehen. Doch ich spürte das Vorhandensein des Buches,

das hinter mir auf dem Tisch noch immer aufgeschlagen dalag, so stark, daß ich mir ein Weiterleben wie bisher einfach
nicht mehr vorstellen konnte.

In diesem Zustand verließ ich mein Zimmer, und als mich
meine Mutter später zum Abendessen rief, setzte ich mich
wie ein Neuling, der sich einer noch fremden Umgebung
anpassen möchte, an den Tisch und bemühte mich, eine Unterhaltung mit ihr zu führen. Der Fernseher war eingeschaltet, Kartoffeln mit Hackfleisch, Lauch in Olivenöl,
grüner Salat und Äpfel als Nachspeise standen auf dem
Tisch. Meine Mutter erwähnte die neuen Nachbarn, die gegenüber eingezogen waren, lobte mich dafür, daß ich den
ganzen Nachmittag gearbeitet hatte, sprach über Geschäfte
und Einkäufe, über den Regen, die Fernsehnachrichten und
den Nachrichtensprecher. Ich liebte meine Mutter, sie war
eine schöne, liebenswürdige, sanfte und verständnisvolle
Frau, und ich fühlte mich schuldig, weil ich das Buch las und
eine andere Welt als die ihre betreten hatte.

Wenn doch das Buch für jedermann geschrieben wäre,
dachte ich einerseits, dann würde das Leben nicht so unerträglich hart und rücksichtslos weitergehen wie bisher. Andererseits war die Idee, dieses Buch sei nur für mich allein
geschrieben worden, absurd für einen logisch denkenden
Studenten des Ingenieurwesens, wie ich es war. Wie aber
sollte dann alles wie bisher weitergehen können? Schon der
Gedanke, das Buch sei etwas Geheimnisvolles, nur für mich
Erfundenes, jagte mir Angst ein. Ich wollte meiner Mutter
helfen, als sie später das Geschirr spülte, wollte sie berühren, wollte jene Welt in meinem Innern in das Jetzt und
Hier übertragen.

»Laß nur, ich mache das schon, mein Lieber«, sagte sie.

Eine Zeitlang saß ich vor dem Fernseher. Ich hätte mich
vielleicht in die dort gezeigte Welt hineinversetzen, vielleicht
auch den Fernseher mit einem Fußtritt explodieren lassen

können. Es war jedoch unser Fernseher in unserer Wohnung, dem ich zuschaute, eine Art Gott, eine Art Lampe. Ich schlüpfte in mein Jackett und zog die Straßenschuhe an.

»Ich gehe aus«, erklärte ich.

»Wann kommst du zurück?« fragte meine Mutter. »Soll ich auf dich warten?«

»Warte nicht. Sonst schläfst du vor dem Fernseher ein.«

»Hast du in deinem Zimmer das Licht ausgemacht?«

So ging ich hinaus, ging durch das Stadtviertel, in dem ich seit zweiundzwanzig Jahren lebte, durch die Straßen meiner Kindheit, als seien es Straßen voller Gefahren in einem fremden Land. Vielleicht gibt es ja auch einige Dinge, die aus der alten in die neue Welt herübergekommen sind, redete ich mir zu, während ich die feuchte Dezemberkälte einem Windhauch gleich auf meinem Gesicht spürte. Das würde sich jetzt zeigen, wenn ich durch die Straßen, über die Gehsteige ging, die mein Dasein zu dem meinen machten. Plötzlich wollte ich laufen.

Ich ging mit schnellen Schritten die dunklen Gehsteige entlang, zwischen riesigen Mülltonnen und Schlammpfützen hindurch, und erkannte mit jedem Schritt das Wirklichwerden einer neuen Welt. Auf den ersten Blick waren die Platanen und Pappeln meiner Kinderzeit noch die gleichen Platanen und Pappeln, doch die Kraft der Erinnerungen und Assoziationen, die ich mit ihnen verband, war verschwunden. Ich sah die müden Bäume an, die wohlbekannten zweistöckigen Gebäude, die schmuddligen Apartmenthäuser, deren Errichtung ich als Kind vom Fundament und der Kalkgrube bis zu den Dachziegeln verfolgt und in denen ich später mit den neuen Freunden gespielt hatte, nicht wie feste Bestandteile meines Daseins, sondern wie Fotografien, von denen ich nicht mehr wußte, wann und wo sie aufgenommen worden waren. Obwohl ich sie an ihren Schatten, ihren hellen Fenstern, den Bäumen in ihren Gärten oder auch den Lettern und Zeichen an ihren Eingängen erkannte, spürte ich nichts von der Wirkung der mir bekannten Dinge. Die alte Welt war dort, vor mir, neben mir, in den Straßen, war um mich herum vorhanden in den mir vertrauten Schaufenstern der Krämerläden, den noch brennenden Lichtern der Çörek-Backstube auf dem Bahnhofsplatz von Erenköy, den Kisten des Obst- und Gemüsehändlers, den Schubkarren, der Konditorei Leben, den schäbigen Lastwagen, den Schutzplanen und den dunklen, müden Gesichtern. Ein Stück von meinem Herzen war zu Eis erstarrt vor all diesen Schatten, die unter den Lichtern der Nacht leicht vibrierten. Das Buch trug ich bei mir, als würde ich eine Schuld verbergen. Ich wünschte, all diesen bekannten Straßen, die mich zu mir selbst machten, der Melancholie der nassen Bäume, den Neonlettern und den Lampen der Grünzeughändler und Schlachterläden, die sich in den Pfützen auf den Gehsteigen und auf dem Asphalt spiegelten, zu entfliehen. Ein leichter Wind wehte, Wasser tropfte von den Zweigen, ich hörte ein dumpfes Dröhnen und hielt das Buch für eine mysteriöse Gabe, die mir verliehen worden war. Angst packte mich, und ich wollte unbedingt mit jemandem sprechen.

Es war das Café Jugend auf dem Bahnhofsplatz, in das ich flüchtete, wo sich abends noch immer einige meiner Freunde aus dem Viertel verabredeten und dann hängenblieben, dem Fußballspiel im Fernsehen zuschauten oder miteinander Karten spielten. Am hinteren Tisch saß ein Student, der im Schuhgeschäft seines Vaters arbeitete, mit einem anderen Freund aus der Nachbarschaft zusammen, einem Fußballspieler der Amateurliga. Sie unterhielten sich lebhaft im Schein des schwarzweißen Fernsehlichts. Vor ihnen sah ich Zeitungen liegen, die Seiten durch das Lesen und Wiederlesen zerknittert, sah zwei Teegläser, Zigaretten und eine Flasche Bier, die sie vom Krämer gekauft und auf dem Sitz eines Stuhls versteckt hatten. Ich wollte unbedingt mit jemandem reden, lange und ausführlich, vielleicht sogar stundenlang, doch war mir sofort klar, daß es mit ihnen nicht möglich sein würde. Plötzlich überfiel mich eine Traurigkeit, die mich fast zum Weinen brachte, doch ich schüttelte sie stolz ab – den, der in meine Seele schauen durfte, würde ich mir nur unter jenen Schatten auswählen, die in der Welt des Buches lebten.

So war ich fast überzeugt davon, ganz und gar Herr meiner eigenen Zukunft zu sein, doch ich wußte genau, nun war es das Buch, das mich beherrschte. Es hatte sich nicht nur wie ein Geheimnis und eine Sünde in mir eingenistet, sondern mich auch in eine Stummheit getrieben, wie man sie im Traum erlebt. Wo waren sie, die mir glichen, mit denen ich reden konnte, wo war das Land, in dem ich den Traum finden konnte, der zu meinem Herzen sprach, wo waren die anderen, die das Buch gelesen hatten?

Ich überquerte die Bahngleise, tauchte ein in die Seitenstraßen und zertrat die abgefallenen gelben Blätter, die auf dem Asphalt klebten. Auf einmal wurde ich zuversichtlich: Wenn ich immer so weiterliefe, ganz schnell weiterliefe, ohne anzuhalten, wenn ich auf Reisen ginge, dann könnte ich, so schien es mir, zu der Welt im Buch gelangen. Das neue Leben, dessen Leuchten ich in mir spürte, lag irgendwo in der Ferne, vielleicht in einem unerreichbaren Land, doch ich ahnte, daß ich ihm reisend näher kommen oder zumindest mein altes Leben hinter mir lassen konnte.

Als ich zum Ufer kam, war ich erstaunt über die tiefe Schwärze, in der sich das Meer zeigte. Wieso war mir nie zuvor das Dunkle, Harte und Erbarmungslose der nächtlichen See aufgefallen? Also schienen auch die Dinge eine Sprache zu besitzen, und dank der vorübergehenden Lautlosigkeit, in die mich das Buch hineingezogen hatte, begann ich jetzt, diese Sprache zumindest ein wenig zu verstehen.

Ich fühlte plötzlich die Schwere des leise Wellen schlagenden Meeres in mir, genauso wie ich bei der Lektüre des Buches die Begegnung mit meinem eigenen unausweichlichen Tod gespürt hatte, doch es war nicht das Gefühl »Jetzt ist alles zu Ende«, das man wohl beim wirklichen Sterben empfindet, es waren im Gegenteil aufkeimende Neugier und die Unruhe eines Menschen am Anfang eines neuen Lebens.

Ich ging den Strand entlang, auf und ab. Als kleiner Junge war ich mit meinen Freunden aus dem Viertel nach den Südweststürmen hierhergekommen, und wir hatten zwischen den vom Meer haufenweise angetriebenen Konservendosen, Kunststoffbällen, Flaschen, Plastiksandalen, Wäscheklammern, Glühbirnen und Kunststoffpuppen nach irgend etwas gesucht, nach einem magischen Gegenstand aus einem Schatz, nach einem leuchtenden Objekt, nagelneu und gänzlich unbekannt. Für einen Augenblick war's mir, als könne ich irgendeinen ganz normalen Gegenstand der alten Welt auswählen und ihn bei näherer Betrachtung mit meinem vom Licht des Buches erhellten Blick in das magische Etwas verwandeln, nach dem wir in meinen Kindertagen gesucht hatten. Aber gleichzeitig packte mich die Angst, das Buch habe mich in der Welt mutterseelenallein gelassen, so stark, daß ich glaubte, die finstere See werde plötzlich anschwellen und mich verschlingen.

Ich geriet in Panik und lief rasch davon, aber nicht, um mit jedem Schritt das Entstehen einer neuen Welt zu erkennen, sondern um so bald wie möglich in meinem Zimmer mit dem Buch allein zu sein. Im Laufschritt begann ich, mich als ein Wesen zu sehen, das aus dem Lichtstrom des Buches geformt war. Und das beruhigte mich wieder.

Ein guter Freund meines Vaters, gleichaltrig und wie er selbst viele Jahre bei der staatlichen Eisenbahn beschäftigt, hatte sich bis zum Inspektor hochgearbeitet und für das

Eisenbahnmagazin Aufsätze über die Leidenschaft des Reisens mit dem Zug geschrieben. Er hatte nebenbei eine Serie, »Der neue Tag – Kinderabenteuer«, gezeichnet, betextet und herausgegeben. Tage, an denen ich Onkel Rıfkıs Geschenke, *Pertev und Peter* oder *Kamer in Amerika*, las und nach Hause gerannt war, um mich in eines der Bücher zu vertiefen, hatte es viele gegeben, doch alle diese Kinderbücher kamen stets zu einem Schluß. Wie im Kino standen dort immer die vier Buchstaben »Ende«, und beim Lesen hatte ich nicht nur die Grenzen des Landes erkannt, in dem ich zu sein wünschte, sondern mir war auch schmerzlich bewußt geworden, daß jenes zauberhafte Reich nur ein vom Eisenbahner Onkel Rıfkı erfundener Ort war. Dieses Buch aber, zu dem es mich jetzt in höchster Eile nach Hause trieb, damit ich es nochmals las, enthielt nur Wahres, das wußte ich, und deshalb bewahrte ich es in meinem Innern, deshalb erschienen mir die nassen Straßen, die ich im Laufschritt durchmaß, unwirklich und wie Teile einer unliebsamen Hausaufgabe, die man mir zur Strafe aufgebrummt hatte. Kam's mir doch so vor, als erkläre das Buch, warum ich auf dieser Welt existierte.

Ich hatte die Bahngleise überquert und lief an der Moschee vorbei, da sah ich eine Pfütze und wollte sie überspringen, doch mein Fuß blieb hängen, ich stolperte und fiel auf dem schmutzigen Asphalt der Länge nach hin.

Rasch stand ich wieder auf und wollte weiterlaufen, als ein bärtiger Alter, der mich hatte stürzen sehen, sagte: »Du wärst ja fast gefallen, mein Junge, ist dir etwas passiert?«

»Ja«, sagte ich. »Mein Vater ist gestern gestorben. Heute haben wir ihn begraben. Er war ein Scheißkerl, hat immer gesoffen, meine Mutter geschlagen, wollte uns hier nicht haben. Ich habe jahrelang in Viranbağ gelebt.«

Wie war ich eigentlich auf den Ort Viranbağ, den »Trümmergarten«, gekommen? Vielleicht begriff auch der Alte, daß nichts von dem, was ich sagte, der Wahrheit entsprach, doch ich hielt mich plötzlich für äußerst klug. War es der Lüge wegen, die mir herausgerutscht war, oder des Buches wegen oder, viel einfacher, wegen des zunehmend törichter dreinschauenden Mannes? Das wurde mir nicht klar, aber ich redete mir zu: »Nur keine Angst, geh schon! Die andere, die Welt im Buch, das ist die wahre Welt!« Doch ich fürchtete mich.

Warum?

Weil ich von dem gehört hatte, was andere durchmachen mußten, nachdem sie wie ich ein Buch gelesen hatten und ihnen ihr Leben entglitten war. Mir waren Geschichten von Leuten bekannt, die in einer Nacht *Die Grundsätze der Philosophie* gelesen, jedes Wort darin für richtig befunden und sich am nächsten Tag der Neuen Avantgarde der revolutionären Proletarier angeschlossen hatten, drei Tage später bei einem Bankraub erwischt worden waren und für zehn Jahre einsaßen. Ich kannte auch andere Leute, die nach einer Lektüre wie *Der Islam und die neue Moral* zum Beispiel oder *Der Verrat der Verwestlichung* eines Nachts von der Kneipe zur Moschee gegangen waren und auf den eiskalten Teppichen, umweht von Rosenwasserdüften, begonnen hatten, geduldig auf ihren in fünfzig Jahren fälligen Tod zu warten. Und wieder andere kannte ich, die sich von Büchern wie *Die Freiheit der Liebe* oder *Ich erkannte mich selbst* hatten mitreißen lassen. Diese gehörten zwar vorwiegend zu den Menschen, die an die Sterne glaubten, aber auch sie erklärten voller Überzeugung: »Dieses Buch hat in einer einzigen Nacht mein ganzes Leben verändert!«

Es war eigentlich nicht diese Misere schrecklicher Möglichkeiten, was mich ängstigte, sondern es war die Furcht vor der Einsamkeit. Ich fürchtete mich, das Buch in meiner Torheit womöglich falsch verstanden zu haben, oberflächlich zu sein oder aber nicht sein zu können, also nicht so sein zu können wie jeder andere, oder an Liebe zu ersticken oder das Geheimnis aller Dinge zu wissen und lebenslang zu versuchen, dieses Geheimnis denen beizubringen, die es überhaupt nicht wissen wollten, und mich damit lächerlich zu machen, ins Gefängnis zu kommen, als Verrückter zu erscheinen und schließlich begreifen zu müssen, daß die Welt noch grausamer war, als ich angenommen hatte, und nie zu erreichen, daß hübsche Mädchen mich jemals liebten. Wenn das, was im Buch stand, wahr und das Leben so sein sollte, wie ich's dort gelesen hatte, wenn so eine Welt möglich war, warum gingen dann immer noch alle in die Moschee, saßen träge und schwatzend im Kaffeehaus herum und hockten jeden Abend um diese Zeit vor dem Fernseher, um nicht vor Langeweile zu platzen, war das nicht absolut unverständlich? Diese Menschen zogen nicht einmal die Vorhänge ganz zu, denn auf der Straße konnte ja wie im Fernsehen etwas mehr oder weniger Interessantes geschehen, ein Wagen konnte vorbeirasen, ein Pferd wiehern oder ein Betrunkener losgrölen.

Wann mir bewußt wurde, daß eine Wohnung der zweiten Etage eines Hauses, in die ich lange Zeit durch die halbgeschlossenen Vorhänge hineinschaute, die des Eisenbahners Onkel Rıfkı war, kann ich nicht sagen. Vielleicht hatte ich's unbewußt wahrgenommen und sandte ihm nun am Ende eines Tages, an dem mein Leben durch ein Buch ganz und gar verändert wurde, einen Gruß zu. Ein merkwürdiger Wunsch kam mir in den Sinn – ich wollte jene Dinge, die ich während der letzten Besuche mit meinem Vater dort in der Wohnung gesehen hatte, noch einmal aus der Nähe betrachten: die Kanarienvögel im Käfig, das Barometer an der Wand, die säuberlich gerahmten Eisenbahnbilder, die Vitrine, zur Hälfte gefüllt mit Garnituren von Likörgläsern, Miniaturwaggons, Silberzeug, Bonbonnieren, Kontrolleurzangen und Eisenbahner-Verdienstmedaillen, zur anderen

Hälfte mit vierzig, fünfzig Büchern, obendrauf der niemals benutzte Samowar und auf dem Tisch die Spielkarten ... Ich sah das Leuchten des Fernsehers durch die halboffenen Vorhänge, doch nicht den Apparat selbst.

Plötzlich stieg ich, selbst erstaunt über soviel Mut, auf die Trennmauer des Grundstücks zwischen Garten und Gehsteig und erblickte nun den Kopf von Onkel Rıfkıs Witwe, Tante Ratibe, und dazu den Fernsehapparat. Während sie in einem Winkel von fünfundvierzig Grad zu dem leeren Sessel ihres seligen Mannes saß und auf den Bildschirm blickte, hatte sie ganz wie meine Mutter den Kopf zwischen die Schultern gezogen, doch anders als meine Mutter, die strickte, paffte sie eine Zigarette.

Mein Vater war letztes Jahr an Herzversagen gestorben, der Eisenbahner Onkel Rıfkı schon ein Jahr zuvor, doch es war kein natürlicher Tod gewesen. Man hatte ihn eines Abends auf dem Weg ins Café erschossen, der Mörder konnte nicht gefunden werden, es war von Eifersucht die Rede, doch mein Vater hatte im letzten Jahr seines Lebens nicht an dieses Gerede geglaubt. Das Ehepaar hatte keine Kinder.

Als ich um Mitternacht kerzengerade am Tisch saß, lange nachdem meine Mutter eingeschlafen war, und in das Buch schaute, das, vom Ellenbogen bis zur Hand, zwischen meinen Armen lag, vergaß ich nach und nach erregt, begeistert und beglückt die verlöschenden Lichter der Stadt und des Viertels, die Melancholie der nassen, leeren Straßen, den Ruf des Bozaverkäufers, der ein letztes Mal vorbeiging, ein paar zur Unzeit krächzende Krähen, das geduldige Rattern eines langen Güterzuges, der nach dem letzten Vorortzug vorbeifuhr, die Mitternächte, unser Viertel und alles, was mich zu einem der Hiesigen machte, und ergab mich ganz und gar dem Licht, das dem Buch entströmte. Auf diese

Weise verschwanden die Mittagsmahlzeiten, Kinoeingänge, Mitstudenten, Tageszeitungen, Sprudelwasser, Fußballspiele, Schulbänke, Dampfer, die hübschen Mädchen, die Vorstellungen vom Glück, meine zukünftige Geliebte, meine Ehefrau, mein Arbeitstisch, meine Morgen, Frühstücke, Busfahrscheine, kleinen Sorgen, nicht fertig gewordenen Statikaufgaben, alten Hosen, mein Gesicht, meine Pyjamas, meine Nächte, meine Wichsmagazine, meine Zigaretten, ja sogar das sicherste Mittel zum Vergessen, mein treues Bett, das gleich hinter mir wartete – verschwanden alle Dinge, die bis zu jenem Tag mein Leben und meine Traumbilder gewesen waren, samt und sonders aus meinem Verstand, und ich fand mich als Wanderer wieder, dort, in dem Land aus Licht.

ZWEITES KAPITEL

Am nächsten Tag verliebte ich mich. Wie das Licht, das mir aus dem Buch entgegenströmte, erschütterte mich die Liebe und bewies mir in aller Deutlichkeit, daß mein Leben längst aus der Bahn geworfen worden war.

Gleich morgens nach dem Erwachen hatte ich nochmals all das am Tage zuvor Erlebte überdacht und sofort begriffen, daß jenes neue Land, welches sich vor mir auftat, keine vorübergehende Einbildung, sondern Wirklichkeit war, wie mein eigener Körper, meine Arme und Beine. Um die unerträgliche Einsamkeit zu überwinden, an der ich litt, nachdem ich unverhofft in diese Welt hineingeraten war, mußte ich die anderen, die mir Ähnlichen finden.

Nachts war Schnee gefallen, war vor dem Fenster, auf den Gehsteigen und auf den Dächern liegengeblieben. Weil das offene Buch auf dem Tisch von draußen her in ein erschreckend weißes Licht getaucht wurde, erschien es noch reiner und unschuldiger, was zugleich seine furchterregende Wirkung erhöhte.

Trotzdem gelang es mir, wie jeden Morgen mit meiner Mutter zu frühstücken, beim Duft von geröstetem Brot die Zeitung *Milliyet* durchzublättern und einen Blick auf die Kolumne Celâl Saliks zu werfen. Ich aß von dem Käse auf dem Tisch, als ginge alles seinen gewohnten Gang, und lächelte dem gutmütigen Gesicht meiner Mutter zu, während ich meinen Tee trank. Die Tasse, die Teekanne, das Löffelklirren, der Lieferwagen des Orangenhändlers auf der Straße, alles schien mir sagen zu wollen, das Leben werde weiterlaufen wie bisher, doch ich ließ mich nicht täuschen. Als ich beim Verlassen der Wohnung den schweren alten Wintermantel meines Vaters überzog, empfand ich keinerlei Unzulänglichkeit, so sicher war ich mir, daß sich die Welt von A bis Z verändert hatte.

Ich ging zum Bahnhof, bestieg den Zug, verließ den Zug, erreichte das Schiff, sprang in Karaköy auf die Landungs-brücke, drängelte mit den Ellenbogen, lief Treppen hinauf, sprang auf den Bus auf, kam in Taksim an und hielt auf mei-nem Weg zur Taşkışla für einen Moment inne und schaute den Zigeunern zu, die auf dem Gehsteig Blumen verkauf-ten. Konnte ich wirklich annehmen, das Leben würde wei-tergehen wie eh und je, konnte ich vergessen, das Buch ge-lesen zu haben? Das kam mir plötzlich so erschreckend vor, daß ich einfach losrennen wollte.

Während des Unterrichts in Festigkeitslehre übertrug ich Figuren, Zahlen und Formeln, die an der Tafel standen, ge-wissenhaft in mein Heft. Wenn nichts an die Tafel geschrie-ben wurde, saß ich mit untergeschlagenen Armen da und hörte der sanften Stimme des kahlköpfigen Professors zu. Ob ich aber tatsächlich zuhörte oder nur so tat, als ob ich zuhörte wie alle anderen, und in Wahrheit nur einen Studenten der Fakultät für Bauwesen an irgendeiner Tech-nischen Universität imitierte, wollte mir nicht klarwer-den. Als ich nach einer Weile merkte, wie unerträglich hoffnungslos jene alte, uns wohlbekannte Welt geworden war, begann mein Herz schneller zu schlagen, mir wurde schwindlig, als kreise ein Blut- und Medikamentgemisch in meinen Adern, und ich spürte mit Wohlbehagen, wie sich die Kraft des Lichts, das dem Buch entströmte, von meinem Genick her allmählich über meinen ganzen Körper ausbrei-tete. Eine neue Welt hatte längst alles Existierende aus-gelöscht und sogar die Gegenwart schon in die Vergangen-heit verkehrt. Alle Dinge, die ich sah und berührte, hatten sich auf klägliche Weise überlebt.

Ich hatte das Buch zuerst in der Hand einer Architektur-studentin gesehen. Sie wollte von der Cafeteria im Erdgeschoß etwas kaufen und suchte in ihrer Tasche nach der Geldbörse, konnte aber die Tasche nicht gründlich durchsehen, weil sie etwas festhielt mit der anderen Hand. Es war ein Buch, und sie mußte es, um die Hand benutzen zu können, für einen Augenblick auf den Tisch legen, an dem ich saß. So hatte ich es dort mit einem kurzen Blick gestreift. Das war alles, das war der ganze Zufall, der mein Leben verwandelte. Danach hatte das Mädchen das Buch genommen und in seine Tasche gesteckt. Als ich das gleiche Werk nachmittags auf dem Heimweg wiedersah, ausgestellt auf einem Straßenstand zusammen mit alten Folianten, Abhandlungen, Lyrikbänden, Büchern über Astrologie und Liebesromanen und Thrillern, hatte ich es gekauft.

Sowie es zu Mittag läutete, liefen die meisten Studenten unseres Semesters zur Treppe, um sich rechtzeitig in die Schlange einzureihen, nur ich blieb still auf meiner Bank zurück. Ich wanderte durch die Korridore, ging hinunter zur Cafeteria, überquerte die Höfe, wanderte unter den Säulen entlang, betrat die leeren Unterrichtsräume, betrachtete durch die Fenster die verschneiten Bäume des Parks auf der anderen Seite, trank Wasser in der Toilette. Ich lief das ganze Gelände der Taşkışla ab. Das Mädchen war nicht zu finden, aber das beunruhigte mich nicht.

Nach dem Mittagessen nahm das Gedränge in den Korridoren zu. Ich ging durch die Flure der Architekturabteilung, betrat die Ateliers, schaute den Spielern beim »Münzen-Match« auf den Zeichentischen zu, setzte mich in einen Winkel, ordnete die Seiten einer zerfledderten Zeitung und las darin. Und wieder lief ich durch die Gänge, stieg Treppen hinauf und hinunter, hörte mir den Klatsch und Tratsch über Fußball, Politik und die Fernsehsendungen von gestern abend an. Ich mokierte mich mit einigen anderen über eine Filmdiva, die sich zur Mutterschaft entschlossen hatte, bot auf Wunsch Zigaretten und Feuerzeug an, hörte jemandem

zu, der einen Witz erzählte, und gab bei alledem noch gutmütig Antwort, wenn mich irgendwann irgend jemand an-
hielt und fragte, ob ich diesen oder jenen gesehen hätte.
Wenn ich keine Freunde zum Aufhalten, kein Fenster zum
Hinausschauen oder kein Ziel zum Hingehen finden konnte,
ging ich so rasch und entschlossen in irgendeine Richtung,
als hätte ich etwas äußerst Wichtiges im Sinn und wäre sehr
in Eile. Weil aber die Richtung, in die ich ging, gänzlich un-
bestimmt war, änderte ich sie manchmal, wenn mich die Tür
zur Bibliothek aufhielt oder meine Schritte mich zum Trep-
penabsatz führten oder mir jemand begegnete, der von mir
eine Zigarette erbat, oder ich schob mich ins Gedränge oder
hielt auch manchmal an, um mir selbst eine Zigarette anzu-
zünden. Gerade als ich mir eine Bekanntmachung ansehen
wollte, die erst kurz zuvor an einer Wandtafel angeheftet
worden war, schlug mein Herz auf einmal schneller, raste
im Galopp davon und ließ mich hilflos zurück: Da war sie,
dort in der Menge, das Mädchen, in dessen Hand ich das
Buch erblickt hatte, sie entfernte sich von mir, und – weshalb nur? – sie rief mich, langsam schreitend wie im Traum.
Mein Verstand ließ mich im Stich, ich war nicht mehr ich –
und wußte es sehr wohl. Ich ließ mich selbst zurück und lief
ihr nach.

Sie trug ein Kleid in blasser Farbe, wie weiß und doch
nicht weiß und auch von keiner anderen Farbe. Ich erreichte
sie noch vor den Treppenstufen, und als ich sie nun von nahem ansah, traf ein Leuchten mein Gesicht, so kraftvoll, wie
es dem Buch entströmte, und doch ganz sanft. Ich weilte in
dieser Welt und stand an der Schwelle des neuen Lebens. Ich
stand dort am Fuß der schmutzigen Treppe und weilte im
Leben des Buches. Solange ich in dieses Leuchten blickte,
das wußte ich, würde mein Herz nimmer und nimmer auf
mich hören.

Ich hätte das Buch gelesen, sagte ich ihr. Ich hätte das

Buch in ihrer Hand gesehen und es dann gelesen, sagte ich ihr. Vor dem Lesen des Buches habe es für mich eine Welt gegeben, nach dem Lesen des Buches sei für mich eine andere Welt erstanden. Wir müßten jetzt miteinander reden, denn ich sei vollkommen allein geblieben in dieser Welt.

»Ich habe jetzt Unterricht«, sagte sie.

Mein Herz setzte zwei Takte aus. Vielleicht begriff das Mädchen, wie verwirrt ich war, denn sie dachte einen Augenblick nach.

»Gut«, meinte sie dann entschlossen. »Suchen wir uns einen leeren Raum und reden dort miteinander.«

Im zweiten Stock fanden wir einen leeren Raum. Beim Eintreten zitterten meine Beine. Mir wollte nicht einfallen, wie ich erklären könnte, daß ich die Welt erblickt hatte, die mir vom Buch verheißen worden war. Das Buch hatte wie flüsternd zu mir gesprochen, mir die Welt, in die es mich einließ, wie die Offenbarung eines Geheimnisses übergeben. Canan, sagte das Mädchen, sei ihr Name, und ich nannte ihr den meinen.

»Warum fühlst du dich angezogen von dem Buch?« fragte sie.

Ich wollte einer Eingebung folgen, Engel, und sagen: »Weil du es warst, die das Buch gelesen hat.« Wo kam bloß der Engel her? Nun war ich völlig verwirrt, ich bin immer verwirrt, aber dann hilft mir irgend jemand, vielleicht der Engel.

Ich sagte: »Mein ganzes Leben ist verwandelt, seitdem ich das Buch gelesen habe. Das Zimmer, die Wohnung, die Welt, worin ich zu Hause war, hörten auf, mein Zimmer, meine Wohnung, meine Welt zu sein, und ich fühlte mich heimatlos in einer fremden Sphäre. Ich habe das Buch zuerst in deiner Hand gesehen, du mußt es gelesen haben. Erzähl mir von der Welt, in die du eingegangen, aus der du zurückgekehrt bist. Sag mir, was ich tun muß, um dorthin zu gelangen. Erklär mir, weshalb wir jetzt immer noch hier sind. Erklär, wie mir diese Welt vertraut sein kann wie mein eigenes Heim und mein Heim so fremd wie die ganze Welt.«

Wer weiß, was ich noch alles in der gleichen Ton- und Versart gesagt hätte, wenn meine Augen nicht plötzlich wie geblendet gewesen wären. Das bleischwere Schneelicht des Wintermittags drang von draußen so ebenmäßig gleißend herein, daß die Fensterscheiben des kleinen, nach Kreide riechenden Klassenzimmers wie aus Eis gemacht schienen. Ich schaute in ihr Gesicht, voller Angst, in ihr Gesicht zu schauen.

»Was würdest du tun, um in die Welt im Buch hineinzugelangen?« fragte sie.

Ihr Gesicht war blaß, ihre Brauen und Haare dunkelblond, ihr Blick sanft. Kam sie aus dieser Welt, dann hatte sie wohl eher aus den Erinnerungen an diese Welt Gestalt angenommen, kam sie aus der Zukunft, dann trug sie wohl mehr die Züge der Trauer und Angst. Ich schaute, ohne zu wissen, daß ich schaute, als ob ich fürchtete, daß sich die Wirklichkeit zeigen könnte, wenn ich sie noch länger ansah.

»Ich würde alles tun, um die Welt im Buch zu finden«, sagte ich.

Sie blickte mich liebevoll mit ungewissem Lächeln an. Wer oder was mußte man sein, um von einem so wunderschönen, von einem so reizenden Mädchen auf diese Weise angeblickt zu werden? Wie mußte man das Streichholz halten, wie die Zigarette anzünden, wie aus dem Fenster schauen, wie mit ihr sprechen, welche Haltung vor ihr einnehmen, auf welche Weise atmen? Solche Dinge werden einem niemals beigebracht an diesen Lehranstalten. Und deshalb winden sich Menschen wie ich in solch einer aussichtslosen Lage und versuchen, das Schlagen ihres Herzens zu verbergen.

»Was ist das alles, was du tun würdest?« fragte sie mich.

»Einfach alles ...« meinte ich und lauschte schweigend meinem Herzschlag.

Warum, weiß ich nicht, aber mir kamen lange währende, unendlich lange Reisen in den Sinn, nicht enden wollende legendäre Regenfälle, trostlose Straßen, eine in die andere mündend, kummervolle Bäume, schlammige Flüsse, Gärten und Länder. Wenn ich sie eines Tages umarmen durfte, dann mußte ich in diese Länder gehen.

»Würdest du zum Beispiel auch den Tod ins Auge fassen?«

»Ja, das würde ich tun.«

»Auch wenn du wüßtest, daß man die Leser des Buches tötet?«

Ich versuchte zwar zu lächeln, weil der Ingenieuranwärter in meinem Innern meinte, es sei doch schließlich nur ein Buch, doch Canans Augen waren ganz auf mich gerichtet. So ließ mir der Gedanke, weder der Welt im Buch noch ihr selbst jemals näherkommen zu können, wenn ich jetzt etwas versäumte oder etwas Falsches sagte, keine Ruhe.

»Ich glaube nicht, daß mich jemand töten wird«, erwiderte ich, ohne draufzukommen, wen ich dabei imitierte. »Und selbst wenn es geschehen sollte, würde ich den Tod wahrhaftig nicht fürchten.«

Ganz kurz leuchteten ihre honigfarbenen Augen in dem kreidebleichen Licht, das zum Fenster hereinkam. »Glaubst du, es gibt diese Welt, oder ist sie nur Phantasie, erträumt und festgehalten in einem Buch?«

»Es gibt diese Welt«, sagte ich. »Du bist so schön, daß ich weiß, du kommst von dort.«

Mit zwei raschen Schritten erreichte sie mich. Sie nahm meinen Kopf in beide Hände, reckte sich und küßte mich auf den Mund. Einen Augenblick ruhte ihre Zunge auf meinen Lippen. Doch ehe ich ihren leichten Körper umfangen konnte, zog sie sich zurück.

»Du bist sehr mutig«, sagte sie.

Ich spürte Lavendelduft, den Duft von Lavendelwasser. Wie im Rausch ging ich einige Schritte auf sie zu. Zwei Studenten gingen draußen vorbei und schrien einander an.

»Hör mir jetzt bitte zu«, sagte sie. »Du mußt, was du mir erklärt hast, auch Mehmet erklären. Er hat die im Buch beschriebene Welt besucht und ist aus ihr zurückgekehrt. Er kommt von dort, begreifst du das? Doch er zweifelt daran, daß irgend jemand anders dem Buch Glauben schenken und sie aufsuchen könnte. Schreckliche Dinge hat er erlebt, glaubt an nichts mehr. Erklärst du's ihm?«

»Wer ist Mehmet?«

»Sei in zehn Minuten am Eingang zu zweihunderteins, bevor die erste Stunde beginnt«, sagte sie noch und war plötzlich durch die Tür verschwunden.

Der Raum war leer, und ich blieb abwesend, wie zu Stein erstarrt zurück. So hatte mich noch niemand geküßt, niemand mich so angeschaut. Nun war ich vollkommen allein. Ich hatte Angst, ich würde sie vielleicht niemals wiedersehen. Meine Füße aber würden in dieser Welt niemals mehr fest auf dem Boden stehen. Ich wollte ihr nachlaufen, doch schlug mein Herz so heftig, daß ich fürchtete, der Atem würde mir ausgehen. Ein weißes, schneeweißes Licht hatte nicht nur meine Augen, sondern auch meinen Verstand geblendet. Des Buches wegen, mußte ich auf einmal denken und war mir zutiefst bewußt, wie sehr ich das Buch liebte, wie sehr ich dort in jener Welt zu sein wünschte, so daß ich fast in Tränen auszubrechen meinte. Was mich auf den Beinen hielt, war die Existenz des Buches. Ich war auch sicher, das Mädchen würde mich nochmals umarmen. Und ich dachte, alle Welt habe sich zurückgezogen und mich ganz und gar allein gelassen.

Stimmen kamen von dort, vom Fenster her, und ich schaute hinaus. Ein Häuflein Studenten aus dem Bauwesen bewarf sich unten am Rande des Parks laut schreiend mit Schneebällen. Ich blickte auf sie hinunter und begriff nicht, was ich sah. Jetzt war ich wirklich kein Kind mehr. Ich hatte mich selbst verloren.

Geschieht es, geschah es nicht allen von uns schon eines Tages, eines ganz gewöhnlichen Tages, daß wir annehmen, wir würden auf die altgewohnte Weise – den Kopf voller Zeitungsnachrichten, Autolärm und trauriger Worte, die Taschen voll alter Kinokarten und Tabakkrümel – durch diese Welt gehen, dann aber plötzlich erkennen, daß wir eigentlich schon lange ganz woanders hingegangen sind, daß wir im Grunde genommen gar nicht dort sind, wo uns unsere Schritte hinführten? Ich hatte mich doch längst verloren, war hinter den Fensterscheiben aus Eis, unter einem ausgeblichenen Licht in nichts zerronnen. Dann aber mußte ich, um irgendwo wieder festen Boden unter die Füße zu bekommen, um in irgendeine Welt zurückkehren zu können, unbedingt ein Mädchen, dieses Mädchen umarmen, mußte ihre Liebe gewinnen. Wie schnell war dieser übergescheite Unsinn von meinem immer noch heftig klopfenden Herzen akzeptiert worden! Ich war verliebt und drauf und dran, mich dem maßlosen Wertmesser meines Herzens auszuliefern. So schaute ich auf die Uhr. Es blieben noch acht Minuten.

Wie ein Gespenst ging ich durch die hohen Korridore und fühlte auf ganz seltsame Weise, daß ich einen Körper, ein Leben, ein Gesicht, eine Geschichte besaß. Würde ich ihr in der Menge begegnen? Und wenn, was würde ich sagen? Wie sah ihr Gesicht aus? Ich konnte mich nicht erinnern. Ich betrat die Toilette neben der Treppe und trank Wasser, den Mund direkt am Hahn. Dann besah ich mir im Spiegel meine kurz zuvor geküßten Lippen. Mutter, ich habe mich verliebt, Mutter, ich verliere mich, Mutter, ich fürchte mich, und dennoch könnte ich alles für sie tun. Wer ist dieser Mehmet, werde ich Canan fragen, was macht ihm angst, wer sind sie, die die Leser des Buches töten wollen, ich fürchte mich vor nichts, und ja, auch du wirst dich nicht fürchten, wenn du das Buch verstanden hast und daran glaubst wie ich.

Während ich den vielen Menschen auf den Korridoren begegnete, merkte ich auf einmal, wie schnell ich ging, gerade so, als hätte ich etwas Eiliges zu erledigen. Ich stieg in den zweiten Stock hinauf, ging unter den hohen Fenstern zum Hof mit dem Wasserbecken entlang, ging und ließ mich selbst zurück und dachte dabei an Canan. Ich ging an dem Raum vorbei, wo ich jetzt Unterricht haben sollte, quer durch die Gruppe meiner Mitstudenten. Wißt ihr, auf welche Weise mich vor kurzem ein wunderbares Mädchen geküßt hat? Meine Beine führten mich mit raschen Schritten meiner Zukunft entgegen. In jener Zukunft lagen dunkle Wälder, Hotelzimmer, lila-bläuliche Traumbilder, Leben, Frieden und Tod.

Als ich drei Minuten vor Unterrichtsbeginn vor dem Raum 201 ankam, erkannte ich sofort, wer Mehmet war, noch bevor ich Canan sah. Sein Gesicht war blaß, er war groß und schlank wie ich, nachdenklich, zerstreut und müde. Ich erinnerte mich verschwommen daran, ihn vorher schon mit Canan gesehen zu haben. Er weiß mehr als ich, ging's mir durch den Kopf, er hat mehr erlebt, ist auch einige Jahre älter als ich.

Wie er mich erkannte, weiß ich nicht. Wir gingen irgendwo an die Seite, auf eine Lücke zwischen den Schränken zu.

»Du sollst das Buch gelesen haben«, meinte er. »Was hast du darin gefunden?«

»Ein neues Leben.«

»Glaubst du daran?«

»Ich glaube daran.«

Sein Gesicht, sein Teint wirkte so matt, daß mir angst wurde vor seinen Erlebnissen.

»Hör mir zu«, sagte er. »Auch ich hatte daran geglaubt, hatte angenommen, jene Welt zu finden. Ich bin in Busse eingestiegen, bin aus Bussen ausgestiegen, bin von Stadt zu Stadt gefahren und habe gemeint, ich würde jenes Land, jene Menschen, jene Straßen entdecken. Glaub mir, am Ende steht nichts als der Tod. Man bringt die Menschen ohne jedes Mitleid um. Sogar in diesem Augenblick könnten wir verfolgt werden.«

»Mach ihm keine Angst!« bat Canan.

Wir schwiegen. Mehmet sah mich einen Moment so an, als kennten wir uns seit Jahren. Ich hatte das Gefühl, ihn enttäuscht zu haben.

»Ich habe keine Angst«, erklärte ich und blickte Canan an. »Ich kann es zu Ende bringen«, fügte ich noch hinzu und gab mich dabei wie ein finster entschlossener Filmheld.

Canan mit ihrem unvergleichlichen Körper stand zwei Schritte von mir entfernt. Zwischen uns, doch näher bei ihm.

»Da ist nichts zu Ende zu bringen«, erwiderte Mehmet. »Ein Buch. Jemand hat sich hingesetzt und es geschrieben, eine Phantasie. Man kann nichts weiter tun als es nochmals und nochmals lesen.«

»Sag ihm, was du mir gesagt hast«, forderte Canan mich auf.

»Es gibt jene Welt«, erklärte ich. Und spürte den Wunsch, Canans schönen langen Arm zu berühren und sie an mich zu ziehen, doch ich hielt an mich. »Ich werde jene Welt finden.«

»Jene Welt oder so etwas gibt es nicht. Das ist alles nur eine Geschichte. Stell es dir als ein Spiel für Kinder vor, das sich ein alter Einfaltspinsel ausgedacht hat. Der Alte wird wohl eines Tages gemeint haben, daß er auch ein Buch für die Großen schreiben sollte, so wie er zuvor für Kinder geschrieben hatte. Wer weiß, ob ihm selbst der Sinn des Buches klar ist. Es macht Spaß, wenn du's liest, doch du begibst dich auf schlüpfrigen Boden, wenn du daran glaubst.«

»Es gibt eine Welt dort«, beharrte ich wie ein stur entschlossener Filmheld, »und ich weiß, ich werde einen Weg finden und dorthin gehen.«

»Dann viel Glück!«

Er wandte sich um, warf Canan einen vielsagenden Blick zu: Habe ich's dir nicht gesagt?, wollte fortgehen, hielt noch einmal an und fragte: »Wie kannst du so sicher sein, daß es jenes Leben gibt?«

»Weil ich den Eindruck habe, das Buch erzählt meine Geschichte.«

Er lächelte freundschaftlich, wandte sich ab und ging fort.

»Warte, geh noch nicht«, bat ich Canan. »Ist er dein Geliebter?«

»Du hast ihm im Grunde gefallen«, sagte sie, »er hat Angst, nicht um sich selbst, aber um mich und Menschen wie dich.«

»Ist er dein Geliebter? Geh nicht, bevor du mir alles erzählt hast.«

»Er braucht mich«, sagte sie.

Diesen Ausdruck hatte ich so oft im Film gehört, daß ich ganz spontan und überzeugt zur Antwort gab: »Ich sterbe, wenn du mich allein läßt!«

Sie lächelte und betrat mit allen anderen zusammen den Raum 201. Ich wünschte sehr, den beiden zu folgen und mit ihnen am Unterricht teilzunehmen. Durch die großen Fenster des Raumes, die sich zum Flur hin öffneten, sah ich sie nebeneinander auf einer Bank sitzen, zwischen all den anderen Studenten in den gleichen blaßgrünen und erdgrauen Kleidern und Jeans. Während sie schweigend auf den Beginn der Vorlesung warteten, schob Canan ihr dunkelblondes Haar mit einer sanften Handbewegung hinter das Ohr, und von meinem Herzen schmolz ein weiteres

Stück dahin. Im Gegensatz zu dem, was die Filme über die Liebe sagen, fühlte ich mich unsagbar elend und ging, wohin mich meine Füße trugen.

Was dachte sie von mir, welche Farbe hatten die Wände ihrer Wohnung, über was sprach sie mit ihrem Vater, glänzte ihr Badezimmer strahlend hell, hatte sie Geschwister, was aß sie zum Frühstück, waren die beiden ein Liebespaar, und warum hatte sie mich dann geküßt?

Der kleine Raum, in dem sie mich geküßt hatte, war leer. Ich trat ein wie ein geschlagenes Heer, war aber fest zu neuen Kämpfen entschlossen. Das Echo meiner Schritte in dem leeren Raum, meine elenden, schuldigen Hände beim Öffnen der Zigarettenpackung, der Kreidegeruch, ein eisigweißes Licht. Ich lehnte meine Stirn an die Fensterscheibe. War dies das neue Leben, an dessen Schwelle ich mich morgens gesehen hatte? Ich war müde von dem, was mir durch den Kopf ging, trotzdem führte der logisch denkende Ingenieuranwärter in einem Winkel meines Verstandes Buch über alles: An meinem eigenen Unterricht teilzunehmen war ich nicht imstande, also würde ich zwei Stunden warten, bis sie herauskamen. Zwei Stunden.

Meine Stirn war gegen das kalte Glas gepreßt, ich weiß nicht, wieviel Zeit verging, während ich mich selbst bedauerte, während es mir gefiel, mich selbst zu bedauern, und ich glaubte, meine Augen würden feucht, als ein leichter Wind aufkam und es zu schneien begann. Wie still es dort unten war, an dem Abhang nach Dolmabahçe hinunter, unter den Platanen und Kastanien! Die Bäume wußten nicht, daß sie Bäume waren, dachte ich. Krähen huschten flügelschlagend durch die schneebedeckten Zweige. Bewundernd schaute ich zu.

Ich blickte den fallenden Flocken nach. Sie schwebten zart wiegend herab, folgten von einem bestimmten Punkt an wie unentschlossen ihresgleichen und wurden gerade in dieser

Unentschlossenheit von einem ungewissen Windzug erfaßt und fortgewirbelt. Hin und wieder blieb eine Flocke, nachdem sie eben noch durch die Leere geschaukelt war, für einen Moment still in der Luft hängen und begann, als verzichte sie auf etwas, als hätte sie ihre Meinung geändert, ganz langsam wieder zurück- und himmelwärts zu fliegen. Eigentlich sah ich viele Flocken, die sich zurück- und wieder dem Himmel zuwandten, ohne sich auf dem Schlamm, dem Park, dem Asphalt oder den Bäumen niederzulassen. Wer wußte das, wer würde schon darauf achten?

Wer hatte schon darauf geachtet, daß die Spitze des Dreiecks, welches als Verlängerung des Parks gedacht werden konnte und beiderseitig von der asphaltierten Straße beschnitten war, auf den Leanderturm zeigte? Wem war es aufgefallen, daß der Ostwind im Lauf der Jahre die Pinien am Rande des Gehsteigs zu einer perfekten Symmetrie gebeugt hatte, so daß über den Haltestellen der Kleinbusse ein Oktogon entstanden war? Wer würde sich beim Anblick des Mannes auf dem Gehsteig mit einer rosa Plastiktüte in der Hand daran erinnern, daß halb Istanbul mit Plastiktüten in der Hand durch die Straßen lief? Und wer würde die Fußspuren derer betrachten, die in den schnee- und rußbedeckten toten Parkanlagen der Stadt hungrige Hunde und leere Flaschen auflesen, und darauf kommen, daß es deine Zeichen sind, Engel, ohne auch nur im geringsten zu ahnen, wer du bist? Sollte ich die neue Welt, die sich mir in dem vor zwei Tagen an dem Stand auf dem Gehsteig dort drüben erworbenen Buch so geheimnisvoll öffnete, auf diese Weise kennenlernen?

Nicht meine Augen, sondern mein aufgeregtes Herz erkannte im zunehmend bleiernen Licht und dem dichter fallenden Schnee Canans Konturen zuerst auf demselben Gehsteig. Sie trug einen purpurroten Mantel, das heißt, mein Herz hatte, unbemerkt von mir, den Mantel ins Visier genommen. Mehmet ging in einem grauen Jackett an ihrer Seite, ohne im Schnee Spuren zu hinterlassen, wie ein böser Geist. Ich wäre ihnen am liebsten nachgelaufen.

Dort, wo zwei Tage zuvor der Bücherstand gewesen war, blieben sie stehen und begannen zu sprechen. Aus ihren Gebärden, aus Canans Gereiztheit und ihrem Zurückweichen ließ sich erkennen, daß sie beide stritten, so wie zwei Liebende sich streiten, die miteinander vertraut sind.

Danach gingen sie weiter und hielten wieder an. Ich war sehr weit entfernt, konnte aber aus ihrer Haltung und aus den Blicken der Passanten ungerührt erkennen, daß sie diesmal noch heftiger stritten.

Auch das dauerte nur eine kleine Weile. Canan wandte sich um, ging wieder zur Taşkışla zurück, einen Augenblick lang schaute Mehmet ihr nach und setzte dann seinen Weg in Richtung Taksim fort. Mein Herz geriet erneut aus dem Takt.

Dann erst sah ich, daß der Mann mit der rosa Plastiktüte, der an der Haltestelle der Minibusse nach Sarıyer wartete, plötzlich zur anderen Straßenseite hinüberging. Meine Augen, die fest auf die eleganten Schritte des schönen Schattens im purpurnen Mantel gerichtet waren, wollten sich eigentlich nicht ablenken lassen, doch im Benehmen des quer über die Straße hastenden Mannes mit der Plastiktüte war etwas Auffälliges, wie ein falscher Ton in einem Musikstück. Zwei Schritte vom Gehsteig entfernt holte er etwas aus der rosa Tüte, zog eine Waffe heraus und richtete sie auf Mehmet. Und der blickte sie an.

Zunächst sah ich, wie Mehmet schwankte, sah, daß er getroffen war. Danach erst hörte ich den Schuß. Dann war der zweite Schuß zu hören. Ich meinte, es würde noch ein dritter folgen, als Mehmet taumelte und hinfiel. Der Mann ließ die Plastiktüte fallen und flüchtete in den Park.

Canan ging immer noch in meine Richtung, mit den hoffnungslosen, eleganten Vogelschritten. Die Schüsse hatte sie nicht gehört. Ein Lastwagen voll schneebedeckter Orangen fuhr mit lautem Getöse auf die Kreuzung. Die Welt schien in Bewegung zu geraten.

Ich sah ein Durcheinander dort bei der Haltestelle der Minibusse. Mehmet war dabei, aufzustehen. Weit hinten am Abhang, in dem verschneiten Park, da rannte der Mann ohne Plastiktüte hüpfend wie ein Clown, der die Kinder zum Lachen bringen möchte, auf das Inönü-Stadion zu, und zwei verspielte Hunde folgten ihm.

Ich hätte nach unten laufen, Canan auf der Straße abfangen und ihr Nachricht geben sollen, doch ich blieb stehen und sah zu, wie Mehmet schwankte und erstaunt um sich blickte. Wie lange? Eine Zeitlang, eine lange Zeit, bis Canan an der Taşkışla um die Ecke gebogen und aus meinem Blickwinkel verschwunden war.

Nun rannte ich los, die Treppe hinunter, lief zwischen Polizisten in Zivil, Studenten und Hausmeistern am Tor hindurch. Von Canan war nichts zu sehen, keine Spur zu finden, als ich den Haupteingang erreichte. Mit schnellen Schritten lief ich hügelaufwärts, konnte aber Canan nicht entdecken. An der Kreuzung angelangt, konnte ich nichts von dem erkennen, was ich eben noch beobachtet hatte, und traf niemanden dort. Mehmet war nicht zu sehen, ebensowenig die Plastiktüte, die der Mann mit der Waffe fortgeworfen hatte.

An der Stelle auf dem Gehsteig, wo Mehmet getroffen worden und gestürzt war, hatte sich der geschmolzene Schnee in Schlamm verwandelt. Eine hübsche, elegante Mutter und ein etwa zweijähriges Kind, das ein Käppchen trug, gingen daran vorüber.

»Wohin ist der Hase gelaufen, Mutter, wo ist der Hase?« fragte das Kind.

Ich hastete über die Straße zur anderen Seite, wo die

Minibusse nach Sarıyer abfuhren. Die Welt war wieder ein-
gehüllt in die Lautlosigkeit des Schnees und die Apathie der
Bäume. Zwei Fahrer an der Kleinbushaltestelle, die einander glichen wie ein Ei dem anderen, äußerten sich mehr als
erstaunt zu meinen Fragen. Ihnen war nicht das geringste
bekannt. Auch der Verkäufer mit dem Piratengesicht, der
sie mit Tee versorgte, hatte keine Schüsse gehört, überdies
war er nicht geneigt, sich über irgend etwas zu wundern.
Der Mann mit der Trillerpfeife aber, der an der Haltestelle
für Ordnung sorgte, blickte mich an, als sei ich der Schul-
dige, der den Abzug betätigt hatte. Krähen stürzten sich auf
die Pinienzweige über mir. Ich steckte meinen Kopf in einen
Kleinbus, der eben abfahren wollte, und stellte aufgeregt
meine Fragen. Ein Tantchen sagte: »Dort haben vor kurzem
ein Junge und ein Mädchen ein Taxi angehalten und sind
eingestiegen.«

Ihr Finger zeigte in Richtung Taksim-Platz. Obwohl ich
wußte, wie unsinnig es war, lief ich rasch dorthin. Inmitten
des Gewühls auf dem Platz, zwischen Händlern, Wagen und
Läden, meinte ich, mutterseelenallein auf der Welt geblieben zu sein. Ich wollte nach Beyoğlu einbiegen, als mir
plötzlich ein Gedanke kam, der mich in die Sıraselviler-
Straße zur Erste-Hilfe-Klinik laufen ließ, wo ich wie ein
Notfall durch die Tür der Notaufnahme in den Äther- und
Jodgeruch eindrang.

Dort sah ich vornehme Herren in ihrem Blut, die Hosen
zerrissen, die Aufschläge hochgekrempelt. Ich sah Kranke
mit Verdauungsstörungen und Vergiftete mit ausgepump-
tem Magen, auf der Bahre ausgestreckt und blau im Gesicht, die man zum Frischeluftschnappen draußen im Schnee
zwischen den Blumenkübeln mit Hasenohr abgestellt hatte.
Einem dicken, recht feinen älteren Herrn, der auf der Suche
nach dem diensthabenden Arzt von Tür zu Tür lief und dabei das Ende einer Wäscheleine in der Hand hielt, mit der

sein Arm fest abgebunden war, um ihn vor dem Tod durch Verbluten zu bewahren, zeigte ich den Weg. Zwei alte Freunde sah ich, die mit demselben Messer aufeinander eingestochen, das Messer aber zu Hause vergessen hatten und sich danach bei dem wachhabenden Polizisten, der das Protokoll aufnahm, für das vergessene Beweisstück entschuldigten und brav ihre Aussage machten. Ich wartete, bis ich an der Reihe war, und erfuhr noch vor der Auskunft der Polizisten von den Krankenschwestern: Nein, heute habe sich hier noch kein Student mit einer Schußverletzung und auch kein dunkelblondes Mädchen eingefunden.

Dann suchte ich die Klinik der Stadtverwaltung Beyoğlu auf, und es schien mir, als würde ich dort den gleichen sich gegenseitig niederstechenden Freunden, den gleichen jodtinkturtrinkenden Selbstmörderinnen, den gleichen Lehrburschen, deren Arm die Maschine, deren Finger die Nadel erwischt hatte, und den gleichen Fahrgästen begegnen, die zwischen Bus und Haltestelle, zwischen Dampfer und Landungssteg eingeklemmt worden waren. Ich prüfte die Eingänge sehr genau, machte gegenüber einem Polizisten, der meinen Argwohn beargwöhnte, eine nicht protokollierte Aussage und fürchtete schließlich, ich müsse weinen, nachdem ich den Duft des Lavendelwassers genossen hatte, das ein glücklicher Vater großzügig über unser aller Hände versprühte, als er aus der Geburtsstation im oberen Stockwerk herunterkam.

Bei Einbruch der Dunkelheit kehrte ich zum Ort des Geschehens zurück. Ich ging zwischen den Kleinbussen hindurch in den Park hinein. Zuerst flatterten die Krähen wütend über meinem Kopf herum, dann ließen sie sich auf den Zweigen als Späher nieder. Ich mochte mich inmitten des Stadtgetöses befinden, doch ich fühlte eine Taubheit in meinen Ohren wie ein Mörder, der in einer Ecke lauert und jemanden ersticht. In der Ferne brannten die blaßgelben Lichter des Raumes, in dem mich Canan geküßt hatte, dort ging wohl noch der Unterricht weiter. Die Bäume, deren Hoffnungslosigkeit mich morgens noch verwirrt hatte, waren zu groben, mitleidlosen Rindenklumpen geworden. Festen Schrittes ging ich durch den Schnee, der in meine Schuhe eindrang, und stieß auf die Spuren des Mannes, der vier Stunden zuvor ohne die Plastiktüte in der Hand hüpfend und springend wie ein glücklicher Clown durch diesen Schnee gelaufen war. Um der Spuren ganz sicher zu sein, folgte ich ihnen bis zur Straße hinunter, kehrte dort um und mußte, als ich wieder bergan ging, feststellen, daß meine Fußspuren sich längst mit denen des Mannes ohne Plastiktüte vermischt hatten. Da kamen plötzlich, schuldbeladen und Zeugen gleich mir, zwei finstere Hunde aus dem Gebüsch hervor und liefen ängstlich davon. Ich hielt an und schaute hoch zum Himmelszelt, es war so finster wie die Hunde.

Während des Abendessens zu Hause verfolgten meine Mutter und ich die Neuigkeiten im Fernsehen. Die Nachrichten, die zwischendurch auftretenden Personen, die Mord-, Unfall-, Brand- und Suizidmeldungen erschienen mir so fern und unverständlich wie Sturmwellen in einem kleinen, hoch oben von den Bergen aus sichtbaren Ausschnitt des Meeres. Dennoch regte sich in mir der Wunsch, »dort« und ein Teil dieses bleigrauen Meeres in der Ferne zu sein. Unter den durch eine nicht präzise eingestellte Antenne leicht welligen Schwarzweißbildern des Apparates war keines, das von einem Studenten sprach, der durch Schüsse verletzt worden war.

Nach dem Essen zog ich mich auf mein Zimmer zurück. Das offene Buch auf dem Tisch, so wie ich's zurückgelassen hatte, lag dort auf eine Art und Weise, die mir angst machte. In dem Ruf des Buches, in meinem wachsenden Wunsch, mich ihm zuzuwenden, mich ihm ganz und gar hinzugeben, steckte eine rohe Gewalt. Mit dem Gedanken, daß ich dem nicht widerstehen könne, verließ ich das Haus. Ich ging durch die schmutz- und schneebedeckten Straßen bis zum Ufer des Meeres. Die Dunkelheit des Meeres gab mir Kraft.

Dank dieser Kraft setzte ich mich gleich nach meiner Rückkehr ins Haus an den Tisch und hielt mein Gesicht, als würde ich meinen Leib einer heiligen Sache verschreiben, mutig dem Licht entgegen, das dem Buch entströmte. Zuerst war der Lichtstrom nicht sehr stark, doch beim Weiterlesen, beim Umblättern der Seiten hüllte er mich so brennend ein, daß ich mein ganzes Sein dahinschwinden fühlte. Ich las bis zum Morgen und verspürte dabei den fast unwiderstehlichen Wunsch, zu leben und zu laufen, spürte eine Ungeduld in meinem Leib und eine schmerzliche Erregung.

DRITTES KAPITEL

Die nächsten Tage verbrachte ich mit der Suche nach Canan. Sie war am folgenden Tag nicht in der Taşkışla zu sehen, auch nicht am nächsten und am übernächsten. Zuerst fand ich ihre Abwesenheit verständlich und dachte, sie würde wohl kommen, doch ganz allmählich zog sich der altvertraute Boden unter meinen Füßen zurück. Ich war müde vom Suchen, Umherschauen und Hoffen, ich war unsäglich verliebt und fühlte mich außerdem durch den Einfluß des Buches, das ich jede Nacht bis zum Morgen las, unsäglich einsam. Mir war schmerzhaft bewußt, daß die Kette von Eindrücken, die wir von dieser Welt bekamen, nur aus einer Serie falsch verstandener Zeichen und bestimmter blind übernommener Gewohnheiten bestand und daß sich die wahre Welt, das wahre Leben, entweder innerhalb oder vielleicht auch außerhalb davon, aber jedenfalls nahebei befand. Ich hatte erkannt, daß niemand außer Canan mir den Weg zeigen würde.

In allen Zeitungen, Lokalbeilagen und Wochenzeitschriften las ich aufmerksam und in allen Einzelheiten die Meldungen über politische Attentate, gewöhnliche, in betrunkenem Zustand begangene Morde, blutige Unfälle und Brände, stieß aber auf keine Spur. Nach der nächtelangen Lektüre des Buches ging ich gegen Mittag zur Taşkışla, ging in der Hoffnung, sie zu sehen, durch die Korridore, denn vielleicht war sie jetzt gekommen, suchte hin und wieder die Cafeteria auf, ging Treppen hinauf und Treppen hinab, stand im Hof und schaute mich um, durchquerte hastig die Bibliothek, ging zwischen den Säulen entlang, hielt vor der Tür des Raumes an, in dem sie mich geküßt hatte, besuchte, soweit es meine Geduld ertrug, eine Vorlesung, vertrieb mir dort ein wenig die Zeit und verließ den Raum, um die gleichen Wanderungen wiederaufzunehmen. Ich hatte nichts weiter zu tun, als zu suchen, zu warten und nachts von neuem das Buch zu lesen.

Eine Woche später versuchte ich dann, mich unter Canans Mitstudenten zu mischen, vermutete allerdings, daß weder Mehmet noch sie selbst viele Freunde unter ihnen hatten. Einige wußten, daß Mehmet in der Nähe von Taksim in einem Hotel als Sekretär wie auch als Nachtportier arbeitete und auch in der Gegend wohnte, doch niemand konnte sagen, warum er in den letzten Tagen nicht zur Taşkışla gekommen war. Eine gehässige Studentin, die mit Canan zusammen das Lyzeum besucht hatte, ohne ihre Freundin werden zu können, erzählte, sie wohne in Nişantaşı. Eine andere sagte, daß sie, um den Abgabetermin einzuhalten, mit Canan bis in die frühen Morgenstunden Pläne gezeichnet habe, und erwähnte dabei einen höflichen, gutaussehenden älteren Bruder, der im Geschäft seines Vaters mitarbeite. Sie schien sich mehr für den Bruder als für Canan zu interessieren. Deren Adresse aber erfuhr ich nicht von ihr, sondern im Immatrikulationsbüro, wo ich erzählte, ich wollte meinen Kommilitonen Neujahrskarten schicken.

Nachts las ich das Buch, bis zum Morgen, bis meine Augen schmerzten und meine Energie durch die Schlaflosigkeit erschöpft war. Während der Lektüre schien manchmal das Licht, das dem Buch entströmte, so kraftvoll, so hell zu sein, daß ich meinte, nicht nur mein am Tisch sitzender Körper und meine Seele hätten sich gänzlich aufgelöst, sondern alles, was mich zu mir selbst machte, sei mit dem Lichtstrahl des Buches zunichte geworden. Dann wurde vor meinen Augen eine Vision lebendig, in der das zunehmende, mich umfangende Licht zuerst gleichsam aus einer unterirdischen Spalte sickerte, dann immer stärker wurde, sich ausbreitete und die ganze Welt umspannte, die auch für mich einen Platz bereithielt – und plötzlich stellte ich mir vor, daß ich auf den Straßen jenes Landes, dessen mutige neue Menschen, unsterbliche Bäume und abseits liegende Städte ich bereits gesehen zu haben schien, Canan begegnen und sie mich dort umarmen würde.

Ende Dezember ging ich eines Abends nach Nişantaşı, in Canans Viertel. Lange spazierte ich unentschlossen auf der Hauptstraße umher, zwischen Schaufenstern im leuchtenden Neujahrsschmuck und eleganten Frauen, die mit ihren Kindern vom Einkaufen kamen, und vertrieb mir die Zeit vor den neu eröffneten Sandwichläden, den Zeitungs- und Zeitschriftenhändlern und vor den Auslagen der Konditoreien und Kleidergeschäfte.

Als die Läden geschlossen wurden und die Straßen sich leerten, klingelte ich an der Tür eines Apartmenthauses in einer der Seitenstraßen. Ein Dienstmädchen öffnete, ich erklärte, ich sei ein Student aus Canans Semester, und sie ging ins Innere der Wohnung. Ich hörte aus einem Fernseher eine politische Ansprache, Geflüster. Canans Vater, in der Hand eine schneeweiße Serviette, hochgewachsen, im weißen Hemd, kam und bat mich herein: eine nervöse, geschminkte Mutter, der gutaussehende ältere Bruder und ein Eßtisch, an der vierten Seite unbesetzt. Das Fernsehen sendete Nachrichten.

Ich sagte, ich sei ein Kommilitone von Canan, studiere im gleichen Semester, sie komme nicht zur Universität, wir, alle Freunde, seien besorgt, einige von uns hätten angerufen, aber keine zufriedenstellende Antwort erhalten, und außerdem sei da noch bei ihr, ich bäte um Entschuldigung, meine unfertige Statikaufgabe, die ich beenden und deshalb zurückerbitten müsse. Mit dem verschossenen Mantel meines toten Vaters über meinem linken Arm muß ich wohl wie ein wilder Wolf im abgetragenen Schafspelz gewirkt haben.

»Du scheinst ein guter Junge zu sein, mein Sohn«, begann Canans Vater. Er werde offen mit mir sprechen, sagte er und bat mich um aufrichtige Antworten auf seine Fragen. War ich Linker oder Rechter, Anhänger des Glaubens oder Sozialist, stand ich irgendeiner politischen Richtung nahe? Nein. Hatte ich irgendeine Verbindung zu politischen Organisationen innerhalb oder außerhalb der Universität? Nein, ich hatte auch keine solche Verbindung.

Es wurde still. Die Augenbrauen der Mutter hoben sich, drückten Zustimmung und Anteilnahme aus. Die Augen des Vaters, so honigfarben wie die Canans, glitten über die Zufallsbilder im Fernsehen, schweiften für einen Moment ab in nicht vorhandene Länder und wandten sich, nun scheinbar entschlossen, mir zu.

Canan habe das Haus verlassen, sie sei verschwunden. Doch vielleicht sollte man es nicht Verschwinden nennen. Alle zwei, drei Tage rufe sie, nach dem Rauschen im Telefon zu urteilen, aus einer weit entfernten Stadt an und sage, man solle sich nicht um sie sorgen, es gehe ihr gut, sie spreche aber nur wenig und lege auf, ohne den Fragen, dem Drängen des Vaters und dem Flehen der Mutter nachzugeben. Sie hätten unter diesen Umständen natürlich den berechtigten Verdacht, daß ihre Tochter von einer politischen Organisation für deren dunkle Machenschaften mißbraucht werde. Sie wollten auch schon die Polizei verständigen, seien aber davon abgekommen, weil sie immer Canans Intelligenz vertraut hätten und sicher wüßten, daß sie ihren Verstand gebrauchen und sich selbst aus ihrer mißlichen Lage befreien würde. Die Mutter, die mich von meiner Kleidung bis zu den Haaren, von dem über eine Sessellehne gelegten väterlichen Erbstück bis zu meinen Schuhen eingehend inspiziert hatte, bat mich mit weinerlicher Stimme, ich sollte ihnen umgehend mitteilen, ob ich eventuell etwas wußte oder vermutete, was die Situation erhellen könnte.

Ich setzte eine erstaunte Miene auf und erklärte, nicht die geringste Idee, bitte sehr, nicht die leiseste Ahnung zu haben. Für einen Moment blieben unser aller Blicke an dem Teller mit Börek und dem Karottensalat auf dem Tisch hängen. Der gutaussehende Bruder, der hinausgegangen und wiedergekommen war, erklärte entschuldigend, er habe meine halbfertige Hausaufgabe nicht finden können. Wenn ich selbst im Zimmer nachsehen könnte, würde ich sie vielleicht finden, deutete ich an, doch statt mir das Schlafzimmer ihrer verlorenen Tochter zu öffnen, begnügten sie sich damit, mir etwas halbherzig den leeren Platz am Tisch anzubieten. Als stolzer Liebhaber lehnte ich ab. Als ich jedoch beim Verlassen des Zimmers ein gerahmtes Bild auf dem Klavier entdeckte, tat es mir leid. Auf dem Bild stand die etwa neunjährige Canan mit traurigem Kinderblick und ungewissem Lächeln neben ihren Eltern und trug, vielleicht anläßlich einer Schulaufführung, ein niedliches, dem Westen abgeschautes Engelskostüm mit kleinen Flügeln.

Wie kalt und feindselig draußen die Nacht war, wie erbarmungslos die dunklen Straßen! Auf einmal wurde mir klar, warum die rudelweise herumlaufenden Straßenhunde sich so sehr aneinanderdrängten. Sanft weckte ich meine Mutter auf, die vor dem Fernseher eingeschlafen war, berührte ihren bleichen Nacken, spürte ihren Duft und wünschte, sie umarme mich. Wieder zurück in meinem Zimmer, fühlte ich einmal mehr, daß sehr bald mein eigentliches Leben beginnen würde.

Ich las das Buch. Las es voller Ehrfurcht, ergab mich ihm und bat darum, daß es mich fortbringen möge aus den hiesigen Bereichen. Neue Visionen tauchten vor mir auf, neue Länder, neue Menschen. Ich sah flammenfarbige Wolken, dunkle Meere, purpurne Bäume, rötliche Wellen. Danach aber war es wie an manchem Frühlingsmorgen, wenn gleich nach einem Regenguß die Sonne hervorkam und die schmuddligen Wohnhäuser, verfluchten Straßen und toten Fenster vor meinen energisch lebensfrohen Schritten plötzlich zurückwichen und den Weg freigaben, und vor meinem inneren Blick entfalteten sich verschiedene Bilder, und die Liebe erschien mir in einem strahlendweißen Licht. Sie trug ein Kind auf dem Schoß, und es war das kleine Mädchen aus dem gerahmten Bild auf dem Klavier.

Das Mädchen sah mich lächelnd an, wollte vielleicht etwas sagen, tat es womöglich auch, doch ich konnte es nicht hören. Ich war plötzlich so ratlos. Eine innere Stimme sagte mir, daß ich niemals ein Teil dieses schönen Bildes würde sein können, und ich mußte ihr verbittert recht geben. Außerdem fühlte ich Reue. Und erkannte im gleichen Augenblick qualvoll brennend, wie die Liebe und das Mädchen auf sonderbare Weise aufstiegen und verschwanden.

Diese Phantasiebilder ließen mich plötzlich so erschrekken, daß ich mein Gesicht, wie bei der Lektüre am ersten Tag, angsterfüllt abwenden mußte von dem Buch, als wolle ich mich vor dem Licht schützen, das aus seinen Seiten sprühte. Voll Kummer erkannte ich, daß mein eigener Körper hier in einem anderen Leben erstarrt zurückgeblieben war, inmitten der Stille meines Zimmers, des Friedens, den ich an meinem Tisch empfand, bei der ruhigen Haltung meiner Arme und Hände, inmitten meiner Möbel, meiner Zigarettenpackung, meiner Schere, meiner Lehrbücher, meiner Vorhänge und meines Bettes.

Ich wünschte, daß sich mein Körper, dessen Wärme, dessen Pulsschlag ich spürte, aus dieser Welt entferne, doch andererseits hörte ich auch die Geräusche im Inneren des Apartmenthauses und draußen, weit fort, den Ruf des Bozaverkäufers, ich spürte das Vorhandensein von Dingen, die beweisen konnten, daß ich um Mitternacht in dieser Welt saß und ein Buch las, mich innerhalb des jetzigen Augenblicks befand. So lauschte ich für eine Weile nur diesen Lauten: dem Gehupe der Autos von weit her, dem Bellen der Hunde, einem ungewissen Windzug, dem Gespräch zweier Passanten (Erst morgen früh, sagte der eine) und dem Lärm langer Güterzüge, der plötzlich alle Geräusche übertönte. Lange danach, als auf einmal alles in vollkommener Stille zu versinken schien, stieg ein Bild vor meinen Augen auf, und ich begriff, wie das Buch meine Seele durchdrang. Sie schien der unbeschriebenen Seite eines Heftes zu gleichen, während ich mein Gesicht dem Lichtstrom des Buches entgegenhielt. Auf diese Weise mußte, was im Buch geschrieben stand, Wort für Wort in meine Seele eingezeichnet worden sein.

Ich langte von meinem Platz aus in eine Schublade und holte ein Heft daraus hervor. Es war kariert, für Landkarten und Methodik bestimmt, und ich hatte es vor einigen Wochen, ehe ich dem Buch begegnete, für den Statikunterricht gekauft, aber noch nicht benutzt. Beim Aufschlagen der ersten Seite sog ich den Duft des blanken weißen Blattes ein, nahm den Kugelschreiber zur Hand und begann, Satz für Satz einzutragen, was das Buch mir sagte. Nach der Niederschrift eines Satzes aus dem Buch ging ich zum nächsten über und ließ ihn dem vorangegangenen folgen. Wo das Buch einen Absatz machte, fing auch ich einen neuen Absatz an, und bald darauf sah ich, daß ich jeden Absatz wortgetreu in mein Heft übertragen hatte. Auf diese Weise ließ ich, was das Buch mir erzählte, Absatz für Absatz schreibend, wieder lebendig werden. Nach einiger Zeit hob ich den Kopf von den beschriebenen Seiten, blickte einmal ins Buch und dann ins Heft. Was im Heft stand, hatte ich geschrieben, doch es war eins mit dem, was im Buch geschrieben stand. Und weil mir das so gut gefiel, tat ich von nun an jede Nacht bis zum Morgen das gleiche.

Ich nahm an keiner Vorlesung mehr teil. Die meiste Zeit wanderte ich durch die Gänge wie jemand auf der Flucht vor der eigenen Seele und gab nicht das geringste darauf, wo gerade was gelehrt wurde. Unentwegt ging ich zur Cafeteria, dann ins oberste Stockwerk, dann zur Bibliothek, dann in die Seminarräume, dann wieder zur Cafeteria und empfand jedesmal, wenn ich Canan nirgendwo antraf, einen heftigen Schmerz in den Eingeweiden.

Im Lauf der Tage gewöhnte ich mich an diesen Schmerz, es gelang mir, damit zu leben und ihn, wenn auch geringfügig, im Zaum zu halten. Vielleicht nützte rasches Gehen, vielleicht auch Rauchen, doch das wichtigste war, Kleinigkeiten zur Ablenkung zu finden: eine Geschichte, die jemand erzählte, ein neuer Zeichenstift mit purpurfarbenem Griff, die Fragilität der Bäume beim Blick aus dem Fenster, irgendein neues Gesicht, das plötzlich auf der Straße vor mir auftauchte, all das befreite mich für kurze Augenblicke von dem schmerzhaften Empfinden der Ungeduld und Einsamkeit, das sich von meinen Eingeweiden her über meinem Körper ausbreitete. Schließlich ging ich daran, irgendwelche Orte, wo ich Canan begegnen konnte, wie die Cafeteria zum Beispiel, beim Betreten ungeduldig zu überblicken, ohne sofort alle Möglichkeiten des Raumes zu erfassen, schaute zuerst in die Ecke mit den rauchenden, schwatzenden Mädchen in Jeans und bildete mir unterdessen ein, Canan säße ganz nahe irgendwo hinter mir. Bald war ich so überzeugt von dieser Einbildung, daß ich mich, um zu verhindern, daß sie verschwand, nicht umdrehte und meine Augen lange Zeit über die Schlange an der Kasse und die Leute wandern ließ, die an jenem Tisch saßen, auf dem Canan zwei Wochen zuvor das Buch vor mir hingelegt hatte. Auf diese Weise zehrte ich ein paar Glückssekunden länger von dem wunderschönen warmen Bild Canans, das sich direkt hinter mir regte, und glaubte noch stärker an meine Einbildung. Diese gleich einem süßen Saft durch meine Adern rinnende Vorstellung wurde, wenn ich mich umwandte und sehen mußte, daß dort weder Canan noch irgendein Hinweis auf sie zu finden war, zu einem Gift, das mir den ganzen Magen verätzte.

Wie oft hatte ich gehört, wie oft gelesen, daß Liebesleid nützlich sei. Häufig stieß ich in jenen Tagen auf dieses dumme Gerede, das zumeist in Wahrsagebroschüren, gleich neben den Zeitungsspalten mit »Ihr Sternzeichen« oder auch zwischen Salatbildern und Cremerezepten auf den Seiten »Heim – Familie – Glück« erschien. Denn durch den Schmerz des eisernen Klumpens in meinem Leib, durch das elende Gefühl des Alleinseins und der Eifersucht war ich so weit von den Menschen entfernt, so unglücklich geworden, daß ich begonnen hatte, nicht nur aus dem, was die Sterne in Zeitungen und Zeitschriften voraussagten, sondern auch aus manchen anderen Zeichen blindlings Hilfe zu erhoffen: Wenn die Zahl der ins Obergeschoß führenden Stufen ungerade wäre, dann befand sich Canan dort oben ... Wenn zuerst eine Frau durch die Tür käme, würde ich Canan heute sehen ... Wenn der Zug abführe, bis ich sieben gezählt hatte, würde sie mich finden und mit mir sprechen ... Wenn ich als erster den Dampfer verließe, käme sie heute.

Ich verließ als erster den Dampfer. Trat nicht auf die Linien zwischen den Steinplatten des Gehsteigs. Stellte fest, daß ich richtig geraten hatte und daß die Zahl der im Café zu Boden geworfenen Sprudelwasserdeckel ungerade war. Trank Tee mit einem Schweißerlehrling, der einen Pullover in der gleichen Purpurfarbe wie Canans Mantel trug. Hatte das Glück, mit den Buchstaben der ersten fünf Taxis, die ich traf, ihren Namen schreiben zu können. Schaffte es, ohne Atem zu holen, die Unterführung in Karaköy von einem Eingang bis zum Ausgang zu durchqueren. Ging nach Nişantaşı und zählte die Fenster an den Häusern bis neuntausend, ohne mich zu verhaspeln. Kündigte denen, die nicht wußten, daß ihr Name sowohl »Geliebte« als auch »Allah« bedeutete, die Freundschaft. Schmückte in meiner Phantasie unsere Heiratsanzeige mit einem der eleganten Vierzeiler, wie sie im Einwickelpapier der Bonbons »Neues Leben« zu finden waren. Schätzte mit Erfolg eine Woche lang jede Nacht genau um drei Uhr von meinem Fenster aus die Zahl der draußen noch erhellten Fenster, ohne die mir selbst zugestandene Fehlerquote von fünf Prozent zu überschreiten. Sagte Fuzulis Verszeile »Canan yok ise can gerekmez« – »Wo die Geliebte nicht ist, braucht's keine Seele« – vor neununddreißig Personen rückwärts auf. Rief mit jeweils verstellter Stimme und achtundzwanzig verschiedenen Namen bei der Familie an und fragte nach ihr und kehrte niemals nach Hause zurück, bevor ich nicht mit den Lettern, die ich auf Wandreklamen, Plakaten, an- und ausgehenden Neonleuchten, bei den Döner- und Lotterieverkäufern und in den Vitrinen der Apotheken sah und in meiner Phantasie von dort herauslöste, täglich neununddreißigmal Canan gesagt hatte, doch Canan kam nicht.

Als ich einmal um Mitternacht heimkehrte, nachdem ich die Zahl aller Spiele verdoppelt und so mit Geduld die Ziffern- und Zufallskriege gewonnen hatte, die mich Canan wenigstens in meinen Hoffnungsträumen ein klein wenig näherbringen sollten, sah ich von der Straße her Licht in meinem Zimmer. Entweder war meine Mutter wegen meiner Verspätung besorgt gewesen, oder sie hatte nach etwas gesucht, doch vor meinem inneren Auge entstand ein ganz anderes Bild.

Ich sah mich selbst in meinem Zimmer dort, wo das Fenster leuchtete, an meinem Tisch sitzen. So stark und nachdrücklich war meine Vision, daß ich auf einmal glaubte, vor dem schmutzigweißen Wandausschnitt, der sich verschwommen zwischen den Vorhängen zeigte, meinen eigenen Kopf neben der schwach wahrnehmbaren orange-

farbenen Lampe zu erblicken. Ein Gefühl der Freiheit durch-
zuckte mich im gleichen Moment wie ein elektrischer
Schlag, so daß ich tief erstaunt war. So einfach ist das alles,
sagte ich mir, der Mann, den ich dort in dem Zimmer mit
den Augen eines anderen erblickte, mußte in dem Zimmer
bleiben. Ich selbst aber mußte dem Zimmer, dem Haus,
meinen Sachen, dem Duft meiner Mutter, meinem Bett und
meiner zweiundzwanzigjährigen Vergangenheit entfliehen.
Das neue Leben würde ich mit dem Verlassen dieses Zimmers beginnen, denn sowohl Canan als auch jenes Land
waren zu weit entfernt von diesem Ort, als daß man sie erreichen konnte, wenn man morgens aus dem Zimmer ging
und abends dorthin zurückkehrte.

Als ich mein Zimmer betrat, schaute ich meine Sachen
wie die eines Fremden an; mein Bett, die anderen Bücher an
der Seite auf meinem Tisch, die Wichsmagazine, für die ich
seit der Begegnung mit Canan kein Bedürfnis mehr emp-
funden hatte, die Kartonunterlage auf dem Heizkörper zum
Trocknen meiner Zigaretten, mein Kleingeld auf einem Teller, mein Schlüsselbund, meinen Schrank mit der nie ganz
schließenden Tür – ich betrachtete all mein Eigentum, das
mich mit dieser alten Welt verband, und begriff, daß ich
mich davon losreißen und fortgehen mußte.

Während ich später das Buch las und schrieb, spürte ich
in dem, was ich las und schrieb, die Zeichen von steter Bewegung innerhalb der Welt. Es schien, als müsse ich überall
sein, nicht nur an einem Ort. Mein Zimmer jedoch war nur
ein Ort, war nicht jeder Ort. »Warum soll ich morgens zur
Taşkışla gehen?« fragte ich mich. »Canan kommt nicht zur
Taşkışla!« Es gab noch andere Orte, wohin Canan nicht kam,
wo ich umsonst hingegangen war und nicht mehr hingehen
würde. Ich würde nur noch dorthin gehen, wo mich das Geschriebene hinführte. Dort mußte Canan sein und auch das
neue Leben. So empfand ich während der Niederschrift des-

sen, was das Buch mir erzählte, voll Freude, wie sich die Orte, die ich aufsuchen würde, tief in mein Bewußtsein einprägten und ich allmählich ein anderer Mensch wurde. Als ich lange danach auf die von mir gefüllten Seiten blickte, wie ein Reisender, der mit der zurückgelegten Strecke zufrieden ist, erkannte ich klar und offen, wer dieser neue Mensch war, in den ich mich verwandelt hatte.

Ich war's, der am Tisch saß, das Buch Satz für Satz abschrieb und die Richtung ahnte, die zum neuen Leben führen sollte. Ich war's, dessen ganzes Leben sich durch die Lektüre eines Buches verändert, der sich verliebt hatte, der fühlte, daß er auf ein neues Leben zugehen würde. Ich war's, an dessen Tür die Mutter vor dem Schlafengehen klopfte und mahnte: »Du schreibst bis zum Morgen, rauche wenigstens nicht!« Ich war's, der sich zu nächtlicher Stunde, als alle Laute erstarben und im ganzen Viertel nur noch das ferne Heulen der Hundemeuten zu hören war, vom Tisch erhob und auf das Buch, das er seit Wochen las, und die Seiten, die er dank der Inspiration dieses Buches gefüllt hatte, einen letzten Blick warf. Ich war's, der sein Erspartes tief aus dem Schrank unter den Strümpfen hervorholte, der, ohne das Licht in seinem Zimmer zu löschen, an der Tür zum Zimmer seiner Mutter innehielt und voller Liebe dem Atemgeräusch dort drinnen lauschte. Ich war's, o Engel, der sich weit nach Mitternacht aus dem eigenen Hause wie ein scheuer Fremder aus dem Hause eines Fremden schlich und in die dunklen Straßen eintauchte. Ich war's, der vom Gehsteig zu den hellen Fenstern des eigenen Zimmers aufblickte, als blicke er weinend und einsam in das so verletzliche und aufgebrauchte Leben eines anderen. Ich war's, der dem Echo seiner eigenen entschlossenen Schritte in der Stille lauschte und hell begeistert dem neuen Leben entgegenging.

Im ganzen Viertel brannte nur noch in der Wohnung

des Eisenbahners Onkel Rıfkı ein fahles Licht. Ich kletterte schnell auf die Gartenmauer und sah durch die halboffenen Vorhänge, wie die Witwe Tante Ratibe rauchend unter der schwachen Beleuchtung saß. In einer von Onkel Rıfkıs Kindergeschichten horcht der tapfere Held auf der Suche nach dem Goldenen Land gleich mir auf den Ruf der dunklen Gassen, auf den Lärm ferner Länder, auf das Rauschen unsichtbarer Bäume und läuft mit Tränen in den Augen durch die traurigen Straßen seiner Kindheit. Im Mantel meines verstorbenen Vaters, Pensionär der staatlichen Eisenbahn, lief ich mit Tränen in den Augen in das Herz der finsteren Nacht.

Die Nacht verbarg mich, die Nacht schützte mich, die Nacht wies mir den Weg. Ich drang in die träge bebenden Innenorgane der Stadt ein, in die betonierten Hauptstraßen, starr und steif wie vom Schlag Getroffene, in die neonbeleuchteten Boulevards, die vom Dröhnen der Laster mit Fleisch, Milch, Konserven und Konterbande erschüttert wurden. Ich sprach die offenen Mülltonnen heilig, deren Abfälle sich im Widerschein der Lichter auf die Gehsteige ergossen, fragte die schrecklichen Bäume, die ihre Konturen nicht bewahren konnten, nach dem Weg, zwinkerte den Mitbürgern zu, die noch in ihren bleichen Läden Kasse machten, hütete mich vor den Polizisten, die vor der Wache auf Posten standen, lächelte die Betrunkenen, Ungläubigen, Obdach- und Heimatlosen, die nichts vom Leuchten des neuen Lebens wußten, wehmütig an, wechselte finstere Blicke mit den Fahrern der Taxis mit den Karomusterstreifen, die sich bei mir in der Stille der an- und ausgehenden roten Verkehrsampeln wie bei irgendeinem schlaflosen Sünder anbiedern wollten, schenkte den schönen Frauen, die mir von den Mauern herab aus der Seifenwerbung zulächelten, keinen Glauben, auch nicht den gutaussehenden Männern aus der Zigarettenreklame, nicht den Standbildern Atatürks und den Zeitungen von morgen, um die sich Betrunkene und Nachtschwärmer rissen, ebensowenig wie dem Freund, der mich zu einem Kaffeehaus heranwinkte, das bis in die Morgefrühe geöffnet hatte, zusammen mit dem teeschlürfenden Lotterielosverkäufer, und mich aufforderte: »Setz dich, junger Mann!« Die inneren Dünste der rottenden Stadt trieben mich zum Busbahnhof, wo es nach Meer und Fleischklößen, nach Klo und Auspuffgasen, nach Dreck und Benzin roch.

Um nicht von den bunten Plexiglaslettern über den Büros der Busunternehmen überwältigt zu werden, die mit Hunderten von Stadt- und Ortsnamen neue Länder, neue Herzen, neue Leben versprachen, betrat ich ein kleines Lokal. Der süßen Grießspeise, dem Reismehlpudding und den Salaten, in einer Kühlvitrine gleich den Lettern der Städtenamen und Busunternehmen aufgereiht, die wer weiß wie viele Kilometer weit entfernt in wer weiß wessen Magen verdaut werden würden, drehte ich den Rücken zu, setzte mich an einen Tisch und begann, auf irgend etwas Vergessenes zu warten. Vielleicht darauf, daß du, Engel, mich leicht am Ärmel zupfen, behutsam lenken, vornehm ermahnen und holen würdest. Doch außer ein paar armseligen Reisenden, die sich schläfrig vollstopften, und einer Mutter mit ihrem Kind auf dem Schoß war niemand in dem Lokal. Während meine Augen nach den Spuren des neuen Lebens suchten, warnte ein Schild an der Wand: »Spielen Sie nicht mit dem Licht!« Ein anderes besagte: »Toilettenbenutzung gebührenpflichtig!« und ein drittes mit härteren, strengeren Buchstaben: »Das Mitbringen alkoholischer Getränke ist untersagt!« Mir war, als sähe ich dunkle Krähen flügelschlagend vor den Fenstern meines Verstandes vorüberziehen; mir war, als sähe ich an diesem Ausgangspunkt den Anfang meines eigenen Sterbens. Ich wünschte, Engel, ich könnte dir den tiefen Gram schildern, der sich in jenem Lokal an der Busstation ganz allmählich in sein Innerstes verkroch, doch ich war so müde, daß mir das Heulen und Ächzen der Jahrhunderte wie von Wäldern ohne Schlaf ans Ohr schlug, daß ich die närrisch tolle Seele in den lautstarken Motoren der mutigen Omnibusse liebte, die ein jeder zu anderen Gefilden aufbrachen, daß ich Canan, die irgendwo in weiter Ferne eine Schwelle zum Überschreiten suchte, nach mir rufen hörte, wenn auch lautlos; und ich glich dem Zuschauer, der wortlos bereit ist, sich den durch technisches Versagen stumm laufenden Film weiter anzusehen – mein Kopf war wohl auf den Tisch gefallen und ich ein wenig eingedöst.

Wie lange, weiß ich nicht. Als ich aufwachte, fand ich im gleichen Lokal andere Menschen vor und fühlte, daß ich dem Engel jetzt den Ausgangspunkt meiner großen Reise, die mich zu unvergleichlichen Erlebnissen führen sollte, beschreiben konnte. Mir gegenüber saßen drei junge Burschen, die lärmend ihr Geld sortierten und die Fahrscheine abrechneten, ein einsamer alter Mann, der Mantel und Plastiktüte auf den Tisch neben seinen Suppennapf gelegt hatte, roch mit dem Löffel in der Hand an seinem eigenen gramvollen Leben und rührte darin herum, und in dem Halbdunkel, wo die leeren Tische aufgereiht waren, las ein gähnender Kellner Zeitung. Direkt an meiner Seite aber war eine beschlagene Fensterscheibe, die von der Decke bis zu dem schmutzigen Steinboden reichte, dahinter die schwarzblaue Nacht, und in der Nacht waren die Omnibusse, die mich mit ihrem Motorlärm in jenes Land riefen.

In einen davon stieg ich zu einer unbekannten Stunde ein. Der Morgen war noch nicht gekommen, doch er kam nach und nach, die Sonne ging auf, Schlaf und Sonne füllten meine Augen. Ich bin eingeschlafen.

Ich stieg in Omnibusse ein, stieg aus Omnibussen aus, wanderte in den Busbahnhöfen herum; ich stieg in Omnibusse ein, schlief in Omnibussen, ließ die Tage auf die Nächte folgen; ich stieg in Omnibusse ein, stieg in Kleinstädten aus, ging tagelang in die Finsternis hinein und sagte zu mir selbst: Wie fest doch dieser junge Reisende entschlossen ist, sich auf jenen Wegen dahintreiben zu lassen, die ihn an die Schwelle des unbekannten Landes bringen sollen!

VIERTES KAPITEL

In einer kalten Winternacht fuhr ich mit einem der Omnibusse, die ich täglich ein- bis zweimal wechselte, ohne zu wissen, woher ich kam, ohne zu wissen, wo ich war, ohne zu wissen, wohin ich ging, ohne zu merken, wie rasch, o Engel, so fuhr ich, wie schon seit Tagen. Ich schwebte in dem lauten, müden Fahrzeug, dessen Innenbeleuchtung schon längst gelöscht war, auf einem Platz rechts hinten zwischen Wachen und Schlafen, dem Träumen näher als dem Schlaf, den Geistern der Finsternis draußen näher als den Träumen. Durch meine halbgeschlossenen Lider sah ich in der endlosen Steppe, die von den auf einem Auge schielenden Scheinwerfern unseres Busses beleuchtet wurde, einen schmächtigen Baum, einen Felsblock mit einer Kölnischwasser-Werbung, sah Strommasten, die bedrohlichen Scheinwerfer vorbeifahrender einzelner Laster und auf dem Fernsehschirm über dem Fahrersitz einen Videofilm. Die Bildfläche nahm die Purpurfarbe von Canans Mantel an, während die Darstellerin sprach, und verwandelte sich, während der ungeduldige, hitzige junge Mann seine Antwort hervorbrachte, in jenes blasse Blau, das mich eines Tages irgendwann tief durchdrungen hatte. Ja, und wie das immer so geht, fanden die beiden in dem gleichen purpurnen und dem gleichen blaßblauen Filmkarree zusammen, und als ich an dich dachte, mich auf dich besann – doch nein, sie küßten sich nicht.

Und im gleichen Augenblick, so weiß ich noch, in der dritten Woche meiner Omnibusfahrten und an jener Stelle des Films ergriff mich plötzlich auf merkwürdig heftige Weise das Gefühl von etwas Fehlendem, von Rastlosigkeit und Erwartung. Nervös streifte ich die Asche der Zigarette in dem

Aschenbecher vor mir ab, dessen Deckel ich kurz darauf mit einem harten Anprall meiner Stirn schließen sollte. Die gereizte Spannung in mir steigerte sich durch die Zaghaftigkeit des immer noch nicht ganz kußbereiten Liebespaars zu einem spürbar wachsenden inneren Aufruhr. Dieses Gefühl eines großen Augenblicks, der eben bevorsteht, der jetzt, jetzt gleich kommen wird; diese magische Stille vor der Krönung eines Königs, für jeden Zuschauer spürbar, auch für den, der sie nur aus dem Kino kennt. In dieser Stille hört man, bevor die Krone die Stirn berührt, das Flügelschlagen eines Taubenpaars, das den Ort der königlichen Zeremonie von einem bis zum anderen Ende durchquert. Dann hörte ich das Stöhnen des alten Mannes, der neben mir schlummerte, und wandte mich ihm zu. Er hatte mir hundert Kilometer und zwei einander eifersüchtig imitierende Ortschaften zuvor seine furchtbaren Schmerzen beschrieben, jetzt schaukelte er friedlich hin und her, den kahlen Kopf der Eiseskälte des dunklen Fensters ausgeliefert. Der Arzt, den er im Krankenhaus der Stadt, die wir am nächsten Morgen erreichen würden, wegen seines Gehirntumors aufsuchen wollte, der müßte ihm empfehlen, den Kopf an kaltes Glas zu lehnen, überlegte ich, und mich packte eine solche Unruhe wie schon seit vielen Tagen nicht mehr, als ich meine Augen der dunklen Straße zuwandte. Was war das nur, dieses überwältigende Erwartungsgefühl, woher kam nur dieses ungeduldige Verlangen, das ich in jeder Faser spürte?

Ich wurde von einem lauten Reißen und einer wuchtigen Kraft erschüttert, die an meinen Eingeweiden rüttelte, flog von meinem Platz, schlug gegen den Sitz vor mir, stieß mit Stahl- und Blech- und Aluminium- und Glassplittern zusammen, stieß wütig zu, wurde gestoßen, wurde zusammengestaucht. Im gleichen Augenblick fiel ich als ein vollkommen anderer nochmals zurück und fand mich selbst auf demselben Sitz im Omnibus wieder.

Doch der Omnibus war nicht mehr derselbe. Von meinem Platz aus, auf dem ich ganz benommen sitzen blieb, konnte ich durch einen blauen Nebel erkennen, daß mit dem Fahrerbereich die dahinterliegenden Sitze ganz und gar zerquetscht, zerstückelt, zerstört worden waren.

Das also war's, was ich gesucht, was ich gewollt hatte. Und wie sehr hatte mein Herz gespürt, was ich nun fand – Frieden, Schlaf, Tod und Zeit! Ich war sowohl dort als auch hier, war sowohl im Frieden wie auch in einem blutigen Kampf, in einer totengeisterhaften Schlaflosigkeit als auch in einem Schlaf ohne Ende, in endloser Nacht und in rasch verströmender Zeit. Aus diesem Grund kam ich, wie man's im Film sieht, in Zeitlupe hoch von meinem Sitz und ging in Zeitlupe vorbei an der Leiche des jungen Beifahrers, der, eine Flasche in der Hand, soeben in das Reich der Toten eingegangen war. Durch die hintere Tür des Wagens stieg ich aus in den Garten der Nacht.

Ein Ende des dürren, endlosen Gartens war Asphalt, von Glassplittern übersät, das andere, unsichtbare Ende das Land ohne Wiederkehr. Ich glaubte daran, daß sich dieses stille Land, das mit seiner paradiesischen Wärme seit Wochen meine Phantasie belebte, dort befand, und schritt in der samtigen Dunkelheit der Nacht furchtlos voran. Ich ging wie im Schlaf, war aber wach; ich schien zu gehen, doch ohne daß meine Füße den kargen Boden berührten. Vielleicht, weil ich keine Füße hatte, vielleicht auch, weil ich mich nicht mehr erinnern konnte, und einfach nur, weil ich mich dort befand. Nur dort und ich selbst, mein taub gewordener Körper und mein Bewußtsein – ich war ganz und gar erfüllt von mir selbst.

Irgendwo im Dunkel des Paradieses setzte ich mich an den Rand eines Felsens, streckte mich auf der Erde aus. Über mir vereinzelte Sterne, neben mir ein echtes Stück Felsgestein. Ich berührte es sehnsüchtig und spürte das unbeschreibliche Empfinden der wahren Berührung. Es hatte also einmal eine wirkliche Welt gegeben, in der alle Berührungen Berührung, alle Gerüche Geruch, alle Laute Laut gewesen waren. Konnte es sein, o Stern, daß jene Zeiten jetzt in diesen Zeiten sichtbar geworden waren? In der Finsternis sah ich mein eigenes Leben. Ich hatte ein Buch gelesen und dich gefunden. War dies das Sterben, so war ich neu geboren worden. Denn hier und jetzt bin ich in dieser Welt ein vollkommener Neuling, ohne Gedächtnis und Vergangenheit – wie die hübschen neuen Sternchen einer der neuen Fernsehserien, wie das kindliche Staunen des dem Kerker Entsprungenen, der zum erstenmal nach Jahren wieder die Sterne erblickt. Ich höre den Ruf einer niemals zuvor empfundenen Stille und frage mich: Warum die Omnibusse, die Nächte und Städte? Warum all diese Straßen, Brücken und Gesichter? Warum die Einsamkeit, die mich falkengleich überfällt in den Nächten, warum die Worte, die an den Gesichtern hängenbleiben, warum jener Zeitstrom ohne jede Wiederkehr? Ich höre das Knistern der Erde und das Ticken meiner Uhr. Denn die Zeit, so hatte das Buch geschrieben, ist eine dreidimensionale Lautlosigkeit. Das hieß also, sagte ich mir, ich hatte sterben sollen, ohne jemals die drei Dimensionen zu verstehen, ohne das Leben, die Welt und das Buch zu begreifen, ohne dich noch einmal wiederzusehen, und so kam's mir wie einem kindischen Kind in den Sinn, daß ich zum erstenmal zu ganz neuen Sternen redete! Ich war noch viel zu sehr Kind, um zu sterben, und war glücklich, mit meiner kalten Hand die Wärme des Blutes zu fühlen, das von meiner Stirn rann, während ich das Berühren der Dinge, ihren Geruch und ihr Leuchten von neuem entdeckte. Erfüllt von Liebe zu dir, Canan, betrachtete ich glücklich diese Welt.

Etwas weiter weg, dort, wo ich den Unglücksbus zurückgelassen hatte, wo er mit voller Wucht auf den zementbeladenen Lastwagen geprallt war, da hing noch immer eine Zementstaubwolke wie ein Wunderschirm über den Toten und Sterbenden. Ein impertinentes blaues Leuchten sickerte aus dem Omnibus. Die Überlebenden und die Unglücksopfer, die nicht mehr lange leben würden, stiegen so behutsam durch die Hintertür aus, als setzten sie ihren Fuß auf einen unbekannten Planeten. Großmutter, Sie sind drinnen geblieben, ich bin ausgestiegen, Großmutter, meine Taschen sind voll Blut, so schwer wie lauter Kleingeld. Ich wollte mit ihnen sprechen, mit dem alten Mann, der mit dem Hut auf dem Kopf und einer Plastiktüte in der Hand auf der Erde herumkroch, mit dem ordentlichen Soldaten, der sich aufmerksam dem Riß in seiner Hose zuneigte, mit dem alten Mütterchen, das sich einem fröhlichen Wortschwall überließ, weil es die Möglichkeit gefunden hatte, direkt mit Allah zu sprechen ... Dem sternezählenden, tüchtigen Versicherungsagenten, dem behexten Mädchen, dessen Mutter den toten Fahrer anflehte, und den schnurrbärtigen Männern, die sich nicht kannten und doch wie zwei auf den ersten Blick Verliebte Händchen hielten und leicht wiegend den Tanz des Seins aufführten, jedem von ihnen wollte ich das einzigartige, makellose Geheimnis der Zeit anvertrauen. Ich wollte ihnen sagen, daß der Schicksalsmoment genannte unvergleichliche Augenblick, wenn auch selten, nur solchen glücklichen Knechten Allahs, wie wir es waren, als Gunst zuteil wurde, wollte ihnen erklären, daß du, Engel, wenn du erscheinst, dies nur einmal im Leben tun wirst, wie hier zur Stunde des Wunders unter dem Wunderschirm der Zementstaubwolke, und wollte sie fragen, warum wir jetzt so glücklich waren. Ihr beiden hier, Mutter und Sohn, die sich wie furchtlos Liebende mit aller Kraft umarmen und zum erstenmal in ihrem Leben hemmungslos weinen, diese nette Frau, die entdeckt, daß Blut röter ist als Lippenrot und Sterben gütiger als Leben, dieses vom Schicksal begünstigte

Kind, das mit der Puppe in der Hand zu Häupten der Leiche seines Vaters steht und zu den Sternen aufsieht, diese Fülle, diese Vollkommenheit und diese Makellosigkeit – wer ist es, der sie uns schenkt? Meine innere Stimme nannte ein Wort: Abschied, Abschied ... Doch ich hatte längst begriffen, daß ich nicht sterben würde. Eine sympathische ältere Frau mit rotem, blutüberströmten Gesicht, die nicht mehr lange zu leben hatte, fragte mich nach dem Beifahrer, denn sie müsse sofort ihre Koffer haben, um morgen den Zug in der Stadt zu erreichen. Ich behielt ihren blutigen Zugfahrschein.

Um die Toten auf den Vordersitzen nicht von nahem sehen zu müssen, deren Gesichter an den Fenstern klebten, bestieg ich den Bus durch die hintere Tür. Der fürchterliche Motorlärm all dieser Busreisen kam mir in den Sinn, und ich konnte ihn spüren. Es war keine Todesstille, was ich vorfand, denn ich hörte noch Stimmen, mit Erinnerungen, Wünschen und Gespenstern kämpfend. Der Beifahrer hielt noch immer seine Flasche fest, eine stille, weinende Mutter ihr friedlich schlafendes Kind. Es war bitter kalt draußen. Ich setzte mich hin, nachdem mir der Schmerz in den Beinen bewußt geworden war. Mein kopfschmerzgeplagter Sitznachbar hatte diese Welt gemeinsam mit der eiligen Menge auf den vorderen Sitzen verlassen, doch er saß noch immer geduldig da. Seine im Schlaf geschlossenen Augen standen offen im Tod. Zwei Männer, die von wer weiß woher kamen, hoben vorn im Wagen einen Körper an Armen und Beinen hoch und trugen ihn hinaus in die Kälte, damit er friere.

Da bemerkte ich den geheimnisvollsten, den einzigartigen Zufall des Schicksals: Der Fernseher über dem Platz des Fahrers war heil geblieben, und siehe da, endlich umarmten sich die Video-Liebenden! Ich wischte mir mit meinem Taschentuch das Blut vom Gesicht und vom Nacken, öffnete jetzt den Aschenbecher, den ich vor kurzem mit meiner

Stirn geschlossen hatte, steckte mir zufrieden eine Zigarette an und folgte der Handlung auf dem Bildschirm.

Sie küßten sich, küßten sich wieder und tranken Rouge und Leben einer von des anderen Lippen. Warum hatte ich als kleiner Junge bei den Kußszenen im Kino den Atem angehalten? Warum hatte ich mit den Beinen gebaumelt und nicht auf die Küssenden, sondern auf eine Stelle ein wenig über ihnen geschaut? Ach, der Kuß! Wie schön war's gewesen, sich der Köstlichkeit zu erinnern, die in dem weißen, das eisige Fenster treffenden Licht meine Lippen berührt hatte! Nur einmal im Leben. Weinend wiederholte ich Canans Namen.

Als der Film zu Ende war und die Kälte draußen die kalt gewordenen Toten frieren ließ, erkannte ich zuerst die Lichter des Lastwagens, der der fröhlichen Szene respektvoll gegenüberstand, dann den Wagen selbst. In dem Jackett meines Sitznachbarn, der immer noch verständnislos auf den leeren Bildschirm starrte, befand sich eine große, prall gefüllte Brieftasche. Name: Mahmut, Nachname: Mahler, sein Ausweis, ein Foto seines Sohnes, der mir ähnlich sah, während des Militärdiensts, ein Ausschnitt aus einer sehr alten Zeitung mit einem Bericht über Hahnenkämpfe, *Denizli-Post*, 1966. Das Geld wird mir für einige Wochen genügen, auch die Heiratsurkunde will ich behalten, vielen Dank.

Die geduldigen Toten und wir, die wachsamen Überlebenden, lagen, in den Anblick der Sterne versunken, beieinander, um uns vor der eisigen Kälte zu schützen, lang ausgestreckt auf dem Lastwagen, der uns zu der Kleinstadt brachte. Seid ruhig, schienen uns die Sterne zu sagen – als wären wir nicht ruhig gewesen! –, seht mal, wie wir zu warten wissen. Als ich im Takt mit dem Lastwagen bebte, auf dem ich lag, und sich ein paar hastige Wolken und ein paar aufgeregte Bäume zwischen uns und die samtige Nacht schoben, kam ich auf den Gedanken, daß dieser bewegte Freudentaumel, schwach erhellt im Dunkel und innig vertraut mit den Toten, eine perfekte Cinemascope-Szene hergeben müsse, in der mein geliebter Engel, den ich als fröhlichen Spaßmacher einschätzte, zur Eröffnung der Geheimnisse meines Herzens und Lebens am Himmel erscheinen würde, doch diese Szene, die mir auf sehr ähnliche Art in einer von Onkel Rıfkıs Bildergeschichten begegnet war, verwirklichte sich nicht. So blieb ich, während über uns die Zweige dahinströmten und die dunklen Strommasten einer nach dem anderen vorbeiglitten, mit dem Polarstern, dem Großen Bären und der Zahl Pi allein. Dann dachte ich nach und merkte, daß, was ich fühlte, eigentlich unvollkommen war und etwas nicht ganz stimmte. Aber was soll's, eine neue Seele in meinem Körper, vor mir ein neues Leben, haufenweise Geld in meiner Tasche und über mir am Himmel die neuen Sterne – ich würde es schon finden!

Was stimmte nicht mit dem Leben?

An dem Bein stimmt etwas nicht, erklärte die Schwester mit den grünen Augen, die mir im Krankenhaus die Wunde über der Kniescheibe nähte. Ich solle mich nicht so sträuben. Gut. Wollen Sie mich heiraten? Das Bein, der Fuß, nichts gebrochen oder angeknackst. Na gut, wollen wir uns lieben? Noch eine fürchterliche Naht auf meiner Stirn. Das heißt, etwas stimmt nicht ganz, meinte ich, während mir vor Schmerz die Augen tränten, der Ring an der rechten Hand der nähenden Schwester hätte es mir eigentlich sagen müssen. Jemand wartete in Deutschland auf sie. Ich war ein neuer Mensch, aber nicht vollständig. So verließ ich das Krankenhaus und die schläfrige Schwester.

Als der Ruf zum Morgengebet erklang, betrat ich das Hotel Neues Licht und verlangte vom Nachtportier das beste Zimmer. Ich schaute mir eine alte *Hürriyet* an, die ich in dem staubigen Schrank des Zimmers gefunden hatte, und holte mir einen runter. Auf der bunten Seite der Sonntagsbeilage stellte ein Lokalbesitzer aus dem Istanbuler Stadtteil Nişantaşı alle seine aus Mailand eingeführten Möbel, zwei seiner kastrierten Kater und einen Teil seines mittelmäßigen Körpers zur Schau. Ich schlief ein.

Das Städtchen Şirinyer – »Hübscherort« –, in dem ich fast sechzig Stunden und in dessen Hotel ich dreiunddreißig Stunden schlafend verbrachte, war wirklich ein hübscher, ein wunderhübscher Ort: 1. der Barbier. Auf dem Ladentisch steht Rasierseife der Marke OPA, das untere Ende in Silberpapier verpackt. Ihr schwacher Mentholduft blieb während meines Aufenthalts in diesem Städtchen auf meinen Wangen haften. 2. Kaffeehaus Jugend. Dösige alte Männer mit Pik- und Herzkönigen aus Papiermaché in der Hand blicken auf den Platz, auf das Atatürk-Denkmal, auf Traktoren und auf mich, den leicht Humpelnden, und auf die Frauen, die Fußballer, die Morde, die Seifen und die sich Küssenden auf dem ständig eingeschalteten Fernsehschirm. 3. Marlboro. In dem Laden mit diesem Schild finden sich außer Zigaretten Kassetten mit alten Karatefilmen und Softpornos, Lose der staatlichen Lotterie und Scheine für das Sport-Toto, Romane von Mord und käuflicher Liebe, Rattengift und ein Wandkalender mit einer Schönheit, die mich an meine Canan erinnert. 4. Gaststätte. Bohnen, Fleischklöße, gut. 5. Post. Habe telefoniert. Mütter begreifen nichts, sie weinen. 6. Kaffeehaus Hübscherort. Während ich hier noch einmal genußvoll die kurze, auswendig gelernte Nachricht von unserem so glücklichen Unfall – ZWÖLF TOTE! – in der Zeitung *Hürriyet* las, die ich seit zwei Tagen bei mir trug, näherte sich mir von hinten schattenhaft ein Mann von dreißig, nein, fünfunddreißig, nein, vierzig Jahren, der dem Aussehen nach genausogut ein berufsmäßiger Killer wie auch ein Kriminalbeamter hätte sein können. Er zog eine Uhr aus der Tasche, las mir die Marke – Zenith – vor und sagte:

»Warum ist der Wein in den närrischen Versen
für die Liebe ein Vorwand, aber nicht für den Tod?
Ihr seid berauscht gewesen, der Zeitung nach,
vom Wein der Schicksalsnot?«

Er verließ das Kaffeehaus, ohne meine Antwort abzuwarten, zurück blieb nur ein intensiver OPA-Duft.

Auf meinen Fahrten, die allemal in Ungeduld an den Busbahnhöfen endeten, war mir schon klar geworden, daß jede nette Stadt ihren fröhlichen Narren hat. Unser Wein und Poesie liebender Freund aber war in keiner der beiden Schenken des hübschen Städtchens zu finden, und ich hatte nach sechzig Stunden begonnen, diesen berauschenden Durst, von dem die Rede war, tief innerlich als Liebesgedanken an dich, Canan, zu empfinden. Übermüdete Fahrer, überbeanspruchte Busse, unrasierte Beifahrer, nehmt mich mit und bringt mich in das unbekannte Land meiner Wünsche! Damit ich an der Schwelle des Todes mit blutender Stirn meiner Sinne beraubt und ein anderer werde. So verließ ich eines Abends, zwei Nähte am Körper und das volle Portemonnaie eines Verkehrsopfers in meiner Tasche, auf der hinteren Sitzbank eines alten Magirus die Stadt Şirinyer.

Nacht! Die lange, lange windige Nacht. An dem dunklen Spiegel meines Fensters zogen Dörfer vorbei, noch dunklere Hürden, unsterbliche Bäume, trostlose Tankstellen, leere Gaststätten, stille Berge, aufgescheuchte Hasen. Manchmal schaute ich in einer klaren Nacht lange Zeit auf ein in der Ferne zitterndes Licht, stellte mir minutenlang ein von diesem Licht erhelltes Leben vor, fand in jenem glücklichen Leben ein Heim für Canan und mich und wünschte mir, wenn sich der Bus von dem zitternden Licht entfernte, nicht auf meiner zitternden, bebenden Bank zu sitzen, sondern unter jenem Dach zu sein. An den Tankstellen, auf den Rastplätzen, an Kreuzungen und Brücken, wo die Fahrzeuge einander höflich wartend vorbeiließen, blieben meine Augen manchmal an den Reisenden hängen, die in den langsam vorüberfahrenden Bussen saßen, und ich bildete mir ein, Canan unter ihnen entdeckt zu haben; dann klammerte ich mich an diese Einbildung und stellte mir vor, wie ich jenen Bus erreichte, einstieg und Canan in meine Arme schloß. Zu einer anderen Zeit wieder fühlte ich mich so erschöpft und hoffnungslos, daß ich um Mitternacht, als unser wütendes Fahrzeug durch die engen Gassen einer öden Kleinstadt kurvte, jener rauchende Mann sein wollte, den ich durch halboffene Vorhänge an einem Tisch sitzen sah. Doch ich wußte auch, was ich im Grunde wirklich wollte – an einem anderen Ort, in einer anderen Zeit wollte ich sein.

Dort, zwischen Toten und Sterbenden nach dem höllischen Krach des Aufpralls, in der herrlichen Leichtigkeit des Augenblicks, in dem die Seele zwischen Bleiben und Sichtrennen schwebt ... Noch ehe ich bereit bin, aufzusteigen und durch den siebenstöckigen Himmel zu wandeln, und während ich versuche, an der Schwelle des mit Blutlachen und Glassplittern beginnenden Landes ohne Wiederkehr meine Augen an das dunkle Panorama zu gewöhnen, werde ich genüßlich überlegen: Soll ich hinübergehen oder nicht? Soll ich umkehren oder hinübergehen? Wie sind die Morgen in dem anderen Land? Wie wird es sein, wenn ich das Reisen gänzlich aufgebe und mich in der unendlichen Dunkelheit der Nacht verliere? Der Gedanke an das von jener beispiellosen Zeit beherrschte Reich, in der ich mich selbst verlassen, in einen anderen verwandeln und vielleicht auch Canan umarmen würde, ließ mich schaudern, und ich spürte an meiner genähten Stirn und in meinen Beinen die Ungeduld des dann folgenden ungeahnten Glücks.

Oh, ihr traurigen Brüder und Schwestern, die ihr die nächtlichen Busse besteigt, ich weiß, auch ihr sucht die gleiche Stunde der Schwerelosigkeit. Um weder dort noch hier, sondern anders geworden in dem friedvollen Garten zwischen den beiden Welten zu wandeln. Ich weiß, daß der Sportsfreund mit der Lederjacke nicht auf das Fußballspiel am nächsten Morgen, sondern auf die Stunde des Unfalls wartet, die ihn zu einem blutigroten Helden machen wird. Ich weiß, daß die nervöse ältere Frau, die immer wieder etwas aus ihrer Plastiktüte holt und es sich in den Mund stopft, sich sehnlichst wünscht, an die Schwelle der anderen Welt zu gelangen und nicht zu ihrer Schwester, zu Nichten und Neffen. Ich weiß, daß der Katasterbeamte, dessen offenes Auge über die Straße und dessen geschlossenes Auge durch die Träume wandert, nicht die Gebäude des Regierungsbezirks berechnet, sondern jenen Schnittpunkt, hinter dem alle Regierungsbezirke zurückbleiben werden, und daß der blasse, verliebte Oberschüler, der in der ersten Reihe schläft, nicht von seiner Geliebten träumt, sondern von dem gewaltsamen Treffen mit der vorderen Scheibe, die er begierig und leidenschaftlich küssen wird. Wir alle öffnen in dieser gespannten Erwartung sofort die Augen, wenn der Fahrer scharf bremsen muß oder unser Bus vom Wind erfaßt wird und ins Schleudern kommt, blicken hinaus auf die dunkle Straße und versuchen zu erkennen, ob die magische Stunde gekommen ist. Nein, sie ist immer noch nicht da!

Neunundachtzig meiner Nächte habe ich auf den Sitzen der Omnibusse verbracht, und meine Seele konnte das Schlagen dieser Stunde der Seligkeit nicht vernehmen. Einmal wurde scharf gebremst, und wir stießen auf einen Lastwagen voll Hühner, doch keinem der schläfrigen Reisenden und keinem der verdatterten Hühner wurde auch nur ein Härchen gekrümmt. In einer anderen Nacht nahm ich plötzlich an meinem eisblumenbesetzten Fenster den Schimmer der Aug-in-Aug-Begegnung mit Gott wahr, während unser

Bus auf der spiegelglatten Fahrbahn sanft dem Abgrund entgegenglitt, und hätte in meinem Eifer beinahe das einzige vom Sein, vom Leben, von der Liebe und von der Zeit gemeinsam gehütete Geheimnis entdeckt, als unser Spaßvogel von Bus über der finsteren Leere hängenblieb.

Das Schicksal, so habe ich irgendwo gelesen, ist nicht blind, sondern dumm. Das Schicksal, so dachte ich, ist der Trost derer, die keine Statistiken und Wahrscheinlichkeiten kennen. Ich kletterte durch die Hintertür auf die Erde, kehrte durch die Hintertür ins Leben zurück, betrat die Busbahnhöfe durch die Hintertür, trat ein in das pulsende Leben der Bahnhöfe: Sonnenblumenkerne- und Kassettenhändler, Tombolawetter, die kofferschleppenden Onkel, die Tanten mit den Plastiktüten! Um die Sache nicht dem Schicksal zu überlassen, suchte ich mir die schrottreifsten Busse aus, wählte die kurvenreichsten Bergstraßen, fand in ihren Kaffeetreffs die schlafbedürftigsten Fahrer. SICHER REISEN – WIRKLICH SICHER REISEN – EXPRESS REISEN – IM FLUG REISEN ... Die Beifahrer schütteten mir flaschenweise Kölnischwasser in die Hände, doch in keinem der Lavendelwässer fand ich den Duft des Antlitzes wieder, das ich auf den Straßen suchte. Die Kekse der Kinderzeit boten sie mir an, die Beifahrer mit ihren Gebetsketten aus falschem Silber, doch ich konnte mich nicht an die Tees meiner Mutter erinnern. Ich aß türkische Schokolade, die ohne Kakao gemacht war, bekam aber keine Krämpfe im Bein wie damals in meiner Kindheit. Manchmal boten sie Körbchen mit allen möglichen Bonbons und Süßigkeiten an, doch Onkel Rıfkıs Lieblingsmarke »Neues Leben« konnte ich nicht unter den »Zambos«, »Mabels« und »Goldens« entdecken. Ich zählte im Schlaf die Kilometer, ich träumte im Wachen. Ich kroch auf meinem Sitz zusammen, wurde kleiner, immer kleiner, wurde ein Knäuel, klemmte mir die Beine ab, machte im Traum Liebe mit meinem Sitznachbarn. Beim Aufwachen fand ich seinen kahlen Kopf an meiner Schulter, seine hilflose Hand in meinem Schoß.

Denn jede Nacht war ich für einen anderen Hoffnungslosen zunächst ein zurückhaltender Nachbar, dann ein Gesprächspartner und gegen Morgen schließlich ein enger Vertrauter ohne jede Scham. Zigarette? Wohin geht die Reise? Was ist Ihr Beruf? In einem Bus war ich der junge Versicherungsvertreter auf der Fahrt von Stadt zu Stadt, in einem anderen, eiskalten, war ich auf dem Wege zur Hochzeit mit meiner Kusine, die ich in meinen Träumen sah. Einmal erzählte ich einem Opa, daß ich auf einen Engel wartete, wie Leute, die nach UFOs Ausschau halten, und sagte ein andermal, ich würde zusammen mit meinem Meister kaputte Uhren reparieren. Meine ist eine »Movado«, sagte der Mann mit dem falschen Gebiß, sie geht nie falsch. Als der Besitzer der nie falsch gehenden Uhr mit offenem Munde schlief, meinte ich das Ticken des Präzisionsgerätes zu hören. Was ist Zeit? Ein Unfall! Was ist Leben? Eine Zeit! Was ist der Unfall? Ein Leben, ein neues Leben! So beugte ich mich, verblüfft darüber, daß niemand zuvor darauf gekommen war, dieser einfachen Logik und beschloß, o Engel!, nicht mehr die Bahnhöfe, sondern direkt die Unfallstätten aufzusuchen.

Ich sah die unbarmherzig aufgespießten Reisenden auf den Vordersitzen eines Busses, der rücksichtslos und heimtückisch einen Laster voll Baustahl mit weit überhängenden Enden von hinten gerammt hatte. Ich sah die Leiche eines Fahrers, der, um eine Tigerkatze nicht zu überfahren, das plumpe Fahrzeug in den Abgrund gelenkt hatte, dabei eingeklemmt worden war und nicht herausgeholt werden konnte. Ich sah zertrümmerte Schädel, zerfetzte Leiber, abgerissene Hände, sah Fahrer, die das Lenkrad zärtlich zwischen ihre Eingeweide gelegt hatten, Gehirnfetzen wie verstreute Kohlstücke, blutige und schmuckbesetzte Ohren, zerbrochene und heile Brillengläser, Spiegel, farbiges, sorgfältig auf Zeitungspapier ausgebreitetes Gedärm, Kämme, zerquetschtes Obst, Kleingeld, ausgefallene Zähne, Säuglingsflaschen und Schuhe – beseelte und unbeseelte Opfergaben, hingebungsvoll jenem Augenblick der Wahrheit geweiht.

Durch einen Hinweis, den mir die Verkehrspolizei in Konya gab, fand ich in einer kalten Frühlingsnacht irgendwo in der Nähe des Salzsees zwei Omnibusse, die sich in der Wüsteneinsamkeit die Köpfe eingerannt hatten. Seit dem lauten Knall im Augenblick des fröhlich-hitzigen Treffens war eine halbe Stunde vergangen, doch jener Zauber, der das Leben lebenswert und sinnvoll macht, hing noch in der Luft. Zwischen all den Fahrzeugen der Polizei und Gendarmerie nahm ich den angenehmen Duft des neuen Lebens und des Todes wahr, während ich das schwarze Rad eines der umgestürzten Busse betrachtete. Meine Beine zitterten, die Narbe auf meiner Stirn schmerzte, und ich ging fest entschlossen, als müsse ich eine Verabredung einhalten, zwischen den ratlos Verwirrten hindurch direkt in den zwielichtigen Nebel hinein.

Ich stieg in den Omnibus, dessen Türgriff nun sehr hoch lag, und während ich zwischen den kopfstehenden Sitzen entlangging und Brillen, Glasscheiben, Ketten und Früchte, die der Schwerkraft erlegen und zur Decke gefallen waren, lustvoll zertrat, schien ich mich an etwas zu erinnern. Ich war einmal ein anderer gewesen, und jener andere wollte auch ich sein. Einst hatte ich mir ein Leben erträumt, in dem sich die Zeit auf angenehme Weise verdichten, zusammendrängen und ein Spiel von Farbkaskaden meinen Verstand durchfluten würde, so hatte ich's doch erträumt, nicht wahr? Mir fiel das Buch ein, das ich auf meinem Tisch zurückgelassen hatte, und ich stellte mir vor, wie sein Blick, den Toten gleich, die offenen Mundes zum Himmel starren, an der Decke meines Zimmers hängengeblieben war. Meine Mutter, so stellte ich mir vor, hatte das Buch dort zwischen all den anderen Dingen meines abgebrochenen alten Lebens auf meinem Tisch gelassen, wie es war. Sieh, Mutter, wollte ich sagen, ich suche unter den Glassplittern und Blutstropfen und Toten nach der Schwelle eines neuen Lebens, als ich eine Brieftasche sah. Ein Toter mußte kurz vor dem Sterben zu dem Sitz oben und zu dem zerbrochenen Fenster geklettert sein, war aber genau am Punkt des Gleichgewichts im Fenster hängengeblieben und hatte dabei sein Portemonnaie aus der hinteren Hosentasche den Diesseitigen dargeboten.

Ich nahm das Portemonnaie und steckte es ein – aber all dies war es nicht, an das ich mich eben noch erinnert und was ich doch verdrängt hatte. Was mich beschäftigte, war der andere Omnibus, den ich von meinem jetzigen Standort durch die zertrümmerten Fenster und die sich leicht bauschenden hübschen Gardinchen sehen konnte. Marlboro-Rot und Sterbensblau, SUPERSICHER REISEN.

Ich sprang durch eine der in tausend kleine Stücke zerbrochenen Fensterscheiben und rannte über blutige Glassplitter zwischen den Gendarmen und noch nicht abtransportierten Leichen hindurch. Nein, es war kein Irrtum, der andere Bus war jener SUPERSICHER-REISEN-Bus, der mich vor sechs Wochen aus einem Spielzeugstädtchen gesund und munter in eine finstere Ortschaft gebracht hatte. Ich bestieg diesen alten Freund durch die kaputte Tür, ließ mich auf dem gleichen Sitz nieder, der mich sechs Wochen zuvor getragen hatte, und begann wie ein geduldiger Reisender, der dieser Welt getrost vertraut, zu warten. Worauf wartete ich? Vielleicht auf einen Wind, vielleicht auf eine Zeit, vielleicht auf einen Reisenden. Das Zwielicht wurde heller, und ich bemerkte die Anwesenheit einiger anderer toter oder lebendiger Seelen, die wie ich hier saßen. Sie schienen sich in ihren Alpträumen mit den Schönen oder in ihren Paradiesträumen mit dem Tod herumzustreiten, denn ich hörte sie rufen, als sprächen sie zu einem unbekannten Geist. Dann aber bemerkte mein wacher Geist etwas, was bedeutsamer war: Ich blickte in die Richtung des Fahrersitzes, wo alle Gegenstände außer dem Radio vollkommen zertrümmert waren, und konnte Musik hören, zusammen mit all dem Schreien und Röcheln, dem Weinen und dem Seufzen da draußen, in einem sachten und delikaten Wind.

Es wurde still für einen Moment, und ich sah, die Helle hatte zugenommen. In einer Staubwolke sah ich fröhliche Gespenster, Sterbende und Tote. Du bist gefahren, Reisender, so weit, wie du konntest, doch ich dachte auch, du kannst noch weiter gehen, denn ob du nun ganz an der Schwelle jenes Augenblickes angekommen bist oder ob hinter dem Tor, das du erreicht hast, ein Garten und dann ein weiteres Tor und dahinter wieder ein anderer heimlicher Garten liegt, wo sich Tod und Leben, Sinn und Bewegung, Zeit und Zufall, Licht und Glück miteinander vermischen, das ist ungewiß, du wiegst dich sanft in einer Erwartung. Plötzlich tauchte wieder aus noch tieferem Grund jener mein ganzes Ich erfassende, unduldsame Wunsch auf, sowohl hier wie auch dort zu sein. Ich meinte, einige Worte zu vernehmen, ich fröstelte, und du kamst zur Tür herein, mein Liebes, meine Canan, und du trugst jenes weiße Kleid, in dem ich dich auf den Korridoren der Taşkışla gesehen hatte, und dein Gesicht war voll Blut. Sehr langsam kamst du auf mich zu.

Ich habe dich nicht gefragt: »Wie kommst du hierher?« Und auch du, Canan, hast mich nicht gefragt: »Was tust du hier?«, denn wir wußten es beide.

Ich nahm dich bei der Hand und ließ dich neben mir sitzen, und mit dem karierten Taschentuch, das ich für den Sitz Nummer achtunddreißig in Şirinşehir gekauft hatte, wischte ich dir liebevoll das Blut aus dem Gesicht, von der Stirn. Dann hielt ich deine schöne Hand, und wir saßen stumm beieinander für eine Weile. Es wurde Tag, die Ambulanzen waren gekommen, und aus dem Radio des toten Fahrers klang, wie man so schön sagt, unser Lied.

FÜNFTES KAPITEL

Nachdem Canans Stirn im Krankenhaus der Sozialversicherung mit vier Stichen genäht worden war und wir die baumlosen Straßen an den niedrigen Mauern und dunklen Gebäuden entlang durchmessen und das mechanische Auf und Ab unserer Füße gespürt hatten, verließen wir Mevlânas tote Stadt mit dem ersten Omnibus. Die ersten drei der folgenden Städte sind mir in Erinnerung geblieben. Die Stadt der Ofenrohre, die Stadt, die Linsensuppe liebenswert machte, die Stadt der Platitüden. Danach aber wurde alles, während wir in Bussen schliefen, in Bussen erwachten und von Stadt zu Stadt geschleudert wurden, wie Traum und Phantasie. Ich sah Mauerwerk, entblößt vom Putz, Plakate aus der Jugendzeit alternder Sänger, eine von der Frühjahrsüberschwemmung fortgerissene Brücke und afghanische Flüchtlinge, die Korane in der Größe meines Zeigefingers verkauften. Ich muß auch andere Dinge gesehen haben, während Canans dunkelblondes Haar auf meine Schultern fiel: die Menschenmenge an den Busbahnhöfen, purpurne Berge, Schilder aus Plexiglas, fröhliche, sorglose Hunde, die uns an den Ausfahrten der Ortschaften nachjagten, sorgenvolle Händler, die durch eine Tür des Busses ein- und durch die andere wieder ausstiegen. Auch wenn Canan die Hoffnung aufgegeben hatte, noch Hinweise für das zu finden, was sie »meine Nachforschungen« nannte, deckte sie mit dem, was wir von diesen Händlern kauften – gekochte Eier, gefüllte Pastete, geschälte Gurken und die komischen Sprudelflaschen, die ich hier in der Provinz zum erstenmal zu sehen bekam –, an den kleinen Rastplätzen auf unseren Knien den Tisch für uns. Danach wurde es Morgen, dann wurde es Nacht, dann kam ein wolkenverhangener

Morgen, dann wechselte der Fahrer den Gang, und eine finstere Nacht, finsterer als die tiefste Finsternis, brach herein, und während sich die bunten Lichter aus dem Videogerät über dem Fahrersitz knallrot wie billiger Lippenstift und pomeranzenfarben wie Kunststofforangen auf unseren Gesichtern niederschlugen, erzählte Canan.

Die »Beziehung« – sie benutzte zu Anfang dieses Wort – zwischen Canan und Mehmet hatte eineinhalb Jahre zuvor begonnen. Sie erinnerte sich dunkel daran, ihn schon vorher in der Taşkışla unter all den anderen Architektur- und Ingenieurstudenten gesehen zu haben, doch er war ihr erst richtig aufgefallen, als sie ihn hinter dem Empfangstisch eines Hotels in der Nähe des Taksim-Platzes sah, in dem man Verwandte aus Deutschland besuchen wollte. Sie hatte einmal um Mitternacht mit den Eltern zusammen die Lobby des Hotels betreten müssen, damit sich der hochgewachsene, schlanke, blasse Mann in ihr Bewußtsein schlich. »Vielleicht, weil mir einfach nicht einfallen wollte, wo ich ihm vorher begegnet war«, meinte Canan und lächelte mir warm zu, doch ich wußte, das stimmte nicht.

Gleich nach Beginn des Wintersemesters hatte sie ihn auf den Fluren der Taşkışla wiedergesehen, und nach kurzer Zeit waren sie »verliebt« ineinander. Sie machten zusammen lange Spaziergänge durch die Straßen Istanbuls, gingen ins Kino, saßen in der Cafeteria, in den Cafés. »Zu Anfang sprachen wir nicht sehr viel«, sagte Canan in jenem Ton, den sie für ihre ernsthaften Erklärungen benutzte. Nicht etwa, weil Mehmet schüchtern sei oder nichts vom Reden halte. Denn je näher sie ihn kennenlernte, je mehr sie sein Leben mit ihm teilte, desto besser habe sie erkannt, wie zwanglos, entschlossen, beredsam, ja angriffslustig er sein konnte. »Er schwieg, weil er Kummer hatte«, sagte sie eines Nachts, ohne mich anzusehen, statt dessen die Augen auf den Fernsehschirm geheftet, auf dem sich eine Autohetzjagd abspielte. »Aus Gram«, sagte sie nochmals und lächelte sogar ein wenig ungewiß dabei. Die über den Bildschirm rasenden, von Brücken in die Flüsse fliegenden, sich gegenseitig überspringenden Polizeiautos waren jetzt zusammengestoßen und ineinander verknäult.

Canan hatte sich sehr bemüht, diesen Kummer, diesen Gram zu erleichtern, in das Leben dahinter einzudringen, Mehmets Verschlossenheit zu lockern, und war auch nach und nach erfolgreich gewesen. Zunächst hatte Mehmet von einem anderen Dasein gesprochen, von einem großen Landhaus in der Provinz und daß er früher ein anderer gewesen sei. Irgendwann sei er mutiger geworden, habe jenes Leben ganz hinter sich lassen und ein neues Leben beginnen wollen, und so habe er erklärt, daß die Vergangenheit bedeutungslos sei. Ganz gewollt habe er sich in einen neuen Menschen verwandelt. Da Canan mit dem neuen Menschen Bekanntschaft geschlossen hatte, sollte sie mit ihm, mit dieser neuen Persönlichkeit, auf Reisen gehen und nicht die Vergangenheit aufwühlen. Denn was er auf seinen Wegen hin und her an Schrecknissen erlebt habe, sei ja im Grunde nicht in seinem alten, sondern bereits in dem neuen Leben geschehen, nach dem er vorher so sehnlich gesucht hatte. »Und diesem Leben«, sagte Canan einmal zu mir in einem düsteren Busbahnhof, wo vor uns auf dem Tisch eine zehn Jahre alte, auf dem Markt einer verwahrlosten Ortschaft in einem rattenverseuchten Kramladen entdeckte Vatan-Konserve zusammen mit Zahnrädern aus alten Uhrmacherläden und Kindermagazine aus den verstaubten Regalen einer Sport-Toto-Agentur ausgebreitet waren und wo wir uns freundschaftlich, ja vergnügt darum stritten, in welchen Omnibus wir einsteigen sollten, »diesem Leben ist Mehmet in dem Buch begegnet.«

So kamen wir genau neunzehn Tage nach unserem Wiedersehen in dem zertrümmerten Bus zum erstenmal auf das Buch zu sprechen. Wie Canan mir erzählte, war es genauso schwierig gewesen, Mehmet dahin zu bringen, daß er über das Buch redete, wie über die Gründe seines Kummers und über sein in der Vergangenheit zurückgelassenes Leben. Sie hatte manchmal auf den traurig überschatteten Spaziergängen durch die Straßen Istanbuls, beim Tee in einem der Cafés am Bosporus oder während der gemeinsamen Arbeiten für ein Studienfach drängend von ihm das Buch, dieses magische Ding, erbeten, doch Mehmet hatte sie stets unnachgiebig abgewiesen. Dort, in dem Zwielicht jenes im Buch so deutlich beschriebenen Landes, würden Tod, Liebe und Schrecken in der Verkleidung verzweifelter Männer mit Waffen im Gürtel, gefrorener Miene und gebrochenem Herzen wie Gespenster ausweglos umherwandern, und es sei falsch für ein Mädchen wie Canan, sich auch nur im Traum ein solches Land der Liebesleiden, der Hoffnungslosigkeit und der Mörder vorzustellen.

Doch mit Beharrlichkeit und weil sie ihn spüren ließ, wie es sie bedrückte und von ihm entfernte, war es Canan gelungen, Mehmet ein wenig zu überreden. »Vielleicht wünschte auch er damals, daß ich das Buch las und ihn von dessen Geheimnis und Gift befreite«, sagte Canan, »denn ich glaubte nun, daß er mich liebte. Vielleicht auch«, fügte sie noch hinzu, als unser Bus an einem Bahnübergang geduldig auf einen Zug wartete, der einfach nicht kommen wollte, »träumte er unbewußt immer noch davon, daß wir gemeinsam in jenes Leben gehen könnten, das einen Teil seines Verstandes bewegte.« Mit dem gleichen Lokomotivengeschnaufe wie die lange nach Mitternacht kreischend unser Viertel durchquerenden schwarzen Güterzüge fuhren an den Fenstern unseres Omnibusses einer nach dem anderen die mit Weizen, Maschinen und Bruchglas beladenen Waggons eines Zuges vorbei, schuldbeladenen, fügsamen Geistern gleich, die einem anderen Reich entstammten.

Über den Einfluß des Buches auf uns sprachen wir kaum, Canan und ich. Dieser Einfluß war so stark und unanfechtbar, daß jede Erwähnung angesichts des Buches selbst nur leerer Wortschwall und überflüssig gewesen wäre. Denn das Buch war stets gegenwärtig und stellte während dieser Omnibusreisen in unser beider Leben eines der elementaren Bedürfnisse wie das nach Sonne oder Wasser dar, deren Unentbehrlichkeit sich nicht bestreiten läßt. Wir waren mit seinem uns entgegensprühenden Leuchten auf die Reise gegangen und versuchten, mit unserem Gespür auf dem Weg voranzukommen, und wollten auch nicht allzu genau wissen, wohin wir gehen würden.

Trotzdem stritten wir manchmal lange darüber, in welchen Omnibus wir einsteigen sollten. Einmal erweckte die blecherne Stimme aus dem Lautsprecher eines hangarartigen, für das Städtchen viel zu groß geratenen Wartesaals in Canan den heißen Wunsch, an dem Bestimmungsort des Busses zu sein, dessen Abfahrtszeit man gerade bekanntgab, und nach anfänglicher Gegenwehr fügte ich mich diesem Wunsch. Ein andermal nahmen wir einen Bus, der laut Aufschrift die Türkische Luftlinie zum einzigen Konkurrenten hatte, und zwar nur deshalb, um einem jungen Mann zu folgen, der durch seine stattliche Größe und leicht gebeugte Haltung Mehmet ähnlich sah und, ein Kunststoffköfferchen in der Hand, gemeinsam mit der weinenden Mutter und dem rauchenden Vater auf die Fahrzeuge zuging. Drei Ortschaften und zwei schmutzige Flußläufe weiter sahen wir, daß unser Jüngling auf halber Strecke ausstieg und in die Richtung eines stacheldrahtumzäunten, wachturmbewehrten Militärlagers geschickt wurde, wo es von den Wänden schrie: WELCH EIN GLÜCK, TÜRKE ZU SEIN. Weil Canan die Farben Tuchgrün und Ziegelrot gefielen oder weil die Schwänze des R in der Aufschrift BLITZ-REISEN mit der Geschwindigkeit feiner und – sieh mal! – zuckend wie der Blitz auch länger wurden, stiegen wir in alle möglichen Omnibusse ein, die bis zum äußersten Rand der Steppenlandschaft fuhren. Wenn nach unserer Ankunft in den staubigen Kleinstädten Canans Nachforschungen auf den verschlafenen Märkten, in den schmutzigen Busbahnhöfen nicht das geringste ergaben, dann fragte ich, warum und wohin uns das geführt hatte, erinnerte an das weniger werdende, aus den Brieftaschen der toten Omnibushelden entwendete Geld und tat so, als würde ich versuchen, die unlogische Logik unserer Nachforschungen zu begreifen.

Als ich Canan erzählte, ich hätte am Fenster des Seminarraums der Taşkışla die Schüsse auf Mehmet mit angesehen, war sie nicht im geringsten erstaunt. Sie meinte, das Leben sei voll von fest bestimmten, ja vorsätzlich herbeigeführten Zusammentreffen, die von manchen Dummen ohne jedes Gespür als »Zufälle« abgetan würden. Lange nachdem Mehmet getroffen worden war, hatte Canan an dem unruhigen Verhalten eines Köfteverkäufers auf dem Gehsteig vis-à-vis gemerkt, daß etwas Ungewöhnliches passiert sein mußte, sich an das Geräusch von Schüssen erinnert und geahnt, was sich abgespielt hatte, und war Mehmet zu Hilfe geeilt. Wenn's nach anderen ginge, sollte es auch ein Zufall sein, daß sie gleich an der Stelle, wo Mehmet verletzt worden war, ein Taxi gefunden hatten und zum Marinehospital in Kasımpaşa gefahren waren, doch genau dort hatte der Taxifahrer vor kurzem seinen Militärdienst geleistet. Da die Verwundung an Mehmets Schulter nicht sehr schwer war, sollte er in drei, vier Tagen wieder entlassen werden. Doch als Canan am zweiten Tag morgens ins Hospital kam, fand sie ihn nicht mehr vor und begriff, daß er fortgelaufen und verschwunden war.

»Ich bin zum Hotel gegangen, an einem Tag an der Taşkışla vorbeigegangen, habe die Cafés aufgesucht, die er mochte, und sogar zu Hause auf seinen Anruf gewartet, obwohl ich wußte, es würde umsonst sein«, erklärte sie so offen und gelassen, daß ich sie bewunderte. »Ich hatte begriffen, daß er schon längst dorthin, in jenes Land, zu dem Buch zurückgekehrt war.«

Nun war ich ihr Reisegefährte auf der Fahrt in jenes Land. Wir würden einander Beistand leisten auf dem Weg zu seiner Wiederentdeckung. Der Gedanke, daß zwei Menschen auf der Suche nach jenem neuen Leben mehr herausfinden konnten, war nicht so abwegig. Wir waren Lebensweg-Reisegefährten, wir waren bedingungslos aufeinander angewiesen, wir waren so erfinderisch wie Marie und Ali, die mit dem Brillenglas Feuer machten, und wir saßen wochenlang in den Nachtbussen beisammen, unsere Körper aneinandergelehnt.

Es gab Nächte, da ich lange nach dem Ende des zweiten Videofilms und dem lebhaft-lustigen Lärm von Schüssen, zuschlagenden Türen und explodierenden Helikoptern und lange nachdem wir Todeshauch atmenden, müden und schäbigen Reisenden mit den Rädern rollend und schaukelnd eine ungemütliche Reise ins Traumland angetreten hatten, durch ein Schlagloch oder scharfes Bremsen aus dem Schlaf schreckte und eine endlos lange Zeit die neben mir an dem Fenster sanft und ruhig schlafende Canan anschaute: Ihr Kopf lehnte an den zum Kissen gefalteten kleinen Fenstervorhängen, die dunkelblonden Haare, auf dem Kissen zu einem hübschen Häufchen gebettet, fielen auf ihre Schultern. Ihre schönen langen Arme streckten sich manchmal wie zwei parallele, zerbrechliche Zweige meinen ungeduldigen Knien entgegen, manchmal stützte eine der Hände als zweites Polster das Vorhangkissen, und die andere hielt auf elegante Weise den Ellenbogen des stützenden Armes fest. Wenn ich ihr ins Gesicht schaute, erkannte ich meistens dort einen Schmerz, der ihre Brauen zusammenzog, und manchmal sandten mir die gerunzelten dunkelblonden Augenbrauen Fragezeichen zu, die mich neugierig machten. Danach sah ich ein Licht schimmern auf dem blassen Teint ihrer Wangen und in dem Wunderland, wo sich das Kinn und der lange Hals vereinten, und wenn sie dann den Kopf vorbeugte, träumte ich von blühenden Rosen auf der unerreichbaren Haut unter dem in den Nacken fallenden Haar, von der untergehenden Sonne und von den Purzelbäumen fröhlich spielender Eichhörnchen, die mich in dieses unantastbare Paradies aus Samt riefen. Ich sah jenes goldene Land auf den so vollen, so blassen Lippen und manchmal auf der durch ihre nervösen Bisse gezeichneten zarten Haut der Lippen, und wenn sie im Schlaf auch nur ganz leicht lächeln konnte, sah ich es auf ihrem ganzen Gesicht und sagte zu mir selbst: Wie schön es ist, was ich in keiner Lektion gelernt, in keinem Buch gelesen, in keinem Film gesehen habe, wie schön es ist, o Engel, als Liebender den Schlaf der Geliebten zu betrachten!

Wir sprachen über Engel, auch über den Tod, der uns wie dessen würdevoller, gewichtiger Stiefbruder erschien. Doch wir taten dies mit Worten, so schwach und zerbrechlich, wie es die kaputten Gegenstände waren, die Canan in den Krämerbuden, beim Eisenwarenhändler an der Ecke oder in dem verschlafenen Kurzwarenladen erhandelte, die ein bißchen geliebt und gehätschelt und später in den Kaffeestuben der Bahnhöfe und auf den Sitzen der Omnibusse vergessen wurden: Der Tod war überall, vor allem an *jenem Ort*. Denn jener Ort hatte sich überallhin ausgebreitet. Wir sammelten Fingerzeige, um Mehmet zu treffen, dann ließen wir sie zurück, wie man Spuren zurückläßt. Das hatten wir aus dem Buch gelernt. Genau wie die einmaligen Unfallsmomente, die sichtbar werdenden Schwellen zur anderen Welt, die Kinoeingänge, die Bonbons Marke »Neues Leben«, Mehmet und die Mörder, die vielleicht auch uns töten konnten, die Hotels, vor deren Eingang meine Schritte langsamer wurden, die langen Zeiten des Schweigens, die Nächte und das schummrige Licht in den Lokalen. Ich muß es so ausdrücken: Immer wieder stiegen wir nach alldem in Omnibusse ein, gingen nach alldem immer wieder auf die Reise, und manchmal leuchteten Canans Augen plötzlich auf, und sie erzählte, auch wenn es noch hell war – das heißt also, während der Beifahrer die Fahrscheine einsammelte, die Reisenden einander kennenlernten und der Blick der Kinder und der Neugierigen an dem flachen Asphalt oder der staubigen Schotterstraße im Gebirge hing, als sei es ein Videogerät.

»Als ich noch klein war«, so sagte sie einmal, »stand ich nachts auf, wenn alle schliefen, öffnete die Vorhänge ein wenig und schaute hinaus auf die Straße. Ein Mann ging die Straße entlang, ein Betrunkener, ein Buckliger, ein Dicker, ein Wächter. Immer waren es Männer. Ich fürchtete mich, liebte mein Bett, doch ich wünschte mir, dort draußen zu sein.

Die anderen Männer, Freunde meines älteren Bruders, lernte ich beim Versteckspielen im Sommerhaus kennen. Oder in der Mittelschulklasse, wenn sie etwas besahen, was sie aus dem Fach im Klapptisch hervorholten. Oder auch, als ich noch kleiner war, wenn sie mitten im Spiel von einem Bein aufs andere traten, weil sie Pipi machen mußten.

Ich war neun Jahre alt, als ich am Strand hinfiel, mir das Knie blutig schlug und meine Mutter jammerte und schrie. Wir gingen zum Onkel Doktor des Hotels. Was für ein niedliches Mädchen du bist, sagte der Onkel zu mir, was für ein süßes Mädchen, und träufelte Wasserstoffsuperoxyd auf meine Wunde, was für ein kluges Mädchen. Als der Onkel auf mein Haar blickte, begriff ich, daß er mich mochte. Er hatte magische Augen, die mich von einem anderen Ort der Welt her anschauen konnten. Seine Lider waren leicht gesenkt, wie schläfrig vielleicht, trotzdem schien er alles und mich ganz und gar zu sehen ...

Die Augen des Engels sind überall, in allem, sind stets gegenwärtig ... Und doch leiden wir Armen darunter, wenn diese Augen nicht da sind. Weil wir vergessen, weil unsere Willenskraft nachläßt, weil wir das Leben nicht lieben können? Ich weiß, je weiter ich fahre, von einer Stadt zur anderen, daß ich mich eines Tages, eines Nachts am Fenster eines Omnibusses Aug in Aug mit einem Engel sehen werde. Man muß zu sehen wissen, um sie erkennen zu können. Diese Busse bringen den Menschen schließlich an den gewünschten Ort. Ich glaube an die Omnibusse. An den Engel glaube ich manchmal, nein, ich glaube stets an ihn, ja, immer, nein, manchmal.

Über den Engel, nach dem ich suche, hat mich das Buch belehrt. Er stand dort wie ein fremder Gedanke, als sei er irgendwie ein Gast, doch ich habe mich mit ihm vertraut gemacht. Ich weiß, er wird mir, wenn ich ihn sehe, das ganze Geheimnis des Lebens offenbaren. In den Omnibussen, an den Unfallorten habe ich seine Gegenwart gespürt. Jede Einzelheit erfüllt sich, wie Mehmet gesagt hat. Wohin er auch geht, da blinken um ihn herum die Lichter des Todes. Vielleicht, weil er das Buch in sich trägt, weißt du? Aber ich habe an den Unfallorten, in den Bussen auch von Menschen, die weder etwas von dem Buch noch von dem neuen Leben wußten, über den Engel sprechen hören. Ich bin auf seiner Spur, nehme die Signale auf, die er hinterläßt.

In einer regnerischen Nacht erzählte mir Mehmet, daß die Leute, die ihn umbringen wollten, aktiv geworden seien. Sie können sich überall befinden, können uns sogar in diesem Augenblick belauschen. Versteh's nicht falsch, aber auch du könntest einer von ihnen sein. Der Mensch tut meist das Gegenteil von dem, was er denkt oder was er zu tun glaubt. Wenn du in jenes Land gehst, kehrst du zu dir selbst zurück, während du glaubst, das Buch nur zu lesen, schreibst du es von neuem, ich helfe, sagst du, und verletzt ... Die meisten Menschen wollen im Grunde genommen weder ein neues Leben noch eine neue Welt. Deswegen ermordeten sie den, der das Buch geschrieben hat.«

Canan sprach über den Verfasser des Buches oder auch jenen den »Schriftsteller« genannten Alten auf eine Weise, die mich nicht durch die Wörter selbst und die für mich etwas unklare Sprache, sondern durch die magische Stimmung des Ausdrucks erregte. Auf einem der vorderen Sitze eines ziemlich neuen Omnibusses sitzend, hatte sie die Augen fest auf die weiß leuchtenden Straßenmarkierungen auf dem Asphalt gerichtet, und aus irgendeinem Grund blieben die Scheinwerfer der anderen Busse, Laster und Personenwagen in der purpurnen Nacht vollkommen unsichtbar.

»Ich weiß, daß Mehmet und der alte Schriftsteller bei ihren Begegnungen einander aus den Augen lesen konnten. Mehmet hatte ihn gesucht, sich über ihn erkundigt. Sie sollen bei ihren Treffen kaum gesprochen, viel geschwiegen, etwas disputiert und wieder geschwiegen haben. Der Alte habe das Buch in seiner Jugend geschrieben oder auch jene Jahre, in denen er es schrieb, als Jugendzeit bezeichnet. Das Buch ist in meiner Jugend verblieben, habe er voll Kummer bemerkt. Später habe man den Alten bedroht und gezwungen, das zu verleugnen, was er mit eigener Hand aufgezeichnet, was er seiner Seele abgerungen hatte. Das ist nicht erstaunlich. Auch nicht, daß man ihn schließlich getötet hat ... Ebensowenig, daß nach der Ermordung des Alten nun Mehmet an der Reihe ist ... Wir werden Mehmet vor den Mördern finden ... Wichtig ist nur, daß es Menschen gibt, die das Buch gelesen haben und daran glauben. Ich treffe sie in den Städten, auf den Busbahnhöfen, in den Läden, wenn ich durch die Straßen gehe, ich erkenne sie an ihren Augen, ich weiß, wer sie sind. Die Gesichter derer, die das Buch gelesen haben und ihm Glauben schenken, sind anders, in ihren Augen stehen der gleiche Wunsch und die gleiche Trauer, das wirst auch du eines Tages verstehen, hast es vielleicht schon verstanden. Wenn du sein Geheimnis kennst, auf dem Weg dorthin vorankommst, dann ist das Leben schön.«

Saßen wir in dem bedrückenden, fliegenverseuchten Lokal irgendeiner weit abgelegenen Unterkunft, während Canan mir das alles erzählte, dann rauchten wir und tranken einen Tee, den uns ein schläfriger Junge um Mitternacht umsonst servierte, und löffelten eine wäßrige Erdbeerkaltschale, die nach Kunststoff roch. Schaukelten wir auf einer der vorderen Sitzreihen eines schäbigen Omnibusses, dann ruhten meine Augen auf Canans schönem, vollem Mund, auf ihren Lippen, ihre Augen jedoch auf den asymmetrischen Lichtern der hin und wieder vorbeifahrenden Lastwagen. Saßen wir dagegen in einem der überfüllten Busbahnhöfe in der wartenden, mit Plastiktüten bewehrten Menge zwischen Bündeln und Koffern aus Pappmaché, dann sprang Canan mitten in ihrer Schilderung unverhofft vom Tisch auf, verschwand und ließ mich in der Menschenmasse und einer eiskalten Einsamkeit zurück.

Manchmal fand ich sie nach endlosen Minuten und Stunden in den Hintergassen einer Stadt wieder, wo wir auf den nächsten Bus warteten, und sie betrachtete in einem Altwarenladen mit kritischem Blick eine Kaffeemühle, ein kaputtes Bügeleisen oder einen der Braunkohlenöfen, die man schon längst nicht mehr herstellte. Manchmal kam sie mit einem recht seltsamen Provinzblatt in der Hand zurück, ein geheimnisvolles Lächeln auf den Zügen, und las mir die Maßnahmen des Gemeinderates vor, die verhindern sollten, daß die abends zu ihren Ställen heimkehrenden Tiere über die Hauptstraße der Ortschaft liefen, und dazu eine Anzeige der letzten Neuheiten, welche die AYGAZ-Niederlassung aus Istanbul hatte anliefern lassen. Oft entdeckte ich sie, wie sie mit jemandem aus der Menge Freundschaft schloß – ins Gespräch vertieft mit kopftuchtragenden Frauen, ein kleines Mädchen, häßlich wie ein Entlein, auf dem Schoß, das sie lange küßte – oder mit ihren erstaunlichen Kenntnissen über Busse und Bahnhöfe übelgesinnten, nach OPA duftenden Fremden den Weg wies. Wenn ich schüchtern und außer Atem an ihre Seite trat, erklärte sie, als wären wir ausgezogen, um für alle diese Reisenden so etwas wie Helfer in der Not zu sein: »Diese Frau wollte hier auf ihren Sohn warten, der aus dem Militär entlassen wurde, aber sie hat niemanden unter all den Leuten erkannt, die den Bus aus Van verließen.« Für andere erfragten wir die Abfahrtszeiten, tauschten die Fahrscheine aus, beruhigten heulende Kinder, bewachten die Koffer und die Gepäckstücke von Leuten, die aufs Klo gingen. »Allah möge es euch lohnen!« sagte einmal eine rundliche Frau mit Goldzähnen. Sie hatte die Brauen gehoben und sagte, zu mir gewandt: »*Maşallah!* Deine Frau ist sehr schön, das weißt du, nicht wahr?«

Mitten in der Nacht, wenn die Innenbeleuchtung des Busses und der noch heller leuchtende Videoschirm ausgeschaltet waren und sich außer den zitternd zur Decke steigenden Rauchwölkchen der sorgenvollsten und schlaflosesten Reisenden nichts mehr bewegte, dann verbanden sich unsere Körper allmählich miteinander auf den leicht schwingenden Sitzen. Ich spürte ihr Haar auf meinem Gesicht, die schmalen Hände mit den feinen Gelenken auf meinen Knien, ihren schlafduftenden Atem in meinem schaudernden Genick. Während sich die Räder drehten und der Dieselmotor stets das gleiche Wimmern wiederholte, zerfloß die Zeit zwischen uns wie eine schwere, dunkle und warme Flüssigkeit, und zwischen unseren klamm, steif und gefühllos werdenden Beinen regte sich verlangend die neue Sensibilität dieser neuen Zeit.

Wenn manchmal mein Arm durch die Berührung des ihren hell flammend brannte, wenn ich manchmal stundenlang darauf wartete, daß ihr Kopf – bitte, so falle doch! – auf meine Schulter fiel, wenn ich manchmal stocksteif auf meinem Sitz verharrte, damit ihr Haar dort blieb, wo es meinen Hals berührte, dann lauschte ich behutsam und respektvoll auf ihre Atemzüge und fragte mich nach der Bedeutung der sorgenvollen Falten auf ihrer Stirn, und wenn unter meinem Blick plötzlich ein grelles Licht ihr Antlitz erhellte und Canan davon erwachte – wie glücklich war ich in dieser Zeit, wenn sie dann, noch ganz benommen, nicht aus dem Fenster, sondern mit einem Lächeln in meine Sicherheit versprechenden Augen schaute! Nächtelang gab ich acht, daß sie sich nicht erkältete, wenn ihr Kopf an der eisigen Scheibe lehnte, zog mein in Erzincan erstandenes Jackett aus und deckte sie damit zu, und wenn unser Fahrer die Bergstraßen hinunterraste, hielt ich Wache über ihrem zusammengekrümmten Körper, damit er nicht hochgeschleudert wurde und irgendwo anstieß. Und manchmal, wenn sich meine Augen während dieser Wachen auf irgendeinen Punkt zwischen der Haut an ihrem Hals und den weichen Ohrmuscheln konzentriert hatten, vermischte sich unter all dem Motorenlärm, den Seufzern und Todeswünschen eine Bootsfahrt aus meinen Kinderträumen oder auch die Erinnerung an eine Schneeballschlacht mit dem Phantasiebild einer glücklichen Ehe, die ich eines Tages mit Canan führen würde, und ich ließ mich fallen, irgendwo dort. Wenn mich Stunden danach der kristallene, geometrisch-kalte Reiz eines scherzhaften, ans Fenster klopfenden Sonnenstrahls weckte, wurde mir zunächst bewußt, daß der warme, lavendelduftende Garten, in dem mein Kopf vergraben lag, ihr Hals war, und während ich geduldig zwischen Wachen und Schlaf noch ein bißchen länger dort blieb und mit den Augen zwinkernd dem sonnigen Morgen draußen, den purpurnen Bergen und den ersten Spuren des neuen Lebens einen Gruß zuwarf, erkannte ich voll Trauer, wie weit Canans Augen von mir entfernt waren.

»Die Liebe«, begann Canan und schürte das in meinem Innern brennend eingezwängte Wort wie eine meisterhafte Synchronsprecherin zu einer plötzlich hochschießenden Flamme, »gibt dem Menschen ein Ziel, holt die Dinge des Lebens aus ihm heraus und führt ihn, wie ich jetzt weiß, schließlich zum Geheimnis der Welt. Wir sind jetzt auf dem Weg dorthin.

Als ich Mehmet zum erstenmal sah«, sagte Canan, ohne auch nur einen Blick auf Clint Eastwood zu werfen, der sie von der Titelseite einer alten, auf dem Tisch eines Wartesaals zurückgelassenen Zeitschrift anschaute, »habe ich sofort verstanden, daß sich mein ganzes Leben ändern würde. Es gab ein Leben, bevor ich ihn sah, und ein anderes nach meiner Bekanntschaft mit ihm. Es war, als hätten alle Dinge um mich herum, Gegenstände, Betten, Menschen, Lampen, Aschenbecher, Straßen, Wolken und Schornsteine plötzlich ihre Farbe und Form verändert, und ich ging voll Staunen daran, diese ganz neue Welt zu erkunden. Als ich das Buch kaufte, um es zu lesen, glaubte ich, nun kein Bedürfnis mehr nach einem anderen Buch, einer anderen Geschichte zu haben. Ich mußte mich nur umsehen, mußte alles einzeln betrachten, um die neue Welt zu verstehen, die sich mir eröffnete. Doch nach der Lektüre des Buches sah ich auf einmal, was hinter den Dingen war, die ich sehen mußte. Ich ermunterte Mehmet, der in ein Land gereist und voll Kummer von dort zurückgekommen war, und überzeugte ihn davon, daß wir zusammen in jenes Leben reisen konnten. Gemeinsam lasen wir in jenen Tagen das Buch immer wieder von neuem. Manchmal blieben wir wochenlang bei einem Abschnitt, ein andermal wieder erkannten wir gleich nach dem Lesen, daß alles sehr einfach und offen war. Dann gingen wir ins Kino, lasen andere Bücher oder Zeitungen, wanderten durch die Straßen. Und wenn wir das Buch im Kopf hatten, wenn wir es auswendig hersagten, dann gehörte uns Istanbul, schimmerten seine Straßen in einem anderen Licht. Wir wußten irgendwie, daß der alte Mann mit dem Stock, den wir auf der Straße sahen, erst zum Zeitvertreib ins Kaffeehaus gehen und danach seinen Enkel vom Eingang der Grundschule abholen würde. Wir erkannten, daß die Stute, die einen von drei Pferdewagen auf der Straße zog, die Mutter der beiden mageren Gäule war, die mit den anderen Wagen vorangingen. Wir verstanden sofort, warum die Männer mit blauen Strümpfen häufiger wurden und was es bedeutete, wenn man die Zugtarife verkehrt herum las, und daß der Koffer, den der dicke, schwitzende Mann beim Einsteigen in den Stadtbus in der Hand hielt, vollgepackt war mit den Gegenständen und der Unterwäsche aus dem Haus, das er vor kurzem ausgeraubt hatte. Später gingen wir in ein Café, um das Buch noch einmal zu lesen, und sprachen ununterbrochen darüber. Das war Liebe, und manchmal dachte ich, die Liebe sei der einzige Weg, um die in der Ferne liegende Welt – so, wie es in manchen Filmen geschieht – in diese Welt zu holen.«

»Doch es gab Dinge, die mir gänzlich unbekannt waren, Dinge, die ich niemals wissen kann und wissen werde«, hatte Canan in einer Regennacht erklärt, ohne die Augen von der Kußszene auf dem Videoschirm abzuwenden, und als nach etlichen rutschigen Kilometern und drei oder auch fünf Lastwagen die Kußszene in einem Omnibus, der dem unseren ähnelte, vor einer Landschaft, die der unsrigen überhaupt nicht ähnelte, vorangekommen war, hatte sie noch hinzugefügt: »Jetzt begeben wir uns an jenen gänzlich unbekannten Ort.«

Wenn die Kleidung, die wir trugen, durch Staub und Schmutz steif geworden war und sich auf unserer Haut die Sedimente der Geschichte, die diesen Boden seit den Kreuzrittern bis heute aufwühlte, Schicht um Schicht angesammelt hatten, dann stiegen wir aufs Geratewohl in einer

Stadt aus dem Bus und gingen, bevor wir in den nächsten einstiegen, aufs Geratewohl zum Einkaufen. Canan kaufte sich einen der langen Popelineröcke, die sie zu einer wohlwollenden Provinzlehrerin machten, und ich kaufte mir die gleichen Hemden, die meiner vormaligen, blassen Nachahmung entsprachen ... Und wenn wir später daran dachten, zwischen Landratsamt, Atatürk-Standbild, ARÇELIK-Niederlassung, Apotheke und Moschee den Kopf zu heben, dann nahmen wir zwischen den Stoffbahnen, auf denen Korankurse und die Zeremonie einer Massenbeschneidung angekündigt wurden, an dem kristallblauen Himmel die feine weiße Linie wahr, die ein Düsenflugzeug hinterlassen hatte, und hielten an für einen Augenblick und schauten, Papierpakete und Plastiktüten in der Hand, voller Liebe zum Himmel auf, um gleich darauf einen atemlosen, krawattentragenden Beamten nach dem städtischen Hamam zu fragen.

Weil das Hamam am Vormittag den Frauen zugeteilt ist, bummelte ich zuerst durch die Straßen, hockte in den Kaffeehäusern herum und nahm mir vor, wenn ich an einem Hotel vorbeikam, Canan zu sagen, daß wir wenigstens einen Tag, eine Nacht nicht über den Rädern und auf den Polstern der Omnibussitze verbringen sollten, sondern wie jedermann auf festem Boden, zum Beispiel in einem Hotel, und so manchen Abend wollte ich auch sprechen von dem, was ich mir vorstellte, doch wenn es dunkel wurde, zeigte Canan mir die Ergebnisse ihrer Nachforschungen, während ich im Hamam gewesen war: Sammelbände der alten Zeitschrift *Fotoroman*, noch ältere Kindermagazine, Kaugummisorten, von denen ich nicht mehr wußte, daß ich sie jemals gekaut hatte, und eine Haarspange, deren Bedeutung ich nicht verstehen konnte. »Ich erzähl's dir im Bus«, sagte Canan und setzte jenes Lächeln auf, das zu ihr gehörte, wenn sie den gleichen Videofilm noch einmal anschaute.

In einer Nacht, als auf dem Videoschirm unseres trübseligen Omnibusses kein grellbunter Film, sondern eine wohlerzogene, brave ältere Schwester erschien, die schlimme Todesnachrichten verkündete, hatte Canan erklärt: »Ich reise in Mehmets anderes Leben. Aber in jenem anderen Leben war er nicht Mehmet, sondern ein anderer.« Als wir mit hoher Geschwindigkeit an einer Tankstelle vorbeifuhren, spiegelte sich auf ihrem Gesicht das fragenstellende, blutrote Licht der Neonleuchten wider.

»Mehmet sprach kaum von seinem anderen Leben, außer von seinen Schwestern, von einem Landhaus, einem Maulbeerbaum, von dem anderen Namen und der anderen Person, die er dort gewesen war. Einmal hatte er bemerkt, er habe als kleiner Junge die Hefte der *Kinderwoche* sehr gern gemocht. Hast du die *Kinderwoche* nie gelesen?« Ihre langen Finger wanderten durch den leeren Raum zwischen dem Aschenbecher und unseren Beinen und durch die vergilbten Seiten der Sammelbände, und während sie nicht die Seiten anschaute, sondern mich, der auf die Seiten blickte, sagte sie: »Mehmet meinte, daß jeder irgendwann dorthin zurückkehren würde. Für ihn sammle ich diese Sachen. Gegenstände, die seine Kindheit formten ... Es sind Dinge, die wir im Buch gefunden haben. Verstehst du?« Ich verstand es nicht ganz, manchmal überhaupt nicht, doch Canan redete mit mir auf eine Weise, die mich glauben machte, daß ich verstand. »So wie du«, meinte sie. »Kaum hatte Mehmet das Buch gelesen, als er erkannte, daß sich sein ganzes Leben ändern würde, und er führte auch zu Ende, was er erkannt hatte. Bis zum Ende ... Er hatte Medizin studiert und gab das Studium auf, um seine ganze Zeit dem Buch, dem Leben im Buch zu widmen. Ihm war klargeworden, daß er seine Vergangenheit vollkommen abstreifen mußte, um ein neuer Mensch zu werden. Deswegen hat er sich von seinen Eltern, von seiner Familie getrennt ... Doch es war wohl nicht leicht, sich von ihnen zu lösen. Er hat mir erzählt, daß seine eigentliche Befreiung, sein erster Schritt hinaus ins neue Leben durch einen Verkehrsunfall verwirklicht wurde ... Richtig, Unfälle sind ein Überschreiten, Unfälle sind eine Pforte ... In dem magischen Moment des Überschreitens erscheint der Engel, und ebenda wird vor unseren Augen der eigentliche Sinn des chaotischen Zustandes, den wir Leben nennen, deutlich. Erst danach kehren wir zurück nach Hause.«

Nach solchen Worten ertappte ich mich bei den Bildern dessen, was ich verlassen hatte: meine Mutter, mein Zimmer, meine Sachen, mein Bett, mein Zuhause, und ließ meine Phantasie spielen, um all das, was ich in diesen Bildern sah, und Canan, die sich neben mir ein neues Leben erträumte, miteinander vereinen zu können. Mit einem Gefühl äußerst hinterhältiger Klugheit und mäßiger Schuld.

SECHSTES KAPITEL

In allen Omnibussen, mit denen wir fuhren, war der Fernseher vorn über dem Fahrersitz angebracht, und in manchen Nächten schauten wir nur dorthin, ohne miteinander zu sprechen. Dieses Gerät dort oben, durch Schachteln, Spitzendeckchen, Samtvorhänge, lackierte Brettchen, Amulette, Perlen, Abziehbilder und sonstigen Schmuck in eine moderne Gebetsnische verwandelt, stellte für uns außer dem, was draußen hinter den Busfenstern zu sehen war, den einzigen Ausblick zur Welt dar, denn wir hatten seit Monaten keine Zeitung mehr gelesen. Wir sahen Karatefilme, in denen die so behende hüpfenden Helden im Handumdrehen Hunderten von armen Schluckern mit den Füßen Kinnhaken verpaßten, oder auch deren einheimische, mit derben Draufgängern besetzte Zeitlupenversionen. Wir sahen amerikanische Streifen mit einem klugen, sympathischen Schwarzen, der reiche Versager, Polizisten und Gangster an der Nase herumführte, Pilotenfilme, in denen schicke junge Männer Flugzeuge und Hubschrauber Hals über Kopf abtrudeln ließen, und Horrorfilme mit Gespenstern und Vampiren, die hübsche junge Mädchen in Todesangst versetzten. In den meisten einheimischen Filmen mit den gutherzigen Reichen, die für ihre ach so damenhaften Töchter partout keinen anständigen, ehrlichen Ehemann finden konnten, traten sämtliche Protagonisten, ob Mann oder Frau, in einem Abschnitt ihres Lebens als Sangeskünstler auf, und es gab so entsetzlich viele Mißverständnisse zwischen ihnen, daß gerade diese sich am Ende zu einer Art von richtigem Verstehen wandelten. Wir waren so sehr an die immer gleichen Gesichter und Gestalten in den einheimischen Filmen gewöhnt, die stets nach demselben Muster den geduldigen Briefträger, den brutalen Vergewaltiger, die häßliche, gutmütige Schwester, den Richter mit der starken Stimme, die verständnisvolle, mütterliche Tante oder den Trottel spielten, daß wir uns eines Tages bei einem Aufenthalt im Restaurant Erinnerungen an der Quelle betrogen fühlten, als wir unter den Moschee-, Atatürk-, Schauspieler- und Ringerbildern an den Wänden die gutmütige Schwester und den brutalen Vergewaltiger sitzen sahen, wie sie zusammen mit den schläfrigen Nachtreisenden ganz brav ihre Gemüsesuppe löffelten. Während Canan darüber nachsann, bei welchen der berühmten Schauspielerinnen an den Wänden es der Vergewaltiger geschafft hatte in all den bisher gesehenen Filmen, schaute ich mir, wie ich noch weiß, gedankenverloren die Gäste des farbenfrohen Lokals an und sah uns alle als Reisende, die in dem hellen, kalten Salon eines unbekannten Schiffes Suppe schlürfend in den Tod fuhren.

Wir sahen zahllose Raufszenen auf dem Bildschirm; sahen zersplitternde Scheiben, Gläser, Türen; sahen, wie Flugzeuge und Autos plötzlich zerfielen und danach die Flammen zum Himmel schlugen; wir schauten zu, wie Häuser, Heere, glückliche Familien, böse Männer, Liebesbriefe, Wolkenkratzer und Schätze vom Feuer gefressen wurden. Wir sahen Blut, das aus Wunden, von Gesichtern, aus aufgeschnittenen Kehlen schoß, sahen unerschöpfliche Hetzjagden, Hunderte, Tausende von Autos in unendlich vielen Filmen, die sich verfolgten, um die Kurven rasten und glücklich am Ende zusammenstießen. Frauen und Männer sahen wir, die unaufhörlich aufeinander schossen, Zehntausende von Unseligen, Ausländer und Einheimische, Schnurrbärtige und Glattrasierte. Zwischen dem Ende des einen und dem Erscheinen des nächsten Videofilms auf dem Bildschirm kam eine Bemerkung von Canan: »Ich hätte nie gedacht, daß sich der Junge so leicht betrügen lassen würde.« Und als sich zum Schluß des zweiten Films die schwarzen Flecken zeigten: »Das Leben ist trotzdem schön, wenn du ein Ziel vor Augen hast.« Oder auch: »Ich glaube nicht daran, falle nicht darauf rein, aber ich mag es.« Oder sie erklärte zwischen Schlaf und Wachen mit dem Widerschein des Filmglücks auf dem Gesicht: »Ich werde von glücklichen Ehepaaren träumen.«

Als der dritte Monat meiner Reisen mit Canan zu Ende ging, hatten wir wohl an die tausend Kußszenen gesehen. Von welcher kleinen Ortschaft zu welcher weit abgelegenen Stadt der Bus auch fahren mochte und wer auch immer die Fahrgäste waren, ob Leute mit Körben voll Eiern oder Beamte mit Aktentaschen – bei jedem Kuß wurde es stets auf allen Sitzen still, und ich merkte, wie Canan die Hände auf ihren Knien oder auf dem Schoß hielt, und wollte dann auf einmal etwas nahezu Gewaltsames tun, das abgründig, hart und bedeutungsschwer sein sollte. Dieses fast Unwillkürliche oder etwas sehr Ähnliches führte ich schließlich in einer regnerischen Sommernacht aus.

Der dunkle Bus war zur Hälfte besetzt, wir saßen irgendwo in der Mitte, und auf dem Bildschirm regnete es in einer weit entfernten, für uns sehr fremden tropischen Landschaft. Als ich mich instinktiv dem Fenster zuwandte und auf diese Weise Canans Kopf näher kam, sah ich, daß es auch draußen zu regnen begonnen hatte. Canan lächelte mir zu, und ich küßte im gleichen Augenblick ihre Lippen, wie ich's in den Filmen gesehen hatte, wie man's auf dem Fernsehschirm tat, wie ich meinte, so müßte man's tun, küßte sie mit aller Kraft, küßte sie leidenschaftlich verlangend, ach Engel, sie zappelte, ich küßte sie, bis sie blutete.

»Nein, nein, mein Lieber«, protestierte sie, »du bist nicht er, auch wenn du ihm sehr ähnlich bist. Er ist an einem anderen Ort ...«

Waren es die rosa Neonlichter der abgelegensten, miserabelsten und in höchstem Maße fliegenverseuchten Leuchtreklame der türkischen Petroleumgesellschaft, die sich auf ihrem Gesicht reflektierten, oder war es die unglaubliche Morgenröte der anderen Welt dort auf dem Bildschirm? Von den Lippen des Mädchens rann Blut, schreiben die Bücher in solchen Fällen, und die Helden der Filme, die wir gesehen hatten, stürzten in dieser Lage Tische um, zertrümmerten Fenster und fuhren ihre Autos im Höchsttempo gegen die Wand. Ich aber wartete nur zutiefst betroffen darauf, den Kuß auf meinen Lippen zu schmecken. Vielleicht getröstet durch eine schöpferische Erfindung meiner Phantasie: Ich existiere nicht, redete ich mir ein, und wenn ich nicht existiere, was spielt es dann für eine Rolle! Doch als der Bus mit einem neuen Verlangen rüttelte, bekam ich meine Existenz mehr denn je zu spüren – des Schmerzes wegen, der zwischen meinen Beinen zunahm: Ich wollte mich dehnen, wollte zerbersten und mich entspannen. Später muß das Verlangen noch weiter, tiefer geworden sein – es mußte die ganze Welt sein, eine neue Welt. Ich wartete, ohne zu wissen, was kommen würde, ich wartete, während meine Augen feucht wurden, mir der Schweiß ausbrach, wartete verlangend, und ohne zu wissen, was ich erwartete, zerbarst alles in Entzücken, weder schwer noch langsam, und schwand dahin.

Wir hörten zuerst ein übermächtiges Krachen, dann kam der Moment friedlicher Stille sofort nach dem Unfall. Ich sah, daß diesmal mit dem Fahrer auch der Fernseher zerfetzt und zerstückelt war. Als das Jammern und Schreien begann, nahm ich Canan bei der Hand und setzte sie, gekonnt und ohne daß sie Schaden nahm, auf dem festen Boden ab.

Im strömenden Regen draußen erkannte ich sofort, daß unser Bus und seine Reisenden nicht allzuviel Schaden gelitten hatten. Zwei oder drei Tote und der Fahrer. In dem anderen Bus aber, RASANT REISEN, der unserem Verkehrsopfer in die Flanke gefahren, zur Hälfte gefaltet und nach unten auf den schlammigen Acker gerollt war, wimmelte es vor Toten und Sterbenden. Neugierig und vorsichtig, als würden wir ins dunkle Zentrum des Lebens vordringen, stiegen wir auf das Maisfeld hinunter und näherten uns, magisch angezogen, dem dort liegenden Bus.

Als wir ihn erreichten, bemühte sich gerade ein junges Mädchen in Jeans, blutüberströmt von Kopf bis Fuß, durch ein zersplittertes Fenster hinauszukriechen. Ihre ins Innere des Wagens ausgestreckte Hand hielt eine andere fest, und als wir uns bückten und hineinschauten, sahen wir, daß diese einem schon gänzlich kraftlosen jungen Mann gehörte. Ohne die andere Hand auch nur einen Moment loszulassen, kam das Mädchen mit unserer Hilfe aus dem Wageninneren heraus. Dann neigte sie sich der Hand zu, die sie festhielt, zog daran und versuchte, deren Besitzer ins Freie zu ziehen. Doch wir erkannten, daß der junge Mann in dem kopfstehenden Bus zwischen vernickelten Stäben und bunten, wie Kartons zusammengedrückten Kanistern eingeklemmt war. Bald darauf starb er, uns und die dunkle, verregnete Welt von unten her betrachtend.

Blutiges Regenwasser rann dem langhaarigen Mädchen aus den Augen, vom Gesicht. Sie mußte in unserem Alter sein. Auf ihren vom Regen rosig angehauchten Zügen lag eher der Ausdruck eines verwirrten Kindes als der eines Menschen, der dem Tod ins Auge geschaut hatte. Kleines, naß gewordenes Mädchen, wie traurig waren wir deinetwegen! Plötzlich blickte sie im Scheinwerferlicht unseres Busses hin zu dem toten Mann auf seinem Sitz und sagte: »Mein Vater, mein Vater wird jetzt sehr böse sein.«

Sie ließ die Hand des Toten los, wandte sich Canan zu, nahm deren Gesicht in die Hände und streichelte es, streichelte es wie das Gesicht einer schuldlos reinen, jahrhundertelang vertrauten Schwester.

»Engel«, sagte sie, »endlich habe ich dich gefunden, im Regen, nach so vielen Reisen.«

Das schöne, blutige Gesicht betrachtete Canan glücklich und voll sehnsüchtiger Bewunderung.

»Es war dein Blick, der mir stets folgte, der mich dort zu überraschen schien, wo ich ihn am wenigsten erwartete, der wieder verschwand und, weil er verschwunden war, mich wünschen ließ, ihn wiederzufinden«, erklärte das Mädchen. »Um deinem Blick zu begegnen, sind wir auf Reisen gegangen, damit dein sanfter Blick uns direkt ins Auge treffe, haben wir in den Bussen genächtigt, sind von Stadt zu Stadt gefahren, haben, du weißt es, Engel, das Buch immer wieder von neuem gelesen.«

Canan lächelte leicht, ein wenig verwirrt und ein wenig unentschlossen, so traurig wie zufrieden über die geheime Gesetzmäßigkeit des Irrtums.

»Lächle mir zu«, bat das sterbende Mädchen – denn ich hatte gleich verstanden, Engel, daß sie sterben mußte –, »lächle mir zu, damit ich ein einziges Mal nur das Licht jener Welt auf deinem Gesicht erkennen kann. Ruf sie mir zurück ins Gedächtnis, die Hitze der Backstube, die ich an verschneiten Wintertagen auf dem Rückweg von der Schule mit der Mappe in der Hand betrat, um einen Kringel zu kaufen, oder wie vergnügt ich an einem heißen Sommertag vom Steg ins Meer gesprungen bin; erinnere mich an den ersten Kuß, die erste Umarmung, an den Walnußbaum, in dessen Wipfel ich ganz allein hinaufgeklettert bin, an den Sommerabend, an dem ich ganz außer mir war, und an die Nacht, in der ich so fröhlich berauscht war, und an das hübsche Kind, das unter meine Steppdecke guckte und mich liebevoll anschaute. Sie alle sind in jenem Land, in das auch ich gehen möchte, hilf mir, hilf, damit ich das Schwinden meines Seins, das mit jedem Atemzug ein wenig zunimmt, frohgestimmt auf mich nehmen kann.«

Canan lächelte ihr lieb und freundlich zu.

»Wie schrecklich ihr seid, ihr Engel«, sagte das Mädchen inmitten all der Todes- und Erinnerungsschreie. »Und wie grausam, aber schön! Welch ein zeitloser Friede ist euch, ist jedem von eurem unerschöpflichen Licht berührten Fleckchen zum Verweilen vergönnt, während wir mit jedem Wort, jeder Sache, jeder Rückbesinnung mehr und mehr vertrocknen, zu Staub werden und vergehen! Darum suchten wir, mein unseliger Liebster und ich, nach euren Blicken hinter den Fenstern der Omnibusse, seit wir das Buch gelesen hatten. Es sind deine Blicke, Engel, denn wie ich jetzt erkenne, ist dies der einmalige Augenblick, den das Buch versprochen hat. Die Zeit des Übergangs zwischen zwei Welten. Weder dort noch hier zu sein; jetzt, während ich weder dort noch hier bin, verstehe ich, was das Hinübergehen bedeutet, bin froh zu verstehen, was Friede, Tod und Zeit bedeuten. Lächle mir noch weiter zu, o Engel.«

Auf das, was danach eine Zeitlang geschah, kann ich mich scheinbar kaum noch besinnen. Es war wie nach einer schönen Sauferei, wenn einem alles im Kopf verschwimmt und man sich am nächsten Morgen sagt: »Da ist der Film gerissen.« So ähnlich ging es mir. Ich erinnere mich, daß zuerst der Ton verschwand, und ich meine, noch gesehen zu haben, wie das Mädchen und Canan einander anschauten. Nach dem Ton muß auch das Bild für eine Weile verschwunden sein, denn so manches, was ich sah, löste sich in Dunst auf, ohne in mein Gedächtnis einzudringen, ohne von irgendeinem Instrument aufgezeichnet zu werden.

Ich entsann mich dunkel eines Gewässers, das von dem Mädchen in Jeans erwähnt wurde, doch wie wir das Maisfeld hinter uns gelassen und an das Ufer eines Flusses gekommen waren, ob es dort einen Fluß oder nur einen schlammigen Bach gab und woher das blaue Licht kam, in dem ich die Regentropfen schimmern sah, die auf das stille

Wasser fielen, und die Ringe, die sie dort hinterließen, das alles blieb verschwommen.

Ein wenig später sah ich, wie das Mädchen in Jeans Canans Gesicht wieder zwischen ihren Händen hielt. Sie flüsterte ihr etwas zu, was ich nicht hörte, oder aber die traumhaft geflüsterten Worte erreichten mich einfach nicht. Ein ungewisses Schuldgefühl bedrückte mich, und ich meinte, die beiden allein lassen zu müssen. Ich ging ein paar Schritte am Bachufer entlang, doch meine Füße versanken im lehmigen Morast. Von meinen taumelnden Schritten aufgescheucht, sprangen Frösche ins Wasser, jeder von ihnen mit einem deutlichen Plumps. Eine zerknautschte Zigarettenschachtel trieb langsam auf dem Wasser näher. Es war eine Maltepe-Packung, die hin und wieder durch die rechts und links aufschlagenden Regentropfen schwankte, dann aber selbstsicher, stolz und pompös dem Land des Ungewissen entgegenschwamm. In der Dunkelheit war nichts weiter zu sehen als diese Zigarettenpackung und die Schatten Canans und des Mädchens, die sich leicht zu regen schienen. Mutter, Mutter, ich habe sie geküßt und den Tod vor Augen gesehen, hatte ich gerade zu mir selbst gesagt, als ich Canan rufen hörte.

»Hilf mir«, sagte sie. »Laß uns ihr Gesicht waschen, damit ihr Vater das Blut nicht sieht.«

Hinter ihr stehend, hielt ich das Mädchen fest. Ihre Schultern waren zart, ihre Achselhöhlen warm. Ich schaute nach Herzenslust zu, wie Canan reichlich von dem Wasser schöpfte, auf dem die Zigarettenpackung schwamm, wie sie das Gesicht des Mädchens wusch, sanft die Stirnwunde reinigte und sich fürsorglich und elegant bewegte; doch mir war klar, das Blut würde nicht zu stillen sein. Ihre Großmutter, erzählte das Mädchen, habe sie auf dieselbe Weise gewaschen, als sie noch klein war. Früher einmal, als Kind, da habe sie sich vor dem Wasser gefürchtet, jetzt sei sie erwachsen, liebe das Wasser und sei am Sterben.

»Ich möchte euch noch etwas sagen, bevor ich sterbe«, sagte sie. »Bringt mich zum Bus.«

Eine unentschlossene Menge umstand jetzt das gekippte und kopfstehende Fahrzeug, wie man ihr nach einer lebhaften, anstrengenden Festnacht begegnen kann. Ein paar Leute bewegten sich schwerfällig und ohne klar ersichtlichen Grund, vielleicht trugen sie einen Leichnam, wie man einen Koffer trägt. Eine Frau mit aufgespanntem Schirm und einer Tasche aus Kunstleder in der Hand schien auf einen neuen Omnibus zu warten. Gemeinsam mit ein paar Fahrgästen des invalid geschlagenen Busses versuchten Reisende unseres Mörderbusses, die zwischen Koffern, Toten und Kindern Verbliebenen aus den Trümmern ins Freie, in den Regen hinauszuziehen. Die Hand aber, die das Mädchen, das bald darauf sterben sollte, kurz zuvor noch gehalten hatte, lag noch da wie zurückgelassen.

Das Mädchen kroch in den Bus, offenbar nicht so sehr aus Kummer als vielmehr aus einem drängenden Pflichtgefühl heraus, und hielt die Hand voll Zärtlichkeit fest.

»Er war mein Liebster«, sagte sie. »Zuerst habe ich das Buch gelesen, war gefesselt davon und fürchtete mich davor. Ich habe einen Fehler gemacht, als ich es ihm in dem Glauben gab, es würde ihn so fesseln wie mich. Er war gefesselt, doch das genügte ihm nicht, er wollte dorthin in jenes Land. Auch als ich ihm sagte, es sei doch nur ein Buch, ließ er sich nicht überzeugen. Er war mein Liebster. So gingen wir auf Reisen, fuhren von Stadt zu Stadt, berührten die Gesichter des Lebens, drangen ins Innere dessen, was hinter den Farben verborgen war, suchten nach dem Wesentlichen, konnten es aber nicht finden. Und weil wir uns zu streiten begannen, ließ ich ihn allein auf seiner Suche, ging heim zu meinen Eltern und wartete. Schließlich kam mein Liebster zu mir zurück, doch er war ein anderer geworden. Er meinte, das Buch habe viele Menschen vom Wege abgebracht, vielen Unglücklichen das Leben zerstört und sei die Wurzel allen Übels. Nun habe er sich geschworen, Rache zu nehmen an dem Buch, der Ursache all dieser Enttäuschungen und zerstörten Existenzen. Das Buch habe keine Schuld, erklärte ich ihm, es gebe viele Bücher dieser Art. Er hörte auch nicht auf meinen Hinweis, daß nur die Dinge wichtig seien, die der Mensch während des Lesens erkennt. Das Fieber der Vergeltung für all die kummervoll Betrogenen hatte ihn nun einmal gepackt. Er nannte einen Dr. Narin, sprach von dessen Kampf gegen das Buch, dem Widerstand gegen fremde Kulturen, die uns vernichten, gegen all die neuen Dinge, die aus dem Westen kommen, gegen das Geschriebene ... Er redete von allen möglichen Uhrensorten, alten Gegenständen, Käfigen für Kanarienvögel, Handmühlen, Brunnenwinden. Ich verstand es nicht, doch ich liebte ihn. Er war so haßerfüllt, aber trotz allem mein Liebster, mein Leben. Darum ging ich mit, als er eine Geheimversammlung von Verkaufsvertretungen in der Ortschaft Güdül erwähnte, auf der ›unsere Ziele‹ besprochen werden sollten. Dr. Narins Leute sollten uns finden, sollten uns hinführen zu ihm ... Ihr solltet jetzt gehen an unserer Stelle ... Haltet den Verrat auf, an dem Buch und am Leben. Dr. Narin erwartet uns als junge Vertreter aus der Ofenbranche, die sich ›der Sache‹ verschrieben haben. Unsere Ausweise stecken innen im Jackett meines Liebsten ... Der Mann, der uns abholen soll, wird nach OPA-Rasierseife duften.«

Während ihr das Blut wieder über das Gesicht rann, küßte und streichelte sie die tote Hand in der ihren und begann zu weinen. Canan hielt sie an den Schultern fest.

»Auch ich bin schuldig, Engel«, sagte das Mädchen, »und deiner Liebe nicht würdig. Ich habe mich von meinem Liebsten überreden lassen, bin ihm gefolgt, habe das Buch verraten. Und weil er an mir schuldig geworden ist, mußte er sterben, ohne dich zu sehen. Mein Vater wird sehr böse sein, doch ich bin glücklich, weil ich in deinen Armen sterben werde.«

Sie werde nicht sterben, erklärte ihr Canan. Doch für uns war dieser Tod längst überzeugend geworden, denn in den Filmen, die wir gesehen hatten, kündigten die Sterbenden niemals ihr nahes Ende an. So wie in jenen Filmen legte Canan in der Rolle des Engels die Hand des Mädchens in die des toten jungen Mannes. Dann starb das Mädchen, Hand in Hand mit ihrem Liebsten.

Canan näherte sich der Leiche des jungen Mannes, der die Welt verkehrt herum betrachtete. Sie steckte den Kopf durch die zerborstene Scheibe des Busses, suchte eine Weile und kam schließlich mit einem strahlenden Lächeln auf den Zügen und unseren neuen Identitäten in der Hand zurück in unsere regnerische Welt.

Wie sehr liebte ich Canan, als ich das frohe Lächeln auf ihrem Antlitz sah! In den Winkeln ihres weiten Mundes, dort, wo die Reihe der schönen Zähne zu Ende war und sich die Lippen in einem weichen Winkel wiedertrafen, konnte ich an zwei dunklen Stellen ins Innere ihres Mundes sehen. Zwei niedliche Dreiecke, die sich beim Lachen in Canans Mundwinkeln bildeten.

Sie hatte mich einmal geküßt, ich hatte sie einmal geküßt, nun wollte ich sie im Regen noch einmal küssen, doch sie zog sich ein wenig zurück.

Sie las die Ausweise in ihrer Hand und erklärte: »Ali Kara ist dein Name in unserem neuen Leben und Efsun Kara mein Name. Wir haben auch eine Heiratsurkunde.« Dann lächelte sie und sprach mit der dozierenden Stimme der gütig-verständnisvollen Lehrerin, die wir aus der Englisch-stunde kannten: »Herr und Frau Kara begeben sich zur Ver-treterversammlung in das Städtchen Güdül.«

SIEBTES KAPITEL

Wir erreichten das Städtchen Güdül nach den schier unerschöpflichen Regenfällen des Sommers und nachdem wir dreimal umgestiegen und in zwei verschiedenen Städten gewesen waren. Als wir aus dem schmutzigen Busbahnhof auf die engen Gehsteige des Marktviertels hinauskamen, sah ich einen seltsamen Himmel über mir; hoch oben war ein Tuch gespannt, dessen Aufschrift die Kinder zu den sommerlichen Korankursen rief. Vorn im Fenster der Monopol- und Sport-Toto-Filiale zeigten drei ausgestopfte Rattenleichen inmitten bunter Likörflaschen lachend ihre Zähne. An der Tür der Apotheke klebten Bilder nach Art der Handzettel, wie man sie auf den Begräbnissen der aus politischen Gründen Ermordeten an den Kragen heftet: Die Toten, deren Geburts- und Sterbedaten angegeben waren, erinnerten Canan an die guten Reichen aus den alten einheimischen Filmen. Wir kauften in einem Laden eine Handtasche aus Kunststoff und ein Nylonhemd, um uns beiden das Ansehen seriöser junger Vertreter zu geben. Die Reihen der Kastanienbäume auf den schmalen Gehsteigen, die zu unserem Hotel führten, waren erstaunlich gerade ausgerichtet. Sowie Canan im Schatten eines der Bäume ein Schild mit den Worten: »Beschneidung nicht mit Lasergerät, sondern von Hand« las, meinte sie: »Man erwartet uns.« Ich griff in meiner Tasche nach der Heiratsurkunde der Verstorbenen Ali Kara und Efsun Kara. Der kleine, schmächtige Angestellte mit Hitlerbärtchen, der das Register des Hotels Favorit führte, blätterte die Papiere nur flüchtig durch.

»Sie kommen zur Vertreterversammlung? All die anderen sind schon zur Eröffnung in die Oberschule gegangen. Haben Sie keine Koffer außer dieser Tasche?«

»Unsere Koffer sind mitsamt dem Bus und den Fahrgästen verbrannt«, gab ich zurück. »Wo ist die Oberschule?«

»Natürlich, Ali Bey, Omnibusse verbrennen«, sagte der Angestellte. »Der Junge wird Ihnen die Schule zeigen.«

Canan sprach zu dem Jungen, der uns zur Oberschule brachte, in einem so lieben, süßen Ton, wie sie zu mir noch nie gesprochen hatte: »Verdüstert dir diese schwarze Brille nicht die Welt?« »Macht sie nicht«, gab er zur Antwort, »weil ich Michael Jackson bin.« »Was meint deine Mutter dazu?« fragte Canan. »Sieh mal an, was für eine schöne Weste dir deine Mutter gestrickt hat!« »Das geht meine Mutter nichts an!« erklärte der Junge.

Bis wir zur Kenan-Evren-Oberschule kamen, deren Name wie bei den Nachtlokalen von Beyoğlu in Neonschrift geschrieben war, die in regelmäßigen Abständen aufleuchtete, hatten wir von Michael Jackson folgendes erfahren: Er war in der ersten Klasse Mittelstufe; sein Vater arbeitete in dem Kino, das der Hotelbesitzer betrieb, war aber jetzt mit der Versammlung beschäftigt; einige Leute waren gegen diese Sache, denn der Landrat hatte gesagt: »Da, wo ich Landrat bin, wird nichts in den Dreck gezogen!«

In der dichtgedrängten Kenan-Evren-Oberschule sahen wir den Apparat zum Aufbewahren der Zeit, die magische Glasplatte, die den Schwarzweiß- in einen Farbfernseher verwandelt, den ersten automatischen Schweinefleisch-Detektor der Türkei, das geruchlose Rasierwasser, die im Handumdrehen Kupons aus der Zeitung schneidende Schere, den Ofen, der sich von selbst entzündet, sowie der Besitzer heimkommt, und die Spieluhr, die auf einen Schlag das ganze Problem von Minarett, Muezzin, Lautsprecher und Verwestlichung versus Islamisierung durch eine moderne, ökonomische Lösung aus dem Weg räumt. Anstelle des Vogels aus der altbekannten Kuckucksuhr waren zwei Figuren mit dem herkömmlichen Mechanismus verbunden.

Auf der unteren von zwei Galerien, gebaut nach Art der Minarettumgänge, erschien zu den Gebetszeiten ein winziger Imam und rief dreimal: »Allah ist groß!«, und auf der oberen Galerie zeigte sich zu jeder vollen Stunde ein Spielzeug-Herrchen, glatt rasiert und mit Krawatte, und rief: »Welch ein Glück, Türke zu sein, Türke zu sein, Türke zu sein!« Beim Anblick des Apparates zum Aufbewahren des Sichtbargewordenen zweifelten wir allerdings daran, daß alle diese Dinge, wie behauptet wurde, von den Oberschülern der Region erfunden worden waren. Die durch die Menge wandernden Väter, Onkel und Lehrer mußten wohl mit Rat und Tat zu diesen Erfindungen beigetragen haben.

Zwischen einem Autoreifen und einer darin eingezogenen Radfelge waren Hunderte von Handspiegeln montiert, die auf diese Weise ein wechselseitiges Labyrinth bildeten. Durch ein Loch wurden das Licht und die Bilderscheinung in das Spiegellabyrinth geholt, und wenn man die Klappe schloß, war das arme Licht gezwungen, endlos zwischen den Spiegeln herumzuirren. Wenn man später, irgendwann, wenn's einem gefiel, das Auge an das verdeckte Loch legte und die Klappe öffnete, konnte man auf diese Weise das Abbild im Innern noch einmal sehen, je nachdem, welche Erscheinung dort eingefangen worden war, sei es ein Ahornbaum, die durch die Ausstellung wandernde zickige Lehrerin, der dicke Kühlschrank-Vertreter, der picklige Schüler, der ein Glas Limonade trinkende Grundbuchbeamte oder ein Krug voll Ayran, General Evrens Porträt, der in den Apparat lachende zahnlose Schuldiener, ein zwielichtiger Typ, die hübsche, neugierige Canan, deren Teint trotz der vielen Reisen noch immer leuchtend schimmerte, oder auch nur das eigene Auge.

Noch andere Dinge sahen wir, nicht durch den Apparat, sondern beim Umschauhalten auf der Ausstellung: So hielt zum Beispiel ein Mann in kariertem Jackett und weißem

Hemd mit Krawatte eine Rede. Die meisten Leute in der Menge bildeten kleine Gruppen, die uns und sich gegenseitig musterten. Ein kleines Mädchen mit roter Schleife im Haar hing am Rockzipfel seiner großen Mutter, die ein Kopftuch trug, und ging das Gedicht noch einmal durch, das es bald vortragen würde. Canan schmiegte sich an mich. Sie trug einen pistaziengrünen Rock aus Sümerbank-Druckkattun, den wir in Kastamonu gekauft hatten. Ich liebte sie, liebte sie sehr, du weißt es, Engel. Wir tranken Ayran, blickten verträumt, müde und schläfrig in das staubige Abendlicht der Kantine. Eine Art Existenzmusik. Eine Art Lebensweisheit. Es gab auch eine Art Fernsehschirm, wir gingen näher heran, versuchten, etwas darüber herauszufinden.

»Dieser neue Fernseher ist der Beitrag Dr. Narins«, sagte ein Mann mit Fliege. War er ein Freimaurer? Ich hatte in einer Zeitung gelesen, daß die Freimaurer Fliegen tragen. »Mit wem habe ich die Ehre?« fragte er mich und blickte aufmerksam auf meine Stirn, vielleicht, weil er sich scheute, Canan länger als mich anzuschauen.

Ich sagte: »Ali Kara und Efsun Kara.«

»Sie sind sehr jung. Unter den Vertretern mit gebrochenen Herzen so junge Leute zu haben läßt uns hoffen.«

»Wir vertreten nicht die Jugend, sondern ein neues Leben, mein Herr«, wollte ich sagen, als ein umfangreicher, liebenswürdiger Onkel, den jede Oberschülerin voll Vertrauen auf der Straße nach der Uhrzeit fragen konnte, erklärte: »Wir sind nicht die mit gebrochenem Herzen, sondern die fest im Glauben Stehenden.«

So schlossen auch wir uns der Menge an. Das Mädchen mit der Haarschleife sagte sein Gedicht auf, hauchend wie ein leichter Sommerwind. Ein eleganter Jüngling, der in unseren einheimischen Filmen einen feinen Sänger abgeben würde, sprach mit militärischer Präzision über die Region: über seldschukische Minarette, Störche, das im Bau befindliche Elektrizitätswerk und über die hohe Milchproduktion in der Umgebung. Während jeder Schüler seine Erfindung erläuterte, die auf einem der Kantinentische stand, stand sein Vater oder sein Lehrer neben ihm und blickte voll Stolz in die Runde. Ein Glas mit Ayran oder Limonade in der Hand, bildeten wir hie und da kleine Gruppen; wir stießen zusammen, schüttelten Hände. Ich nahm einen vagen Alkoholgeruch wahr, vermischt mit einem OPA-Duft, aber woher, von wem? Wir sahen uns auch Dr. Narins Fernseher an. Dr. Narin wurde am häufigsten erwähnt, doch er selbst war nirgends anzutreffen.

Als es dunkel wurde, verließen wir, die Männer voran, die Frauen hinterdrein, die Schule, um ins Restaurant zu gehen. Über den dunklen Straßen der Ortschaft lag eine stille Feindseligkeit. Wir wurden durch die Türen der noch offenen Barbier- und Krämerläden, aus einem Kaffeehaus mit laufendem Fernseher und durch die Fenster des beleuchteten Landratsamtes beobachtet. Von dem Turm auf dem Platz aus beäugte uns einer der Störche, die der elegante Schüler erwähnt hatte, während wir das Restaurant betraten. Neugierig? Feindlich?

Es war ein ordentliches Lokal mit Aquarium und Blumentöpfen, dessen Wände mit den Bildern großer Türken, eines ehrenvoll gesunkenen historischen U-Boots, schiefköpfiger Fußballer, purpurner Feigen, strohgelber Birnen und fröhlicher Schafe behängt waren. Als es sich auf einmal mit den Vertretern und ihren Frauen, den Oberschülern und Lehrern, mit den uns Liebenden, an uns Glaubenden füllte, hatte ich das Gefühl, als wartete ich schon seit Monaten auf ein solches Menschengedränge, als wäre ich schon seit Monaten auf eine solche Nacht vorbereitet gewesen. Ich trank mit jedem, trank mehr als jeder andere. Während ich am Männertisch mit Nachbarn, die sich vorübergehend setzten, die Rakigläser klingen ließ, sprach ich begierig von der Ehre, von dem verlorenen Sinn des Lebens, von den verlorenen Dingen. Nein, sie schnitten das Thema zuerst an: Dem Freund, der ein Spiel Karten aus der Tasche zog, voll Stolz den »Scheich«, den er anstelle des Königs, und den »Knecht«, den er anstelle des Buben gezeichnet hatte, vorzeigte und lang und breit erklärte, daß ab jetzt an den fast zweieinhalb Millionen Tischen der einhundertsiebzigtausend Kaffeehäuser unseres Landes diese Karten ausgeteilt werden müßten, gab ich so nachdrücklich recht, daß wir beide staunten: Die Hoffnung war hier, sie war unter uns in dieser Nacht in irgendeiner Gestalt, war sie der Engel, diese Hoffnung? Ein Licht, sagten sie. Und sie sagten: Mit jedem Atemzug werden wir etwas weniger. Und sie sagten: Wir holen die Dinge hervor, die wir begraben haben. Einer zeigte das Bild eines Ofens. Ein anderer Bekannter: ein Fahrrad, das seine Länge unserer Länge, seine Statur unserer Statur anpaßte. Der Herr mit der Fliege zog eine Flasche mit einer Flüssigkeit aus der Tasche: Anstelle von Zahnpasta ... Ich hatte einen Traum, erzählte ein zahnloser Greis, der, wie schade, nicht trinken konnte: Er sagt zu uns, fürchtet euch nicht, dann werdet ihr nicht verletzt sein. Er, wer war das? Warum war Dr. Narin nicht gekommen, der das Geheimnis der wesentlichen Sache wußte? Warum war er nicht hier? Eigentlich, sagte eine Stimme, würde Dr. Narin diesen gläubigen Jungen wie den eigenen Sohn lieben, wenn er ihn sähe. Wem gehörte diese Stimme? Bis ich mich umgedreht hatte, war sie verschwunden. Pssst, sagten sie, erwähnt Dr. Narin nicht so in aller Öffentlichkeit! Wenn morgen der Engel im Fernsehen erscheint, wird es Streitereien geben! Dies alles, diese ganze Angst verdanken wir nur dem Landrat, sagten sie, aber im Grunde genommen ist der auch nicht ganz dagegen. Auch Vehbi Koç, der reichste Mann der Türkei, kann an diese Tafel, zu dieser Einladung kommen. Er ist der größte der Vertreter, sagte jemand. Ich erinnere mich an Küsse, die getauscht wurden, mit irgendwem, an Leute, die mich meiner Jugend wegen beglückwünschten, und solche, die mich umarmten, weil ich frei und offen sprach, denn ich hatte ihnen den Bildschirm, die Farben und die Zeit in den Omnibussen erklärt. Bildschirm, meinte der Monopol-Vertreter, ein liebenswürdiger Mann, jetzt wird unser Bildschirm das Ende derer sein, die uns diese Falle gestellt haben; der neue Bildschirm ist das neue Leben. Jemand setzte sich zu mir und stand wieder auf; und ich setzte mich zu anderen, erhob mich wieder und sprach von den Unfällen, dem Sterben, dem Frieden, dem Buch, jenem Augenblick ... Ich muß noch weiter gegangen sein: »Liebe«, sagte ich, schaute mich um, wo Canan verblieben war, und sah sie unter den sie kritisch prüfenden Lehrern und ihren Frauen. Ich setzte mich und sagte: Die Zeit ist ein Unfall, wir sind hier als Ergebnis eines Unfalls. Auf der Welt sein, das ist genauso. Sie riefen einen Bauern mit Lederjacke heran und sagten, dann hör ihm einmal zu. Sehr alt war er nicht, doch er prustete und stöhnte, als er sich mit einem »Allah vergebe mir!« entschuldigte und seine »unerhebliche« Entdeckung aus der Innentasche seiner Jacke holte: Es war eine Taschenuhr, doch sie erkannte den Moment, in dem man glücklich war, blieb dann von selbst stehen und dehnte so den Glücksmoment unendlich lange aus. War man unglücklich, dann rannten Stunden- und Minutenzeiger der Uhr auf und davon, und man sagte sich, meine Güte, wie schnell die Zeit vergeht, und im Handumdrehen waren auch die Sorgen vorbei. Später, in der Nacht, wenn man mit der Uhr daneben in friedlichem Schlaf lag, glich sie das Zuviel und Zuwenig an Zeit von selbst wieder aus, dieses kleine, geduldig tickende Ding, das der Alte mir in seiner offenen Hand entgegenhielt, und morgens konnte man mit allen anderen aufstehen, als sei nichts geschehen.

Die Zeit, hatte ich gesagt, ja, und irgendwann war mein Blick an den langsam durch eins der Aquarien gleitenden Fischen hängengeblieben. Ein Mann, der nahe an mich herangetreten war, ein Schatten, sagte: »Man beschuldigt uns, daß wir die westliche Zivilisation verachten. Eigentlich ist es genau umgekehrt«, meinte er. »Haben Sie von den Überresten der Kreuzritter gehört, die jahrhundertelang in den Höhlen von Ürgüp gelebt haben?« Wer war dieser sprechende Fisch während meines Gesprächs mit den Fischen? Bis ich mich umschaute, war er verschwunden. Ich meinte zuerst, es sei nur ein Schatten gewesen, dann aber spürte ich erschrocken diesen entsetzlichen Duft: OPA.

Kaum hatte ich mich auf einem Stuhl niedergelassen, als mich ein onkelhafter Mann mit Riesenschnurrbart, der unterdessen seine Schlüsselkette nervös an einem Finger hin und her schlenkerte, danach fragte, woher ich käme, wem ich meine Stimme gäbe, welche Erfindung mir gefalle, wofür ich mich morgen früh entschließen würde. Ich hatte die Fische im Kopf und wollte ihn fragen, ob er noch ein Glas Raki mochte. Stimmen hörte ich, Stimmen, Stimmen. Und schwieg. Dann geriet ich irgendwie an die Seite des liebenswürdigen Monopol-Vertreters: Er fürchte sich vor niemandem mehr, sagte er, nicht einmal vor dem Landrat, der sich an den drei ausgestopften Ratten im Schaufenster festgebissen habe. Warum gab es nur ein Monopol in diesem Land, das Likör verkaufte, ein Staatsmonopol? Ich erinnerte mich an etwas, bekam Angst, und in der Angst sagte ich, was mir gerade einfiel: Wenn das Leben eine Reise ist, so bin ich seit sechs Monaten auf der Reise und habe etwas gelernt, erlauben Sie, daß ich darüber rede. Mir war meine ganze Welt verlorengegangen, weil ich ein Buch gelesen hatte, und ich bin auf Reisen gegangen, um die neue zu finden. Was fand ich? Als ob du es aussprechen würdest, Engel, was ich fand! Auf einmal schwieg ich, dachte kurz nach und sagte,

Engel, ohne zu wissen, was ich sagte, und besann mich plötzlich, wie aus einem Traum erwachend, und begann, dich in der Menge zu suchen: Die Liebe. Da, zwischen Kühlschrank- und Ofenvertretern und deren Frauen und den Mädchen um den Mann mit der Fliege und den Lehrern und unter den maßvollen Blicken seniler Greise und von der Musik eines unsichtbaren Radios begleitet, da tanzte Canan mit einem Oberschüler, einem langen, frechen Kerl.

Ich setzte mich auf einen Stuhl, rauchte eine Zigarette. Wenn ich hätte tanzen können ... Es war ein Tanz wie der von Braut und Bräutigam in den Filmen. Ich trank Kaffee. Alle Uhren, sogar die Taschenuhr des Glücks, mußten vorgegangen sein ... Zigarette ... Die tanzenden Paare klatschten. Kaffee ... Canan ging zu den Frauen zurück. Ich trank noch einen Kaffee ...

Wie die Kleinstädter und die regionalen Vertreter, die Arm in Arm mit ihren Frauen gingen, so hielt auch ich mich auf dem Rückweg zum Hotel dicht an Canan. Wer war dieser Oberschüler, woher kennt er dich? Von dem Turm herunter, auf dem er sich häuslich niedergelassen hatte, beobachtete uns der Storch aus dem Dunkel der Kleinstadt. Wie ein richtiges Ehepaar hatten wir vom Nachtportier des Hotels unseren Schlüssel Nummer neunzehn erhalten, als einer, der mehr als entschlossen und selbstsicher auftrat, seinen wuchtigen, verschwitzten Rumpf zwischen mich und die Treppe schob und mir den Weg versperrte.

»Herr Kara«, sagte er, »falls Sie Zeit haben ...« Polizei, dachte ich, er hat gemerkt, daß die Heiratsurkunde die Erbschaft eines Verkehrsopfers ist. »Könnten wir uns etwas unterhalten, falls ich Sie nicht störe?« Er war darauf aus, ein Gespräch von Mann zu Mann zu führen. Wie elegant und vornehm sich Canan, die Nummer neunzehn in der Hand und ohne auf den Rocksaum zu treten, die Treppe hinauf entfernte!

Der Mann war nicht aus Güdül, seinen Namen vergaß ich, sowie ich ihn hörte, Herr Kauz, sagen wir, vielleicht fiel mir das wegen des Kanarienvogels in seinem Käfig in der Hotelhalle ein. Während der Vogel einmal nach unten, einmal nach oben und, schwupps, an die Drähte hüpfte, sagte der Kauz: »Jetzt bewirten sie uns gut, doch morgen sollen wir unsere Stimme abgeben. Haben Sie darüber nachgedacht? Die ganze Nacht über habe ich mit jedem einzelnen Vertreter gesprochen, nicht nur mit denen aus diesem Bezirk, sondern auch mit denen, die aus allen Ecken des Landes gekommen sind. Es könnte morgen Schwierigkeiten geben, ich möchte, daß Sie darüber nachdenken, haben Sie das getan? Sie sind der jüngste Vertreter ... Wem geben Sie Ihre Stimme?«

»Wem soll ich sie Ihrer Meinung nach geben?«

»Nicht Dr. Narin. Glaub mir, Bruder – ich nenne dich Bruder –, das wird abenteuerlich enden. Können Engel sündigen? Können wir mit all den Kräften fertig werden, die uns gegenüberstehen? Es ist uns nicht mehr möglich, wir selbst zu sein. Das hat sogar der berühmte Kolumnist Celâl Salik verstanden und daraufhin Selbstmord begangen. Ein anderer schreibt jetzt an seiner Stelle für die Kolumne. Unter jedem Stein kommen sie hervor, die Amerikaner. Ja, es ist schmerzlich, begreifen zu müssen, daß wir nicht wir selbst sein können, aber eine solche Reife bewahrt uns auch vor Katastrophen. Was können wir schon tun?! Das sollten unsere Söhne und Enkel doch begreifen ... Kulturen entstehen, Kulturen vergehen. Glaube an ihre Entstehung, wenn sie entsteht, doch greif zur Waffe wie der kleine posauneblasende Spielverderber, wenn sie zusammenbricht! Wie viele von ihnen wirst du töten, wenn sich ein ganzes Volk zu einer anderen Identität bekennt? Wie kannst du den Engel zu deinem Komplizen machen? Außerdem, wer ist der Engel, bitte schön? Alte Öfen, Kompasse, Kinderzeitschriften und Klammern soll er sammeln, ein Gegner von Büchern und Schriften sein. Jeder von uns versucht doch, ein sinnvolles Leben zu führen, aber nur bis zu einem gewissen Grade. Wer kann schon er selbst sein? Wer ist der vom Schicksal Begünstigte, dem die Engel etwas zuflüstern? Das sind alles Spekulationen, leere Worte, um die zu täuschen, die sie nicht verstehen: Die Sache geht aus dem Leim. Haben Sie gehört, Koç soll kommen, sagt man, Vehbi Koç ... Das erlaubt weder der Staat noch der Landrat, denn mitgefangen ist mitgehangen. Warum wird Dr. Narins Fernsehgerät morgen unter besonderen Umständen vorgestellt? Er wird uns alle in ein Abenteuer hineinziehen, wie man sagt, wird er die Cola-Verschwörung erklären, Irrsinn ist das! Dafür sind wir hier nicht zusammengekommen!«

Er hätte noch lange so weitergeredet, doch ein Mann mit roter Krawatte betrat jenen Raum, der wohl kaum den Namen Lobby verdiente ... »Die ganze Nacht wird das Belauern jetzt weitergehen ...« meinte der Kauz und entwischte. Ich sah ihn auf die Straße hinausgehen, um in dem finsteren Städtchen einem anderen Vertreter nachzulaufen.

Vor mir lag die Treppe, die Canan hinaufgegangen war. Ich fühlte eine Hitze, meine Beine zitterten, vielleicht vom Raki, vielleicht vom Kaffee, ich hatte Herzklopfen, und der Schweiß stand mir auf der Stirn. Doch ich ging nicht zur Treppe, sondern zum Telefon in der Ecke, wählte die Nummer, die Leitungen kamen durcheinander, ich wählte, die Nummern kamen durcheinander, ich wählte und sagte, Mutter, zu dir: Mutter, hörst du? Ich heirate, heute abend, ein bißchen später, gleich, ja, wir haben schon geheiratet, in dem Zimmer oben, über die Treppe zu erreichen, ein Engel und ich, weine nicht, Mutter, ich schwör's dir, ich werde nach Hause zurückkommen, weine nicht, Mutter, eines Tages, mit einem Engel in meinem Arm.

Warum war mir vorher nicht aufgefallen, daß hinten im

Vogelbauer ein Spiegel hing? Es sieht komisch aus, wenn man die Treppe hinaufgeht.

Das Zimmer Nummer neunzehn, dessen Tür mir von Canan geöffnet wurde, in das sie mich einließ, die Zigarette in der Hand, an dessen offenes Fenster sie trat, um von dort auf den Platz der Ortschaft hinunterzublicken, dieses Zimmer glich einem Privattresor, der jemand anders gehörte und sich uns von selbst erschloß. Lautlos. Heiß. Zwielicht. Zwei Betten nebeneinander.

Ein tristes Kleinstadtlicht beleuchtete durch das offene Fenster von der Seite her Canans langen Hals und ihr Haar, nervös und ungeduldig stieg der Zigarettenrauch aus ihrem für mich unsichtbaren Mund, stieg auf in eine scheinbar gramvolle Finsternis, die – oder kam's mir nur so vor? – die Schlaflosen, die Toten und die voll Unruhe Erwachenden des Ortes Güdül seit Jahren mit ihrem Atem am Himmel angesammelt hatten. Von unten her war das Lachen eines Betrunkenen zu hören – vielleicht ein Vertreter –, eine Tür schlug zu. Ich sah Canan die noch brennende Zigarette flegelhaft wegschnipsen, sah sie auf kindliche Weise dem orangeroten Schimmer nachblicken, als die Zigarette saltoschlagend hinunterfiel. Auch ich ging ans Fenster, auch ich blickte nach unten, auf die Straße, auf den Platz, ohne zu erkennen, was ich dort sah. Und wie man den Einband eines neuen Buches betrachtet, so schauten wir noch lange hinunter auf das, was vom Fenster aus zu sehen war.

»Du hast auch viel getrunken, nicht wahr?« fragte ich.

»Ja, habe ich«, gab Canan freundlich zurück.

»Wie weit soll das noch gehen?«

»Der Weg?« fragte Canan vergnügt und wies auf die Straße vom Platz zum Busbahnhof, die aber vor dem Bahnhof noch am Friedhof vorbeiführte.

»Wo wird das Ende sein, was meinst du?«

»Ich weiß nicht«, sagte Canan. »Aber ich möchte weitergehen, dort, wo der Weg hinführt, ist das nicht besser als Sitzen und Warten?«

»Das Geld aus der Brieftasche geht zu Ende«, sagte ich.

Die dunklen Ecken der Straße, auf die Canan eben noch hingewiesen hatte, wurden plötzlich von den starken Scheinwerfern eines Autos erhellt. Der Wagen kam auf den Platz gefahren und parkte an einer freien Stelle.

»Wir schaffen es niemals, dorthin zu kommen«, meinte ich.

»Du hast wohl noch mehr getrunken als ich«, sagte Canan.

Ein Mann stieg aus dem Wagen und kam in unsere Richtung, nachdem er die Tür verschlossen hatte, ohne uns zu sehen, ohne uns zu bemerken, trat gedankenlos wie mancher, der ungerührt anderer Leute Leben zertritt, auf den von Canan fortgeworfenen Zigarettenstummel und ging ins Hotel Favorit.

Eine lange, sehr lange während Stille begann, ganz so, als wäre das kleine, nette Städtchen Güdül menschenleer. In einem weit entfernten Viertel bellten sich einige Hunde an, dann war es wieder still. Hin und wieder regten sich an einer dunklen Stelle des Platzes die Blätter der Ahorn- und Kastanienbäume in einem unmerklichen Windhauch, ohne zu rascheln. Wir müssen wohl eine lange Zeit dort am Fenster gestanden und schweigend hinausgeschaut haben, wie Kinder, die auf etwas Vergnügliches warten. So etwas wie eine Gedächtnistäuschung: Ich spürte jede einzelne Sekunde, schien aber nicht sagen zu können, wie lange das dauerte. Sehr viel später sagte Canan: »Nein, bitte, rühr mich nicht an! Bis jetzt hat mich noch kein Mann berührt.«

Wie es nicht nur bei der Rückbesinnung auf Vergangenes, sondern manchmal auch direkt im Augenblick eines Erlebnisses geschehen kann, so hatte ich jetzt das Gefühl, es sei irreal, was ich erlebte, auch die kleine Stadt Güdül, die ich vom Fenster aus sah, und könne nur in meiner Phantasie entstanden sein. Vielleicht hatte ich kein wirkliches Städtchen vor mir, sondern es gab nur eine Kleinstadtansicht auf einer Briefmarke, welche die Postverwaltung in ihrer Heimatserie herausgab, und die betrachtete ich hier. Wie die Kleinstadtbilder auf diesen Briefmarken, so erschien mir der städtische Platz nicht als ein Ort, über dessen Gehsteige man bummelt, wo man ein Päckchen Zigaretten kauft und in die staubigen Schaufenster blickt, sondern wie ein Souvenir.

Traumstadt, dachte ich, Andenkenstadt. Ich wußte, daß meine Augen mit einer tief aus dem Innern kommenden, unwillkürlichen Regung nach dem ein für allemal unvergeßlichen visuellen Gegenstück für die ein für allemal unvergeßliche, schmerzvolle Erinnerung suchten: Ich spähte unter die Bäume auf der dunklen Seite des Platzes, tastete die in einem ungewissen Licht schimmernden Kotflügel der Traktoren ab, die nur teilweise sichtbaren Lettern über der Apotheke und der Bank, den Rücken eines alten Mannes, der die Straße hinunterging, und einige Fenster... Dann stellte ich mir vor, ich würde mich selbst als jemand anders sehen, der vom Fenster im zweiten Stock des Hotels Favorit hinunterschaute, so wie ein Neugieriger, der nicht etwa die genaue Lage des auf einem Foto abgebildeten Platzes herausfinden will, sondern den Standort des Fotografen und des Apparates, als die Aufnahme entstand. Wie im Vorspann der ausländischen Filme, die wir in den Omnibussen gesehen hatten: Zuerst erscheint ein weiter Zoom über die Stadt, dann über eines der Viertel, danach ein Hof, ein Haus, ein Fenster... Und während ich aus dem Fenster dieses Provinzhotels schaute und du müde ausgestreckt in deinen staubigen Kleidern auf einem Bett gleich hinter dem Fenster lagst, sah ich uns beide, das Fenster, das Hotel, den Platz, das Städtchen, all die von uns befahrenen Straßen und das Land sowohl von außen als auch in meinem Innern. Es war, als ob sich all jene Städte, Dörfer, Filme, Tankstellen und Reisenden, die als Bruchstücke in meiner Vorstellung auftauchten, mit dem Leid und der Unvollständigkeit vereint hätten, die ich irgendwo tief im Innern fühlte, doch ich wußte nicht, ob mir die Trauer von den Städten, den alten, abgenutzten Gegenständen oder den Reisenden zugeflossen war oder ob ich jetzt aus dem Leid in meinem Herzen über ein ganzes Land, über eine Landkarte Traurigkeit austeilte.

Auf den purpurnen Tapeten, die an die Fensterrahmen anschlossen, sah ich eine Landkarte. Der elektrische Ofen in der Ecke trug die Aufschrift VESUV, und seinen Regionalvertreter hatte ich am Vorabend kennengelernt. Der Wasserhahn des Waschbeckens an der Wand gegenüber tropfte. Da die Schranktür nicht ganz schloß, reflektierte ihr Spiegel den Nachttisch mit der kleinen Lampe zwischen den beiden Betten. Das Lampenlicht schien weich auf die mit purpurnen Blättern verzierte Bettdecke daneben und auf Canan, die lang ausgestreckt in ihren Kleidern auf dieser Decke eingeschlafen war.

Ein leicht rötlicher Schimmer lag auf ihrem dunkelblonden Haar. Weshalb hatte ich diesen rötlichen Schimmer bisher nicht wahrgenommen?

Noch viele andere Dinge hatte ich bisher nicht wahrgenommen, fiel mir auf. Mein Verstand war hell erleuchtet, wie die Lokale, in denen wir während der Rast auf unseren nächtlichen Busfahrten unsere Suppe löffelten, aber auch vollkommen durcheinander. Und meine müden Gedanken wechselten ächzend und stöhnend den Gang, wie die verschlafenen, geisterhaften Laster, die an irgendeinem Lokal an irgendeiner Kreuzung vorbeikamen, und fuhren hin und her in diesem Durcheinander meines Verstandes, und während gleich hinter mir das Mädchen meiner Träume von einem anderen träumend schlief, lauschte ich ihren Atemzügen.

Leg dich zu ihr und umarme sie, nach einem so langen Zusammensein verlangt ein Körper nach dem anderen. Wer ist schon Dr. Narin? Als ich's nicht mehr aushielt, mich umdrehte und ihre schönen Beine anschaute, erinnerte ich mich – Brüder, Brüder, sie spinnen Ränke da draußen in der Stille der Nacht und warten auf mich. Ein Nachtfalter dringt aus dieser Stille herein, umkreist die Glühbirne der Lampe und verstreut schmerzvoll den Staub seiner Flügel. Küsse sie, lange, lange, bevor ihr beide fieberhaft brennend in Flammen aufgeht! Höre ich eine Musik, oder spielt mein Gedächtnis auf Wunsch unserer Hörer das Stück »Ruf der Nacht«? Der Ruf der Nacht, das ist im Grunde genommen, wie meine brüderlichen Altersgenossen sehr gut wissen, als Ersatz unbefriedigt bleibender sexueller Bedürfnisse das Eintauchen in eine finstere Gasse, das Auffinden von ein paar verzweifelten Hunden wie ich, das schmerzlich verbitterte Heulen, das Fluchen auf irgendwelche Leute, das Basteln einer Bombe, die irgendeinen in die Luft jagen soll, und, Engel, du verstehst es vielleicht, das Lästern über die Anstifter der internationalen Verschwörung, die uns zu diesem miserablen Dasein verurteilt haben. »Geschichte« nennt man, so glaube ich, diese Lästerei.

Eine halbe Stunde, vielleicht fünfundvierzig Minuten, na gut, höchstens eine Stunde lang betrachtete ich die schlafende Canan. Dann öffnete ich die Tür, ging hinaus, schloß von außen ab und steckte den Schlüssel in die Tasche. Meine Canan blieb dort drinnen, ich, der Abgewiesene, draußen in der Nacht. Ich gehe ein wenig hin und her auf der Straße, dann komme ich zurück und umarme sie. Ich rauche eine Zigarette, dann umarme ich sie. Ich trinke mir etwas Mut an in einem noch offenen Lokal, komme zurück und umarme sie.

Die Verschwörer der Nacht umarmten mich auf der Treppe. »Sie sind Ali Kara«, meinte einer. »Ich gratuliere

Ihnen, bis hierher sind Sie gekommen, und Sie sind noch so jung.« »Wenn Sie mit uns kommen«, erklärte der zweite Ganove von ungefähr der gleichen Größe, mit ungefähr dem gleichen schmalen Schlips und in dem gleichen dunklen Jackett, »dann können wir Ihnen einige Plätze zeigen, wo's morgen Krawall gibt.«

Sie hielten ihre Zigaretten wie zwei rotglühende Waffenläufe, deren Enden auf meine Stirn gerichtet waren, und lächelten aufreizend. »Nicht um Ihnen angst zu machen, nur um Sie zu warnen«, fügte der erste hinzu. Daraus konnte ich entnehmen, daß sie dabei waren, hier mitternächtlichen Klatsch zu verbreiten, eine Art von »Menschenfang« zu betreiben.

Wir gingen hinaus auf die Straßen, die der Storch jetzt nicht mehr überwachte, kamen an den Likörflaschen und den ausgestopften Ratten vorbei. Als wir in eine Seitenstraße einbogen und kaum zwei Schritte gegangen waren, öffnete sich eine Tür vor uns, und wir wurden von einem intensiven Raki- und Kneipengeruch empfangen. Nachdem wir uns an einem schmuddligen, wachstuchbedeckten Tisch niedergelassen und rasch hintereinander zwei Glas Raki – wie Medizin bitte! – hinuntergekippt hatten, waren mir viele Neuigkeiten über meine Freunde, über das Glück und über das Leben bekannt geworden.

Der erste, der mich ansprach, war Sıtkı Bey, Biervertreter in Seydişehir. Er machte mir klar, daß es zwischen seiner Tätigkeit und seinen Überzeugungen keinerlei Widerspruch gebe. Denn Bier, das würde man bei einigem Nachdenken begreifen, sei keine alkoholische Flüssigkeit wie Raki. Mit einer Flasche EFES-Pilsen, die er öffnen ließ und in ein Glas goß, bewies er mir, daß die darin enthaltenen Luftbläschen »Sprudel« waren. Mein zweiter Freund blieb kalt gegenüber solche Empfindsamkeiten und Sorgen, vielleicht, weil er Nähmaschinenvertreter war; er tauchte wie die übermüdeten und betrunkenen Lastwagenfahrer, die mitten in der Nacht blindlings auf tote Lichtmasten stoßen, mit voller Geschwindigkeit direkt in das Herz des Lebens ein.

Frieden, Frieden, ja, hier war Frieden, in diesem Städtchen, in dieser kleinen Kneipe; im Jetzt; an dem Rakitisch, den wir drei gläubigen Weggefährten uns teilten, und im Herzen des Lebens. Je mehr wir darüber nachdachten, was wir bisher hatten durchmachen müssen und von morgen ab durchmachen würden, desto mehr schätzten wir den Wert dieses unvergleichbaren Augenblicks zwischen unserer siegreichen Vergangenheit und unserer schrecklich elenden Zukunft. Wir versprachen einander, uns stets die Wahrheit zu sagen. Wir küßten uns. Wir lachten unter Tränen. Wir segneten die Erhabenheit der Welt und des Lebens. Wir wandten uns der Menge närrischer Vertreter und schlauer Organisatoren zu und hoben unsere Gläser. Hier war das Leben, es war weder dort noch an irgendeinem anderen Ort, weder im Paradies noch in der Hölle: Genau hier, in diesem Augenblick hier war das prachtvolle Leben. Welcher Irre konnte behaupten, daß wir uns täuschten, welcher Wirrkopf konnte uns mit dummen Reden kommen, wer würde es wagen, uns armselig, verkommen, Abschaum zu nennen? Wir wollten weder das Leben in Istanbul noch jenes in Paris oder New York; sollten sie alle bleiben, wo sie waren, Salons, Dollars, Apartmenthäuser und Flugzeuge; sollten sie dort bleiben, Radios, Fernsehapparate – auch wir haben einen Bildschirm! – und die grellen Tageszeitungen. Wir haben nur eins: Schau doch, schau in mein Herz, wie dort das Licht des wahren Lebens eindringt.

Ich erinnere mich an einen Moment der Besinnung, Engel, in dem ich mich fragte, warum keiner zumindest dieses tat? Wenn es so leicht ist, das Mittel gegen das Unglück einzunehmen, dann fragt jener, der den Namen Ali Kara annahm und jetzt mit den teuren Freunden die Kneipe verläßt und durch die Sommernacht wandert: Warum soviel Schmerz, Gram und Elend, warum? In der zweiten Etage des Hotels Favorit brennt das Licht der Lampe, die Canans Haar rötlich schimmern läßt.

Ich erinnere mich an die Stimmung, in die wir dann gerieten: Republik – Atatürk – Steuermarken! Wir betraten das Gebäude, ja, das Zimmer des Landrats, und der küßte mich auf die Stirn; er war auf unserer Seite. Aus Ankara sei Befehl gekommen, sagte er, keinem von uns würde morgen ein Haar gekrümmt werden. Er hatte sich gemerkt, wer ich war, vertraute mir, und jawohl, wenn ich wollte, konnte ich den Aufruf lesen, der frisch und noch spiritusfeucht aus der Vervielfältigung kam:

»Geschätzte Einwohner von Güdül, Honoratioren, Brüder, Schwestern, Mütter, Väter und gläubige Jugend der Imam- und Predigerschule! Es ist offensichtlich, daß einige Personen, die gestern als Gäste in unsere Stadt kamen, heute vergessen haben, daß sie Gäste sind! Was wollen sie? Alles beschimpfen, was unsere seit Hunderten von Jahren dem Glauben mit seinen Moscheen, Gebetsstätten und Feiertagen, dem Propheten, den Scheichs und dem Denkmal Atatürks treu verbundene Stadt für heilig erachtet? Nein, wir werden keinen Wein trinken, nein, sie werden uns nicht dazu bringen, Coca-Cola zu trinken, wir beten keinen Götzen, kein Amerika, keinen Teufel an, sondern Allah! Warum versammeln sich – mit ihnen der jüdische Agent Max Rulo – diese eingetragenen Phrasendrescher und Marie-und-Ali-Nachahmer, die den Marschall Fevzi Çakmak herabsetzen wollen, in unserem friedlichen Städtchen? Wer ist der Engel, und wer nimmt sich das Recht, ihn ins Fernsehen zu bringen und uns lächerlich zu machen? Soll man sich diesen Hochmut gegenüber dem Storch Meister Adebar, der uns seit zwanzig Jahren behütet, und der Mannschaft der eifrigen Feuerwehr gefallen lassen? Hat Atatürk die Griechen deswegen vertrieben? Wenn wir diese dreisten Menschen, die vergessen, daß sie Gäste sind, nicht in die Schranken weisen, und jenen, die sie zu Gast in unsere Stadt einluden, nicht die verdiente Lehre erteilen, wie können wir uns dann morgen noch in die Augen sehen? Um elf Uhr versammeln wir uns auf dem Platz der Feuerwehr. Denn lieber wollen wir ehrenvoll sterben als ehrlos leben.«

Ich las den Aufruf ein zweites Mal. Konnte man eine neue Bekanntmachung daraus machen, wenn man ihn rückwärts las oder die Großbuchstaben aneinanderreihte? Nein. Der Herr Landrat sagte, er habe die Feuerwehrwagen schon seit der Frühe Wasser aus dem Fluß Güdül ziehen lassen. Obwohl wenig wahrscheinlich, könne morgen doch etwas außer Kontrolle geraten, Brände könnten sich ausbreiten, und möglicherweise würde sich die Menge bei der Hitze nicht einmal beklagen, wenn man Wasser auf sie versprühe. Der Vorsitzende beruhigte unsere Freunde: Man arbeite direkt mit der Stadtverwaltung zusammen, und bei Ausbruch von Unruhen würden die Gendarmerie-Einheiten der Zentrale des Regierungsbezirks sofort eingreifen. »Wenn sich die Unruhe legt und die Masken der Provokateure, der Feinde der Republik und der Nation fallen«, meinte der Landrat, »dann wollen wir sehen, wer es dann noch wagen wird, die Seifenwerbungen an den Wänden, die Plakate mit den Frauenbildern einzuschwärzen! Wollen wir doch sehen, wer dann noch betrunken aus dem Schneiderladen kommt und den Landrat und den Storch verflucht und als Mutterf... in den Dreck zieht!«

In diesem Augenblick kamen sie zu dem Schluß, daß ich – »unser tapferer junger Mann« – auch den Schneiderladen kennenlernen müßte. Nachdem mir der Landrat noch einen »Gegenaufruf« zum Lesen gegeben hatte, der von zwei Lehrern, halbgeheimen Mitgliedern der Organisation zum

Fortschritt moderner Zivilisation, verfaßt worden war, stellte er mir einen Bürodiener zur Verfügung. Und der wurde beauftragt, den Jungen zum Schneider zu begleiten.

»Der Herr Landrat läßt uns alle Überstunden machen«, erzählte mir Onkel Hasan, der Bürodiener, auf der Straße. Lautlos wie Diebe in der dunkelblauen Nacht holten zwei Polizisten in Zivil die Stoffbahn mit der Ankündigung der Korankurse herunter. »Wir dienen dem Staat, der Nation.«

In dem Schneiderladen sah ich zwischen Stoffen, Nähmaschinen und Spiegeln einen Fernsehapparat auf einem Ständer und darunter ein Videogerät. Zwei junge Männer, nur wenig älter als ich, standen hinter dem Gerät und arbeiteten daran mit Schraubenzieher und Drähten in der Hand. Ein Mann, der am Rande in einem purpurfarbenen Sessel saß und sie und auch sich selbst in dem langen Spiegel an der Wand gegenüber beobachtete, schaute erst mich an und warf dann Onkel Hasan einen fragenden Blick zu.

»Er wird vom Herrn Landrat geschickt«, sagte Onkel Hasan. »Der Junge wird Ihnen anvertraut.«

Es war der Mann im purpurfarbenen Sessel, der ins Hotel gekommen war, nachdem er seinen Wagen geparkt und Canans Zigarette zermalmt hatte. Er lächelte mich gütig an und sagte, ich solle mich setzen. Eine halbe Stunde später streckte er die Hand aus, drückte einen Knopf und ließ das Videogerät laufen.

Auf dem Fernsehschirm erschien das Bild eines anderen Fernsehers. Und auf dessen Bildfläche zeigte sich eine weitere Bildfläche. Da sah ich ein blaues Licht, etwas, das an den Tod gemahnte, doch der Tod mußte sehr weit entfernt sein in jenem Moment. Eine Zeitlang wanderte das Licht ziellos über eine unendlich weite, von unseren Bussen befahrene Steppenlandschaft. Dann sah ich einen Morgen, etwas, was man Morgengrauen nennt, ich sah Kalenderbilder. Es konnten auch Bilder der ersten Erdentage sein. Wie schön das war, sich in einem fremden Städtchen zu betrinken, während die Liebste im Hotelzimmer schlief, mit unbekannten Freunden in einem Schneiderladen zu sitzen und, ohne im geringsten über das Leben nachzudenken, plötzlich durch eine Bilderscheinung zu erkennen, was das Leben ist! Warum denkt der Mensch in Wörtern und leidet unter Bildern? »Ich will es, ich will es!« sagte ich zu mir selbst, ohne zu wissen, was ich eigentlich wollte. Dann zeigte sich ein weißes Licht auf dem Bildschirm, und vielleicht erkannten es die beiden zum Fernseher gebeugten jungen Männer an seinem Widerschein auf meinem Gesicht, so daß sie auf die Bildfläche blickten und den Ton aufdrehten. Da wurde das Licht zum Engel.

»Wie weit ich doch entfernt bin«, sagte eine Stimme. »So weit entfernt, daß ich jeden Augenblick unter euch bin. Hört jetzt auf mich mit eurer inneren Stimme, glaubt, eure Lippen seien die meinen, und raunt vor euch hin.«

Auch ich raunte vor mich hin, wie ein glückloser Synchronsprecher, der versucht, sich die Wörter einer schlechten Übersetzung anzueignen.

»Unwiderstehlich bist du, Zeit«, raunte ich mit jener Stimme. »Während Canan schläft, während es Morgen wird. Dennoch kann ich widerstehen, wenn ich die Zähne zusammenbeiße.«

Danach wurde es still, und es schien, als sähe ich auf dem Bildschirm, was in meinem Verstand war, und deswegen, sagte ich zu mir, ist es gleich, ob meine Augen offen oder geschlossen sind, es ist alles ein und dasselbe Bild, sowohl in meinem Verstand als auch draußen in der Welt. Und dann sprach ich wieder: »Allah schuf die Welt, als er das Abbild seiner eigenen unbegrenzten Eigenschaften sehen wollte, als er, sich im eigenen Spiegel erblickend, sich selbst aus dem eigenen Mysterium erschaffen wollte. Auf diese Weise entstanden die Morgen in der Steppenweite, der makellos leuchtende Himmel, die von der unberührten See umspülten Felsenküsten, die so oft auf der Bildfläche und zu Beginn der Filme erscheinen, und der uns, wenn wir ihn nachts im Wald erblicken, Furcht einjagende Mond. Und wie das einsame Fernsehgerät, das nach einem Stromausfall plötzlich in der Nacht von selbst aufleuchtet und über die Welt berichtet, während die ganze Familie friedlich im Schlaf liegt, so war einstmals auch der Mond am dunklen Himmel einsam und allein. Der Mond und die anderen Dinge existierten schon damals in jener Zeit, doch es gab niemanden, der sie anschaute. Es war, wie es sich in einem trüben Spiegel zeigen würde, das heißt, alle Dinge waren unbeseelt. Ihr kennt das, habt oft zugeschaut, schaut jetzt noch einmal in dieses seelenlose Reich, damit es euch eine Lehre sei.«

»Siehst du, Chef, genau an dieser Stelle wird die Bombe platzen«, erklärte einer der jungen Männer, der mit dem Bohrer in der Hand.

Aus dem, was sie dann besprachen, verstand ich, daß sie eine Bombe in das Fernsehgerät eingebaut hatten; oder hatte ich's falsch verstanden? Nein, es stimmte – es war eine Art bildlicher Bombe, und sie sollte explodieren, wenn das Licht des Engels blendend auf der Bildfläche erschien. Ich hatte es schon richtig erkannt, denn mit einem gewissen Schuldbewußtsein rumorte auch die Neugier auf die technischen Einzelheiten der Bildbombe in meinem Verstand. Andererseits dachte ich, genau so müsse es geschehen. Vermutlich auf folgende Weise: Wenn die Vertreter morgens während der Versammlung in die magischen Bilder auf dem Fernsehschirm versunken und in die Auseinandersetzung über den Engel und die Dinge, das Licht und die Zeit verwickelt waren, dann würde die Bombe wie bei einem Verkehrsunfall samtweich und mollig warm explodieren, und die sich in der nach Leben, Streiten und Intrigenspinnen lechzenden Menge jahrelang aufgestaute Zeit würde sich plötzlich wild begierig ausbreiten und alles erstarren lassen. Es war in diesem Augenblick, daß ich mir wünschte, nicht durch eine Bombe oder eine Herzattacke, sondern durch einen Verkehrsunfall zu sterben. Weil mir dann vielleicht der Engel erscheinen würde, um mir das Geheimnis des Lebens ins Ohr zu flüstern. Wann, Engel?

Noch immer sah ich Projektionen auf dem Bildschirm. Ein Licht, vielleicht eine farblose Farbe, vielleicht der Engel, doch es war nicht genau zu erkennen. Es konnten Visionen nach der Bombenexplosion, ein kurzer Blick in das Leben nach dem Tode sein. Ich ertappte mich dabei, wie ich die Projektionen auf dem Bildschirm besprach, hell begeistert von der einmaligen Möglichkeit. Sprach jemand anders, und ich wiederholte es nur, oder war es ein Moment der Verbrüderung, wie das Treffen zweier Seelen in einem »anderen Land«? Ich weiß es nicht. Wir sagten: »Als der Hauch Allahs die Welt berührte, streifte er mit der Seele Adams auch dessen Auge. Da sahen wir die Dinge in der Welt nicht wie im trüben Spiegel, sondern wie sie waren, ja geradeso, wie Kinder sie sehen. Wie fröhlich wir Kinder damals waren, die wir benannten, was wir sahen, und den Namen gleichsetzten mit dem, was wir sahen. Die Zeit war damals die Zeit, der Unfall war ein Unfall, und das Leben war das Leben. Das war Glück und machte den Teufel unglücklich, und der ist der Teufel, er fing die Große Verschwörung an. Ein Mann, Gutenberg, Spielfigur der Großen Verschwörung – Drucker nannten sie ihn und seine Nachahmer –, vervielfältigte die Wörter in einem Maße, welches die fleißige Hand, der geduldige Finger und die akkurate Feder nie erreichen konnten, und zerriß das Band der Wörter und verstreute Wörter, Wörter wie Glasperlen in alle Himmelsrichtungen. Unter unsere Haustüren und über unsere Seifenstücke und Eierkartons packten sie Wörter und Schriften wie ausgehungerte Kakerlaken. So wandten das Wort und das Ding, die einstmals Fleisch und Bein waren, einander den Rücken zu. So brachten wir, wenn man uns nachts im Mondschein fragte, was ist Zeit, was ist Leben, was ist Kummer, wenn man fragte, was ist Schicksal, was ist Leid, alle Antworten, die wir einstmals mit dem Herzen wußten, durcheinander, dem auswendig lernenden Schüler gleich, der die Nacht vor der Prüfung schlaflos verbringt. Die Zeit, meinte ein Tor, ist ein Geräusch. Der Unfall, meinte ein anderer Unseliger, ist Schicksal. Das Leben, meinte ein dritter, ist ein Buch. Wir ratlos Verwirrten, ihr versteht das, nicht wahr, wir warteten darauf, daß uns der Engel die richtige Antwort ins Ohr flüstern würde.«

»Mein Sohn«, schnitt mir der Mann im purpurnen Sessel das Wort ab, »glaubt ihr an Allah?«

Ich dachte eine Weile nach.

»Meine Canan wartet«, sagte ich, »erwartet mich im Hotelzimmer.«

»Sie trägt den Namen Allahs, geh zu ihr«, sagte er. »Laß dich morgens beim Venus-Barbier rasieren.«

Ich ging in die heiße Sommernacht hinaus und sagte mir, eine Bombe ist eine Fata Morgana, genau wie ein Unfall, man weiß nicht, wann sie losgehen wird. So stellte sich heraus, daß wir armen Unterlegenen, die das Geschichte genannte Glücksspiel verloren haben, uns jahrhundertelang gegenseitig bombardieren, unsere Seelen und Leiber im Namen Allahs, des Buches, der Geschichte und der Welt mit Bomben, die wir in Konfektpackungen, Koraneinbände und Gangschaltungsgehäuse einbauen, gehörig in die Luft gehen lassen würden, um uns selbst glauben zu machen, daß wir wenigstens etwas gewonnen hätten, um zumindest den Geschmack des Sieges kosten zu können. So schlimm scheint mir das nicht zu sein, dachte ich gerade, als ich auf einmal das Licht in Canans Zimmer sah.

Ich betrat das Hotel, betrat das Zimmer, Mutter, ich bin

sehr betrunken. Ich legte mich an Canans Seite nieder und schlief ein im Glauben, sie umarmt zu haben.

Gleich nachdem ich morgens aufgewacht war, schaute ich lange, lange die neben mir liegende Canan an. Auf ihren Zügen lagen Besorgnis und Aufmerksamkeit, wie sie auch manchmal während der Filme in den Bussen auf ihrem Gesicht erschienen; ihre kastanienfarbenen Augenbrauen waren hochgezogen, als sei sie in ihrem Traum auf eine äußerst erstaunliche Szene gefaßt. Der Hahn des Waschbeckens tropfte immer noch im Takt vor sich hin. Als das durch die Vorhänge sickernde staubige Sonnenlicht honiggelb auf ihre Beine traf, murmelte Canan eine Frage. Und als sie sich ein wenig umdrehte, verließ ich leise das Zimmer.

Ich spürte die Morgenkühle auf meiner Stirn und ging zum Venus-Barbier, wo ich den Mann aus der letzten Nacht wiedersah, den Mann, der Canans Zigarette zertreten hatte. Er wurde rasiert, sein Gesicht war eingeschäumt. Als ich mich in einen Sessel niederließ, um zu warten, bemerkte ich erschrocken den Duft der Rasierseife. Unsere Augen trafen sich im Spiegel, und wir lächelten einander zu. Das war er natürlich, der Mann, der uns zu Dr. Narin bringen würde.

ACHTES KAPITEL

Während sich Canan auf dem hinteren Sitz des flossengeschmückten 61er Chevrolets, der uns zu Dr. Narin brachte, mit der *Güdülpost* nervös wie eine unduldsame spanische Prinzessin Luft zufächelte, zählte ich vom Beifahrersitz aus die geisterhaften Dörfer, müden Brücken und verdrossenen Kleinstädte. Unser nach OPA duftender Fahrer war nicht gesprächig, es gefiel ihm, am Radio herumzuspielen und wiederholt die gleichen Nachrichten mit den sich widersprechenden Wetterberichten zu hören. In Zentralanatolien wurde Regen erwartet, nicht erwartet, im Innern Westanatoliens gab es teilweise Regenschauer, war es teilweise bewölkt, war es wolkenlos. Unsere Fahrt unter diesem teilweise bewölkten Himmel und durch die aus Piratenfilmen und Märchenländern stammenden, dunkel heraufziehenden Regenschauer dauerte sechs Stunden. Nach dem letzten, harten Regengeprassel auf dem Dach des Chevrolets befanden wir uns, genau wie im Märchen, plötzlich in einem vollkommen anderen Land.

Die trauervolle Musik der Scheibenwischer war verstummt. Hinter der Schmetterlingsscheibe am linken Fenster ging in einer blitzblanken, geometrischen Welt die Sonne unter. Kristallklares, offenes, stilles Land, verrate uns deine Geheimnisse! Jeder der mit Regentropfen behängten Bäume war klar und deutlich ein Baum. Vögel und Schmetterlinge flogen wie kluge, friedliche Vögel und Schmetterlinge vor uns her, ohne der vorderen Scheibe nahe zu kommen. Wo ist der Märchenriese dieses zeitlosen Landes, wollte ich fragen, hinter welchem Baum stecken die rosa Zwerge und lila Hexen? Und keinen Buchstaben, kein Zeichen gibt es in dieser Landschaft, wollte ich sagen, als ein

Lastwagen lautlos auf dem glänzenden Asphalt an uns vorbeifuhr. Auf seiner Rückseite stand geschrieben: Denke nach, bevor du links überholst! Wir bogen nach links ab, kamen auf einen unbefestigten Weg, fuhren hügelan, durchquerten Dörfer, die im Zwielicht ausgelöscht waren, sahen dunkle Wälder und hielten an vor Dr. Narins Haus.

Der Holzbau ähnelte einer der alten Familienvillen in einer Kleinstadt, die nach dem Zerfall der großen Familien durch Abwanderung, Todes- und Unglücksfälle in Hotels mit Namen wie Palasthotel Frohsinn, Palasthotel Welt und Palasthotel Komfort umgewandelt wurden, doch es gab in seiner Umgebung weder eine städtische Feuerwehr samt Sprengwagen noch staubbedeckte Traktoren oder aber das Zentral-Restaurant Guter Geschmack. Nur eine Stille ... In der obersten Etage waren nicht sechs, wie sonst bei den Villen dieses Stils, sondern nur vier Fenster eingelassen, und aus drei von ihnen fiel ein orangefarbenes Licht auf die unteren Blätterreihen der Platanen vor dem Haus. Nur ein Maulbeerbaum blieb im Halbdunkel. Die Vorhänge regten sich, ein Fenster schlug zu, Schritte, eine Glocke; Schatten spielten, die Tür wurde geöffnet, und wer uns empfing, war, ja, Dr. Narin persönlich.

Hochgewachsen, gutaussehend, etwa fünfundsechzig bis siebzig Jahre alt, mit Brille. Doch wenn man allein in seinem Zimmer nachdachte, war einem das Gesicht zwar gut im Gedächtnis geblieben, nicht aber die Brille; etwa so, wie wenn man sich nicht daran erinnern kann, ob ein guter Bekannter nun einen Schnurrbart hat oder nicht. Vor uns stand eine überaus starke Persönlichkeit. »Ich habe Angst«, sagte Canan später im Zimmer, doch ich meine, sie war weniger ängstlich als neugierig.

An einem sehr, sehr langen Tisch, wo unsere Schatten im Licht der Petroleumlampe noch länger gezogen wurden, aßen wir alle gemeinsam zu Abend. Er hatte drei Töchter.

Die Jüngste, die glückliche, phantasievolle Gülizar, war unverheiratet, trotz ihres reiferen Alters. Die Zweitälteste, Gülendam, stand ihrem Mann, einem Arzt, der mir gegenübersaß und recht hörbar durch die Nase atmete, näher als ihrem Vater. Die Älteste, die schöne Gülcihan, mußte schon lange von ihrem Mann getrennt sein, wie ich der Unterhaltung ihrer beiden braven, sechs- und siebenjährigen Töchter entnahm. Die Mutter der Gültöchter, der Rosenmädchen, war eine kleine, bedrohliche Frau. Nicht nur ihre Blicke, sondern die ganze Haltung besagte, Paßt auf, oder ich werde gleich weinen! Am anderen Ende des Tisches saß ein Rechtsanwalt aus der Kleinstadt – aus welcher, weiß ich nicht –, der eine Zeitlang eine Geschichte von Partei, Politik, Schmiergeld und Tod erzählte, die einen um Grundbesitz geführten Prozeß umrankte, und wie erwartet und beabsichtigt, war Dr. Narin erfreut, während er ebenso wißbegierig wie angeekelt zuhörte und dabei den Ekel wie eine Art Zustimmung in den Augen deutlich werden ließ. Einer jener Greise, denen das Glück beschieden ist, in ihren letzten Lebensjahren Zeugen des bewegten Daseins starker, einflußreicher und vielköpfiger Familien zu sein, hatte neben mir Platz genommen. Seine Stellung innerhalb der Familie war unklar, doch er unterstützte das Glück, dessen er Zeuge war, durch ein kleines Transistorradio, das er wie einen Teil des Gedecks neben seinen Teller gestellt hatte. Ich sah, wie er mehrere Male das Radio dicht ans Ohr hielt – vielleicht, weil er schwerhörig war – und sich irgend etwas anhörte. »Keine Nachricht über Güdül!« sagte er später zu Dr. Narin, wandte sich um zu mir, zeigte lachend seine falschen Zähne, und als sei es die natürliche Folge seiner vorangegangenen Worte, fügte er hinzu: »Der Doktor mag philosophische Diskussionen. Und er ist begeistert von jungen Leuten wie Ihnen. Wie groß ist doch Ihre Ähnlichkeit mit seinem Sohn!«

Ein lange währendes Schweigen setzte ein. Ich glaubte,

die Mutter würde weinen, und in Dr. Narins Augen sah ich sprühenden Zorn. Neunmal erinnerte eine Pendeluhr, die irgendwo außerhalb des Zimmers hing, mit ihrem Dingdong an die Vergänglichkeit der Zeit und des Lebens.

Während ich meine Augen über die Möbel, die Menschen im Zimmer und die Speisen auf dem Tisch wandern ließ, merkte ich nach und nach, daß es dort, unter uns, in der Villa einige Spuren, einige Hinweise gab, die aus Träumen stammten oder Überbleibsel von einstmals tief empfundenen Erfahrungen und Erinnerungen waren. Wenn in einer der langen Nächte, die ich mit Canan in den Bussen verbrachte, der Beifahrer auf Drängen eines filmbegeisterten Fahrgastes eine zweite Kassette in das Videogerät eingeschoben hatte, waren wir manchmal minutenlang matt und widerstandslos gefesselt und von einer sehr deutlichen Unentschlossenheit übermannt gewesen, hatten uns einem Spiel überlassen, dessen Zufälle und Zwangsläufigkeiten wir nicht begreifen konnten, und wir fühlten, erstaunt über das erneute Erleben einer früher auf einem anderen Sitz aus einem anderen Blickwinkel heraus durchlebten Minute, daß wir vor der Entdeckung des Geheimnisses jener mysteriösen, unberechenbaren Geometrie standen, die sich Leben nennt, und wenn wir gerade voller Freude die tiefere Bedeutung hinter den Baumschatten oder der blassen Erscheinung des Mannes mit dem Revolver auf dem Bildschirm und dem Video-Rot der Äpfel und den mechanischen Stimmen beim Namen nennen wollten, dann merkten wir plötzlich, daß wir diesen Film, ach ja, schon früher gesehen hatten!

Dieses Gefühl verließ mich auch nach dem Essen nicht. Eine Zeitlang verfolgten wir das Hörspiel im Radio, wie ich es auch in meiner Kindheit getan hatte. Gülizar reichte uns in einer Silberdose, deren Gegenstück ich in Onkel Rıfkıs Wohnung gesehen hatte, längst vergessene Löwenbonbons mit Kokosnuß und Bonbons der Marke »Neues Leben«. Gülendam bot uns Kaffee an, und ihre Mutter fragte, ob wir irgendwelche Wünsche hätten. Auf den Beistelltischen lagen Bildergeschichten, die überall im Land auf den Regalen offener Schränke mit Spiegelwand zum Verkauf ausliegen. Fein und gütig gab sich Dr. Narin, während er den Kaffee trank und die Wanduhr aufzog, wie die glücklichen Familienväter, die auf den Losen der staatlichen Lotterie abgebildet waren. Die Spuren dieser patriarchalischen Vornehmheit und einer logischen Ordnung, die man nur schwer beim Namen nennen konnte, zeigten sich auch in der Zimmereinrichtung: Hier gab es Vorhänge, an den Säumen mit Tulpen und Nelken bestickt, nie mehr benutzte Petroleumöfen und Lampen, die gestorben waren, als ihr Licht erlosch. Dr. Narin nahm mich bei der Hand, zeigte mir das Barometer an der Wand und forderte mich auf, dreimal an die schön gerundete Scheibe zu klopfen. Ich tat es. Als sich der Zeiger des Barometers bewegte, sagte er mit väterlicher Stimme: »Morgen wird wieder schlechtes Wetter sein.«

Gleich neben dem Barometer soll in einem großen Rahmen ein altes Foto gehangen haben, das Foto eines Jungen. Ich hatte es nicht bemerkt, Canan sagte es mir, als wir in unser Zimmer zurückkamen. Teilnahmslos wie einer, dem das Leben entglitten ist, der bei Filmvorführungen einnickt und Bücher ohne Interesse liest, so fragte ich, wer das sei auf dem Foto im Rahmen.

»Es ist Mehmet«, sagte Canan. Wir standen im blassen Licht der Petroleumlampe, die man uns für das Zimmer gegeben hatte. »Hast du's noch nicht begriffen? Dr. Narin ist Mehmets Vater!«

Ich erinnere mich, daß ich im Geiste Laute hörte, die an ein beklagenswertes öffentliches Telefon erinnerten, in dem die Münze einfach nicht fallen will. Dann aber ordnete sich alles richtig ein, und als ich wie im Morgengrauen nach einer Sturmnacht die Wahrheit in aller Schärfe vor mir sah, war ich weniger erstaunt darüber als vielmehr wütend. Wie es wohl den meisten von uns schon einmal ergangen ist, die einen Film sahen und glaubten, ihn zu verstehen, nach einer Stunde aber feststellen mußten, daß sie selbst die einzigen Ahnungslosen im ganzen Kino waren.

»Wie hieß er früher?«

»Nahit«, sagte Canan und wiegte klug und weise den Kopf wie ein gläubiger Anhänger der Astrologie. »Es soll der Name des Planeten Venus sein.«

»Wenn ich einen solchen Namen hätte und einen solchen Vater, dann würde ich auch wünschen, ein anderer zu sein«, war ich drauf und dran zu sagen, als ich die Tränen bemerkte, die Canan aus den Augen liefen.

An den Rest der Nacht möchte ich nicht mehr erinnert werden. Mir fiel die Aufgabe zu, Canan zu trösten, die um Mehmet alias Nahit Tränen vergoß, was nicht einmal so schlimm war; doch ich mußte Canan notwendigerweise daran erinnern, daß Mehmet-Nahit nicht gestorben war, wie wir wußten, sondern nur allen vormachen wollte, das Todesopfer eines Verkehrsunfalls zu sein. Wir würden Mehmet ganz sicher finden, irgendwo dort im Herzen der Steppe, wo er eine dem Buch entnommene Weisheit ins Leben gerufen hatte und auf den wunderbaren Straßen des wunderbaren Landes seines neuen Lebens wandelte.

Obwohl Canan viel stärker als ich in diesem Glauben lebte, mußte ich ihr lang und breit erklären, daß sie auf dem richtigen Wege war, denn der Zweifel daran hatte Stürme entfacht in ihrer schönen, traurigen Seele. Überlege doch einmal, wie wir gerade noch dieser Vertreterversammlung entkommen sind, ohne in Schwierigkeiten zu geraten, und denk doch einmal an die verborgene Logik, die als Zufall auftrat und uns in dieses Haus, in dieses Zimmer voller Spuren führte, wo die Person, nach der wir suchen, ihre

Kindheit verbracht hat. Meine Leser, die den Sarkasmus und den Zorn in meiner Sprache erspüren, werden vielleicht auch merken, daß sich der Schleier vor meinen Augen hob, daß jene Verzauberung, die Licht in meine Seele goß und mich ganz und gar umhüllte – wie soll ich's sagen –, irgendwie die Richtung änderte. Während es Canan so großen Kummer bereitete, daß man Mehmet-Nahit als Toten behandelte, machte mich der Gedanke traurig, daß unsere Busreisen nie mehr die alten Busreisen sein konnten.

Nach dem Frühstück morgens mit den drei Schwestern – Honig, frischer Ziegenkäse, Tee – besuchten wir eine Art Museum, das man in der zweiten Etage der Villa für das vierte Kind und den einzigen Sohn Dr. Narins, der in jungen Jahren bei einem Omnibusunfall verbrannt war, eingerichtet hatte. »Mein Vater wünschte, daß Sie dies hier sehen«, hatte Gülcihan erklärt, während sie ohne Schwierigkeiten einen riesengroßen Schlüssel in ein erstaunlich kleines Schlüsselloch steckte.

Magisch lautlos öffnete sich die Tür. Geruch von alten Zeitungen und Zeitschriften. Durch die Vorhänge sickerndes Zwielicht. Das Bett, in dem Nahit geschlafen hatte, mit der blumenbestickten Decke. An den Wänden gerahmte Fotos von Mehmets Kindheit, Jugend und seinem Nahit-Dasein.

Mein Herz schlug hörbar schneller, aus einem merkwürdigen Impuls heraus. Flüsternd wies Gülcihan auf Nahits eingerahmte Zeugnisse aus der Grund- und Oberschule und auf die Belobigungen. Alle mit »Sehr gut«. Die schmutzigen Schuhe, mit denen der kleine Nahit Fußball gespielt hatte, die kurze Hose mit Trägern. Ein Kaleidoskop, made in Japan, im Kaufhaus Fulya in Ankara erworben. Schaudernd fand ich im Halbdunkel meine eigene Kindheit wieder, und wie auch Canan gesagt hatte, fürchtete ich mich, als Gülcihan die Vorhänge beiseite schob und flüsternd erzählte, daß ihr geliebter Bruder in den Jahren seines Medizinstudiums während der Sommerferien den ganzen Tag über ununterbrochen Bücher gelesen und danach dieses Fenster geöffnet und bis zum Morgen den Maulbeerbaum betrachtend Zigaretten geraucht habe.

Wir schwiegen. Dann fragte Canan nach den Büchern, die Mehmet-Nahit in jener Zeit gelesen hatte. Die ältere Schwester wurde auf mysteriöse Weise schweigsam und unsicher. »Mein Vater fand es unpassend, sie hierzulassen«, erklärte sie zunächst, und dann lächelte sie wie zum Trost: »Hier sind nur die Sachen zu besichtigen, die er als Kind gelesen hat.«

Sie zeigte auf Kinderzeitschriften und Bildergeschichten, die eine kleine Bibliothek am Kopfende des Bettes füllten. Ich wollte nicht näher darauf eingehen, wollte vermeiden, mich noch stärker mit diesem Jungen zu identifizieren, der einmal diese Zeitschriften gelesen hatte, und befürchtete, Canan könnte von diesem ergreifenden Museum gerührt sein und wieder anfangen zu weinen. Doch mein Widerstand wurde gebrochen von den Rücken der Hefte, die in den Regalen aufgereiht waren, von den nur allzugut bekannten, wenn auch verblaßten Farben und von dem Titelbild, das ich streichelte, als sich meine Hand instinktiv und ganz von selbst danach ausgestreckt und zugegriffen hatte.

Auf dem Titelbild hielt ein etwa zwölfjähriger Junge am Rande eines steilen, von schroffen Felsen umgebenen Abhangs mit einer Hand den kräftigen Stamm eines Baumes umfaßt – dessen Blätter einzeln gezeichnet waren, deren Grün aber des schlechten Drucks wegen über die Ränder trat –, und mit der anderen Hand hielt er die eines blonden Jungen im gleichen Alter, den er im letzten Moment aufgefangen und vor dem Absturz in die bodenlose Tiefe bewahrt hatte. Auf den Gesichtern der beiden kindlichen Helden lag der Ausdruck des Entsetzens. Im Hintergrund schwebte ein Geier durch die grau und hellblau gemalte wilde Weite

Amerikas und lauerte darauf, daß etwas Böses geschah, daß Blut floß.

Als sähe ich sie zum erstenmal, las ich die Überschrift auf dem Titelblatt, jede Silbe betonend, laut vor, wie ich es so oft als Kind getan hatte: NEBI IN NEBRASKA. Und während ich die Seiten der Zeitschrift hastig durchblätterte, erinnerte ich mich an die Abenteuer dieser Bildergeschichte, die zu Onkel Rıfkıs ersten Arbeiten gehört hatte.

Der kleine Nebi wird vom Sultan beauftragt, auf der Weltausstellung in Chicago die Kinder aus der Welt des Islam zu vertreten. Er lernt in Chicago Tom kennen, einen Indianerjungen, der ihm von seinen Sorgen erzählt, und sie gehen gemeinsam nach Nebraska. Die Weißen, die es auf das Land abgesehen haben, in dem seine Väter und Vorväter seit Jahrhunderten den Bison jagen, gewöhnen Toms Indianerstamm an den Alkohol und drücken der Jugend des Stammes, die bereit ist, die Pfade der Tradition zu verlassen, außer der Cognacflasche auch das Gewehr in die Hand. Es ist eine grausame Verschwörung, hinter die Nebi und Tom kommen: Die friedlichen Indianer sollen betrunken gemacht und zum Aufstand verleitet, die Aufständischen dann durch die Soldaten der Föderationsarmee niedergemacht und von ihrem Land verjagt werden. Mit dem Tod des reichen Hotel- und Barbesitzers, der Tom in den Abgrund stoßen will und dabei selbst hinunterstürzt, bewahren die Kinder den Stamm davor, in diese Falle zu tappen.

Canan griff nach *Marie und Ali* und begann, darin zu blättern, weil ihr der Titel bekannt vorkam. Dort waren die Abenteuer eines Istanbuler Jungen beschrieben, der nach Amerika geht. Ali, der voller Abenteuerlust in Galata das Dampfschiff bestiegen hat und in Boston angekommen ist, lernt auf dem Hafenkai Marie kennen, die bitterlich schluchzend hinausschaut auf den Atlantischen Ozean, und sie machen sich gemeinsam auf die Reise in den Westen, um den Vater des Mädchens zu suchen, das die Stiefmutter aus dem Haus geworfen hat. Sie kommen durch Straßen, die an die Zeichnungen in den *Tom-Mix*-Heften erinnern, überwinden die weißblättrigen Wälder von Iowa, deren finstere Winkel Onkel Rıfkı mit Wolfsschatten besetzt hatte, und erreichen nach einer bestimmten Stelle, von der an sie sämtliche schießenden Cowboys, Eisenbahnräuber und Karawanen einkreisende Indianer hinter sich lassen, ein sonniges Paradies. In diesem tiefgrünen, leuchtendklaren Tal erkennt Marie, daß Glück nicht heißt, ihren Vater zu finden, sondern die von Ali erlernten traditionellen östlichen Werte, den inneren Frieden – Huzur –, das Gottvertrauen –Tevekkül – und die Geduld – Sabır –, zu verstehen, und aus einem Pflichtgefühl heraus kehrt sie zu ihrer Schwester nach Boston zurück. Was Ali anbetrifft, so dachte er: »Ungerechtigkeit und schlechte Menschen gibt es eigentlich überall auf der Welt!« und blickte von dem Segler, den er voll Sehnsucht nach Istanbul bestiegen hatte, zurück auf das hinter ihm liegende Amerika: »Wichtig allein ist, daß der Mensch ein Leben führen kann, in dem er das Gute in sich bewahrt.«

Canan war nicht, wie ich befürchtet hatte, tief traurig, sondern recht vergnügt geworden, während sie die Seiten umblätterte, deren Druckerschwärzegeruch mich an die kalten, dunklen Winternächte meiner Kindheit denken ließ. Ich sagte ihr, daß auch ich diese Hefte als Kind gelesen hatte. Und weil ich meinte, sie habe die Anspielung in meinen Worten nicht bemerkt, fügte ich hinzu, auch dies sei eine der vielen Ähnlichkeiten zwischen Mehmet alias Nahit und mir. Ich benahm mich wahrscheinlich wie ein hysterischer Liebhaber, der die Geliebte für verständnislos hält, weil sie seine Liebe nicht erwidert. Andererseits hatte ich kein Verlangen, zu verraten, daß der Autor und Zeichner, der diese Bildergeschichten geschaffen hatte, der Onkel Rıfkı meiner

Kindheit war. Onkel Rıfkı aber hatte jetzt das Verlangen, uns zu sagen, warum er es für notwendig gehalten hatte, diese Geschichten und Helden zu erfinden.

»Liebe Kinder«, sagte er in einer kurzen Notiz, die er einem der ersten Abenteuer vorangestellt hatte. »Ich sehe euch überall mit diesen Cowboy-Heften in den Händen, vor den Schulausgängen, in den Eisenbahnabteilen oder in den ärmlichen Straßen meines Viertels, sehe euch beim Lesen der Abenteuer von Tom Mix oder Billy The Kid. Genau wie ihr liebe auch ich die Abenteuer dieser ehrlichen und tapferen Cowboys und Ranger. Deshalb dachte ich, es würde euch vielleicht gefallen, wenn ich euch die Abenteuer eines türkischen Jungen unter den Cowboys in Amerika erzähle. Außerdem begegnet ihr auf diese Weise nicht nur den christlichen Helden, sondern werdet dank der Abenteuer eurer tapferen türkischen Brüder auch jene sittlichen und nationalen Werte noch höher schätzen, die uns unsere Vorväter vererbten. Wenn ihr es aufregend genug findet, zu sehen, daß ein Junge aus einem ärmlichen Istanbuler Stadtviertel seine Waffe genauso schnell ziehen kann wie Billy The Kid und genauso ehrlich ist wie Tom Mix, dann wartet auf unser nächstes Abenteuer.«

Geduldig, schweigend und aufmerksam betrachteten wir, Canan und ich, lange Zeit die schwarzweißen Helden der von Onkel Rıfkı gezeichneten Welt, die schattigen Berge, die furchterregenden Wälder und die von seltsamen Erfindungen und Gewohnheiten wimmelnden Städte, ganz so wie Marie und Ali, als sie den Wundern im Wilden Westen Amerikas begegneten. In den Büros von Anwälten, in den Häfen voller Segelschiffe, auf den Bahnhöfen weit im Hinterland und unter den Diggern während des Goldrauschs sahen wir Revolvermänner, die dem Sultan und den Türken ihren Gruß entboten, Schwarze, die, aus der Sklaverei befreit, im Islam Zuflucht fanden, Indianerhäuptlinge, die nach der Zeltbauweise der schamanischen Türken fragten, und Farmer mit ihren Kindern, engelsgütig und engelsrein. Ein anderes blutiges Abenteuer, in dem sich die so schnell ihre Waffe ziehenden Revolvermänner gegenseitig wie Fliegen jagten, schilderte nach einigen Seiten, auf denen die Ethik des Orients mit der Klugheit des Okzidents verglichen wurde und die Helden verwirrt waren, weil Gut und Böse ständig ihr Aussehen wechselten, wie einer der guten, tapferen Helden heimtückisch von hinten erschossen wurde und vor dem Sterben in der Morgenröte fühlte, daß er irgendwo an einer Schwelle zwischen beiden Welten dem Engel begegnen würde, doch den Engel hatte Onkel Rıfkı nicht eingezeichnet. Die Ausgaben einer Abenteuerreihe, in der Pertev aus Istanbul und Peter aus Boston Freunde werden und in Amerika das Unterste zuoberst kehren, legte ich alle übereinander und zeigte Canan meine Lieblingsszenen: Mit Peters Hilfe und einem Spiegeltrick bringt der kleine Pertev den Bluff des Falschspielers, der das ganze Städtchen völlig ausgeplündert hat, ans Tageslicht, und zusammen mit den Betrogenen, die den Karten und dem Pokern abgeschworen haben, jagt er ihn davon. Die Einwohner einer texanischen Kleinstadt, die durch eine mitten in der Kirche hochschießende Ölquelle entzweit sind und sich gegenseitig an die Gurgel gehen und kurz davor stehen, den Ölmilliardären oder den Ausbeutern der Gottesfurcht ins Netz zu geraten, beschwichtigt Peter durch eine westlich aufgeklärte, säkulare Ansprache im Sinne Atatürks, die ihm Pertev beigebracht hat. Pertev erklärt, Engel seien aus Licht gemacht und die Elektrizität sei durch ihren Zauber eine Art Engel, und elektrisiert den kleinen Edison, der sein Brot zu jener Zeit noch mit dem Verkauf von Zeitungen in den Eisenbahnzügen verdient, mit dem ersten Ideenfunken, der zur Erfindung der Glühbirne führt.

Helden der Eisenbahn aber waren das Werk Onkel Rıfkıs, das seine eigene Leidenschaft und Begeisterung am stärksten widerspiegelte. In diesem Abenteuer sahen wir, wie Pertev und Peter jene Pioniere der Eisenbahn unterstützten, die den Osten Amerikas mit dem Westen verbinden sollten. Wie bei den Auseinandersetzungen um die türkische Eisenbahn in den dreißiger Jahren ging es beim Bau der Bahnverbindung von einem Ende Amerikas zum anderen für das Land um Leben und Tod, doch angefangen von den Eigentümern der Wagenfirma Wells-Fargo bis zu den Leuten der Ölgesellschaft Mobil, von den Predigern, die nicht dulden wollten, daß die Bahn über ihr Land fuhr, bis zu internationalen Gegnern wie Rußland, versuchten viele Feinde, die aufklärerischen Bestrebungen der Eisenbahner zu untergraben, indem sie Indianer aufhetzten, Arbeiter zum Streik anstifteten und, wie man es auch in den Vorortzügen von Istanbul getan hat, durch Jugendliche die Sitze in den Abteilen mit Rasierklingen und Messern zerfetzen ließen.

»Wenn die Sache der Eisenbahn verlorengeht«, erklärte Peter aufgeregt in einer Sprechblase, »dann ist es vorbei mit dem Aufstieg unseres Landes, und was Unfall heißt, wird dann zum Schicksal werden. Wir müssen kämpfen, Pertev, bis zum Ende!«

Wie gut mir die Ausrufezeichen hinter den riesigen Buchstaben gefielen, welche die großen Sprechblasen füllten! »Achtung!« schrie Pertev Peter zu, und der warf sich zur Seite, bevor sich das Messer in seinen Rücken bohrte, das ein heimtückischer Kerl nach ihm geworfen hatte. »Hinter dir!« schrie Peter Pertev zu, und ohne hinzuschauen, schlug Pertev mit der Faust nach hinten aus und traf das Kinn des Eisenbahnfeindes. Manchmal hatte Onkel Rıfkı eingegriffen, Kästchen zwischen den Bildern eingeschoben und mit Buchstaben, so dünn wie seine eigenen

Beine, »UNVERHOFFT«, »WAS SOLL DENN DAS« oder »DOCH PLÖTZLICH« hineingeschrieben und ein riesiges Ausrufezeichen dahinter gesetzt, und mir wurde klar, wie er Mehmet, der Nahit hieß, zu seiner Zeit in die Geschichte mit hineingezogen haben mußte.

Da wir uns auf Sätze mit Ausrufezeichen konzentrierten, lasen wir, Canan und ich, einmal auch eine Sprechblase, die mit dem Ausrufezeichen endete: »Die Dinge, die im Buch stehen, habe ich schon lange hinter mir gelassen!« sagte ein Held, der sich der Schreib- und Lesekampagne gewidmet hatte und nach einem gänzlich erfolglosen Dasein zurückgezogen in seiner Hütte lebte, zu Pertev und Peter, als sie ihn dort besuchten.

Sowie ich merkte, daß Canan sich zurückzog von diesen Seiten, wo alle guten Amerikaner blond und sommersprossig und alle Bösen schiefmäulig waren, wo jeder jedem bei jeder Gelegenheit dankte, wo alle Toten von den Geiern bis auf die Knochen aufgefressen wurden und wo sämtliche Kakteen Wasser enthielten, das die Verdurstenden vor dem Tod rettete, raffte ich mich auf.

Statt mir einzubilden, ich könne im Leben einen neuen Anfang als Nahit machen, sollte ich lieber Canan, die gerade dabei war, Nahits Schulzeugnisse der Mittelstufe und das Foto auf seinem Ausweis eingehend zu betrachten, vor falschen Vorstellungen bewahren, sagte ich mir. Und wie Onkel Rıfkı einem guten Helden, der durch Mißgeschick und Feinde in eine Ecke gedrängt wurde, mit einem »UNVERHOFFT« in einem Kästchen zu Hilfe kommt, so betrat Gülizar das Zimmer und ließ uns wissen, daß ihr Vater uns erwartete.

Ich hatte nicht die leiseste Ahnung, was uns die Zukunft bringen würde, und auch nicht den kleinsten Anhaltspunkt, aus dem sich ermessen ließ, wie ich von jetzt an Canan näherkommen könnte. Als ich an diesem Morgen das Museum jener Jahre verließ, in denen Mehmet Nahit gewesen war, hatte ich auf einmal zwei instinktive Vorstellungen: Ich wollte vom Schauplatz fliehen, oder ich wollte Nahit sein.

NEUNTES KAPITEL

Beide dieser Wünsche bot mir Dr. Narin auf großzügige Weise als Lebensvariante zur Auswahl an, als ich ihn etwas später auf einem langen Spaziergang über seinen Landbesitz begleitete. Daß Väter alles wissen, was in den Köpfen ihrer Söhne vor sich geht, Göttern gleich, die mit unfehlbaren Gedächtnissen und unerschöpflichen Kontobüchern ausgestattet sind, ist reiner Zufall. Meistens projizieren sie nur ihre eigenen unerfüllten Leidenschaften auf ihre Söhne und auf ganz normale Fremde, die, so glauben sie, ihren Söhnen ähneln, weiter nichts.

Nach dem Besuch des Museums begriff ich, daß Dr. Narin mit mir allein sein und reden wollte. Wir gingen am Rande von Weizenäckern entlang, die unter schwachen Windstößen wogten, unter Apfelbäumen mit noch kleinen, unreifen Früchten und an vernachlässigten Feldern vorbei, auf denen einige schläfrige Schafe und Rinder am nicht vorhandenen Grünzeug schnupperten. Dr. Narin zeigte mir die Maulwurfslöcher, machte mich auf die Wildschweinfährten aufmerksam und erklärte mir, woran zu erkennen sei, daß die mit kleinen, ungleichmäßigen Flügelschlägen in südlicher Richtung zu den Obstgärten des Städtchens fliegenden Vögel Drosseln waren. Noch viele andere Dinge erklärte er mir in einem Ton, der belehrend, geduldig und beinahe liebevoll klang.

Eigentlich war er kein Doktor. Diesen Beinamen hatte er in der Militärzeit von seinen Kameraden erhalten, weil er auf die kleinen, bei Reparaturarbeiten nützlichen Einzelheiten achtgab, wie die Achteckmutter einer Schraube oder das Drehtempo beim Magnettelefon. Und weil er Dinge mochte, weil es ihm gefiel, sich mit ihnen zu beschäftigen, weil für ihn die Entdeckung der Einmaligkeit eines jeden Objekts des Lebens schönste Gabe war, hatte er sich diesen Namen zu eigen gemacht. Auf Wunsch seines Vaters, eines Parlamentsmitglieds, hatte er nicht Medizin, sondern Jura studiert und war dann in der Kleinstadt Anwalt gewesen. Als die Ländereien, die Bäume, alles, was er mir zeigte, nach dem Tod seines Vaters sein Eigentum wurden, hatte er nur noch nach eigenen Wünschen leben wollen. Nach eigenen Wünschen: inmitten der Gegenstände, die er selbst aussuchte, an die er gewöhnt war und die er verstand. In dieser Absicht hatte er in der Kleinstadt sein Geschäft eröffnet.

Während wir auf einen Hügel kletterten, der zur Hälfte von einer unentschlossenen Sonne erhellt wurde, die keine Wärme gab, sagte mir Dr. Narin, die Dinge hätten ein Gedächtnis. Im Grunde genommen besäßen Gegenstände genau wie wir die Eigenschaft, ihre Erfahrungen, ihre Erinnerungen aufzuzeichnen, zu bewahren, doch die meisten von uns seien sich dessen nicht bewußt. »Dinge befragen sich gegenseitig, verständigen sich, flüstern miteinander und sorgen für eine heimliche Harmonie untereinander, sie rufen jene Musik ins Dasein, die wir die Welt nennen«, sagte Dr. Narin. »Wer darauf achtet, hört, sieht und versteht.« Er hob einen trockenen Zweig vom Boden auf und erklärte mir aus dessen Kalkflecken, daß die Drosseln hier irgendwo ein Nest gebaut hatten, und aus den Schlammspuren, daß es vor zwei Wochen geregnet hatte und durch welchen Wind und wann der Zweig abgebrochen sein mochte.

In seinem Laden in der Stadt verkaufe er nicht nur Waren aus Ankara und Istanbul, sondern alles, was er aus den Werkstätten in ganz Anatolien holte: ewig haltbare Schleifsteine, Teppiche, Schlösser, von Meisterhand gehämmert, gut duftende Dochte für Petroleumkocher, einfache Eisschränke, Kappen aus bestem Filz, Steine für RONSON-Feuerzeuge, Türgriffe, aus Benzinkanistern hergestellte Öfen, kleine Aquarien – alles, was ihm einfiel und was vernünftig war. Jene Jahre in seinem Laden, der alle elementaren menschlichen Bedürfnisse auf menschliche Weise befriedigte, seien die glücklichste Zeit seines Lebens gewesen. Und daß ihm nach drei Mädchen noch ein Junge geboren wurde, habe ihn noch glücklicher gemacht. Er fragte mich nach meinem Alter, ich sagte es ihm. Sein Sohn sei in meinem Alter gewesen, als er starb.

Irgendwo vom Fuß des Abhangs her kam das Geschrei von unsichtbaren Kindern. Als die Sonne hinter den rasch heraufziehenden, hartnäckigen dunklen Wolken verschwand, erkannten wir auf einem kahlen Fleck in der Ferne Fußball spielende Buben. Zwischen dem Anstoßen des Balls und dem Geräusch des Anstoßes vergingen ein bis zwei Sekunden. Manche von ihnen, sagte Dr. Narin, begingen kleine Diebstähle. Es seien die Kinder, die mit dem Niedergang der großen Kulturen und dem Gedächtnisschwund als erstes der Unmoral verfielen. Sie würden das Alter schneller und schmerzloser vergessen, das Neue leichter erträumen. Die Kinder kämen aus dem Städtchen, fügte er noch hinzu.

Als er von seinem Sohn sprach, packte mich der Ärger. Warum sind Väter so auf Stolz versessen? Warum sind sie so gewissenlos grausam? Mir fiel auf, daß seine Augen hinter den Brillengläsern – ebender Gläser wegen – außerordentlich klein waren. Und ich erinnerte mich daran, daß auch sein Sohn diese Augen besaß.

Sein Sohn sei brillant, hoch intelligent gewesen. Mit viereinhalb Jahren habe er zu lesen begonnen und außerdem die Buchstaben auch dann richtig ausmachen und lesen können, wenn er die Zeitung auf den Kopf stellte. Er habe kleine Kinderspiele mitsamt den eigenen Regeln erfunden, seinen Vater im Schach besiegt und ein Gedicht mit drei Strophen sofort nach zweimaligem Lesen auswendig gekonnt. Ich wußte nur allzugut, daß dies die Geschichten eines im

Schachspiel schwachen Vaters waren, der seinen Sohn verloren hatte, trotzdem schluckte ich den Köder. Als er beschrieb, wie er mit Nahit zusammen ausgeritten war, saß auch ich in meiner Phantasie mit ihnen auf dem Pferd; als er schilderte, wie Nahit sich einmal in der Mittelschulzeit dem Glauben verschrieben hatte, sah auch ich mich gleich ihm während des Fastenmonats in kalter Winternacht gemeinsam mit der Großmutter zur letzten Mahlzeit vor Tagesanbruch aufstehen; gleich ihm oder so, wie sein Vater sich daran erinnerte und davon erzählte, fühlte auch ich in derselben mit Schmerz vermischten Weise eine Wut auf die Armut, die Unwissenheit und die Dummheit in meiner Umgebung; ja, ich habe sie gefühlt! Während Dr. Narin erzählte, erinnerte ich mich daran, genau wie Nahit trotz all meiner glänzenden Eigenschaften ein junger Mann mit einem starken Innenleben gewesen zu sein. O ja, während jeder im Gedränge, das Glas und die Zigarette in der Hand, einen Scherz zu machen versuchte, um die Aufmerksamkeit auf sich zu lenken, habe sich Nahit in eine Ecke verkrochen und sei in empfindsame Gedanken versunken, die seinen harten Blick besänftigten; ja, in den unglaublichsten Momenten habe er die innere Substanz eines von den anderen nicht beachteten Menschen erfaßt, ans Tageslicht gebracht und mit ihm Freundschaft geschlossen, sei es der Sohn des Schuldieners in der Oberschule oder der verzückte Poet als Maschinist, der in das Vorführgerät im Kino stets die falsche Filmspule einlegte. Doch diese Freundschaften hätten nicht den Verzicht auf seine eigene Welt bedeutet. Denn eigentlich habe jeder sein Freund, sein Kamerad, einfach jemand, der ihm nahestand, sein wollen. Er sei ehrlich und aufrichtig gewesen, habe gut ausgesehen, habe den Älteren Respekt entgegengebracht, aber ebenso denen, die jünger waren als er ...

Lange dachte ich über Canan nach; immer hatte ich mir dieselben Gedanken gemacht, wie eine Art Fernseher, der ständig auf dem gleichen Kanal sendet, jetzt aber saß ich auf einem Sessel und überlegte; vielleicht, weil ich begann, mich selbst als jemand anders zu sehen.

»Dann wandte er sich plötzlich gegen mich«, sagte Dr. Narin, als wir auf dem Hügel anlangten. »Weil er ein Buch gelesen hatte.«

Der Wind, in dem sich die Zypressen auf dem Hügel wiegten, war nicht scharf, doch kühl und ohne Duft. Auf einer Kuppe hinter den Zypressen sah man Felsen und Steinbrocken. Ich hielt es zuerst für einen Friedhof, doch als wir nach Erreichen der Höhe zwischen den großen, glatt behauenen Steinen hindurchgingen, erklärte Dr. Narin, daß sich hier früher eine seldschukische Burg befunden habe. Er wies auf die Abhänge gegenüber, auf einen dunklen Hügel, auf dem tatsächlich ein zypressenbestandener Friedhof lag, auf die von Weizenfeldern leuchtende Ebene, auf Anhöhen, über die der Wind strich und die von finsteren Regenwolken stark verdunkelt waren, und auf ein Dorf: einschließlich der Burg gehörte jetzt alles ihm.

Warum wendet ein junger Mann all dieser lebendigen Erde, den Zypressen, den Pappeln, den herrlichen Apfelbäumen und dieser Burg, den Gedanken, die sich sein Vater um ihn gemacht hat, und einem Laden voller Dinge, die sich alldem anpassen, einfach den Rücken und schreibt seinem Vater, daß er ihn nicht mehr wiedersehen will, daß er ihm keine Leute nachschicken, ihn nicht suchen lassen soll, daß er verschwinden möchte? Manchmal erschien ein solcher Ausdruck auf Dr. Narins Gesicht, daß ich nicht wußte, ob er mir, meinesgleichen oder der ganzen Welt einen Stich versetzen wollte oder ob er ein Mann war, der sich schon seit langem taub und grollend von dieser verfluchten Welt abgewandt hatte. »Alles nur des Komplotts wegen«, stellte er fest. Es gebe eine große Verschwörung, gegen ihn selbst, seine Denkweise, die Gegenstände, denen er sein Leben

gewidmet habe, gegen alles, was für dieses Land lebens-
wichtig sei.

Er wollte, daß ich seinen Erklärungen aufmerksam zuhörte. Ich könne sicher sein, daß die Dinge, die er sagen
würde, kein sinnloses Gerede eines alten Trottels seien, der
in einem weit abgelegenen Provinznest hängengeblieben
war, keine Phantasien eines verbitterten Vaters, der seinen
Sohn verloren hatte. Ich war sicher. Sehr aufmerksam hörte
ich zu, mag sein, weil meine Gedanken zu seinem Sohn und
Canan wanderten, oder auch, weil es jeder in dieser Lage tun
würde, selbst wenn er dabei manchmal den Faden verlor.

Er sprach lange über das Gedächtnis der Gegenstände. So
leidenschaftlich überzeugt, als rede er von etwas, was man
fast in der Hand halten könnte, erzählte er von der in den
Gegenständen komprimierten Zeit. Die Existenz einer geheimnisvollen, notwendigen und poetischen Zeit, die von
einem einfachen Löffel, einer Schere, von den Dingen, die
wir hielten, streichelten oder benutzten, auf uns übergehe,
habe er nach der Großen Verschwörung wahrgenommen.
Vor allem damals, als die neuen seelenlosen Gegenstände,
einer dem anderen gleichend und bar jeder Ausstrahlung,
die Gehsteige überschwemmten und die Vertreter diese
Dinge in ihren Schaufenstern ausstellten und in ihren
Läden ohne jeden Duft verkauften. Zunächst habe er die
AYGAZ-Vertretung mit ihren Gasherden, das heißt diese
Sachen mit den Knöpfen, die das unsichtbare Flüssiggas
entzünden, oder die AEG-Vertretung mit ihren Kühlschränken in synthetischem Schneeweiß nicht ernst genommen.
Und als anstatt des wohlvertrauten kremigen Yoghurts die
Marke MIS-Yoghurt – er sprach es wie etwas Schmutziges
aus – auftauchte und als auf sauberen, ordentlichen Lieferwagen zuerst von Fahrern ohne Krawatte anstelle des Kirsch-
sirups oder des Ayrans die Nachahmung MR. TÜRKCOLA
und später von Fahrern mit Krawatte die echte COCA-COLA

ausgefahren wurde, hatte er sogar für einen Augenblick in törichtem Eifer daran gedacht, eine Vertretung zu übernehmen, zum Beispiel anstelle des Leims aus Pinienharz die des deutschen Klebstoffs UHU, auf dessen Tube eine hübsche Eule abgebildet ist, die alles kleben will, oder anstelle von Tonerde die der Seife LUX, deren Duft genauso verführerisch ist wie ihre Verpackung. Doch kaum habe er diese Dinge in seinen Laden aufgenommen, der so friedvoll in einer anderen Ära lebte, sei ihm klargeworden, daß er sich nicht nur in der Stunde, sondern auch in der Zeit geirrt hatte. Er habe auf die Vertretungen verzichtet, denn nicht nur er selbst, auch seine Sachen hätten neben diesen wesenlosen Objekten den Gleichmut eingebüßt, ganz so, wie Nachtigallen ihre Ruhe verlieren, wenn man in den Käfig nebenan ein paar vorlaute Stieglitze steckt. Es sei ihm gleichgültig gewesen, daß nur noch die Fliegen und die Alten seinen Laden aufsuchten, er habe wieder begonnen, jene Sachen zu verkaufen, die schon seinen Vorfahren jahrhundertelang vertraut gewesen waren, um sein eigenes Dasein, seine eigene Zeit zu erleben.

Vielleicht würde er sich an sie gewöhnt und sie vergessen haben, die Große Verschwörung, deren Werkzeuge jene Vertreter waren, von denen er immer noch einige kennenlernte und mit denen er teilweise auch befreundet war. Genauso wie die COCA-COLA-Trinker, die davon verrückt wurden, es aber nicht merkten, weil alle davon tranken und verrückt wurden. Außerdem seien sein Laden und die Sachen – Bügeleisen, Feuerzeuge, nicht rußende Öfen, Vogelbauer, hölzerne Aschenbecher, Wäscheklammern, Fächer und wer weiß, was noch alles – wachsam gegenüber der Vertreter-Verschwörung, was wohl mit der Harmonie der magischen Musik zusammenhängen müsse, die sich unter ihnen entwickelt habe. Gleichgesinnte wie er, ein simpler Mann und Krawattenträger aus Konya, ein General im Ruhestand aus Sivas und andere aus Trabzon, ja aus Teheran, Damaskus,

Edirne und den Balkanländern, alle Vertreter und mit gebrochenem Herzen, dennoch überzeugt, hätten sich auch gegen die Verschwörung gewandt und seien seiner Meinung. Sie hätten damit begonnen, ihre eigenen Regelungen für neue Gegenstände und die Organisation der Vertreter mit gebrochenem Herzen zu schaffen. Gerade zu diesem Zeitpunkt habe er jene Briefe aus Istanbul erhalten, wo sein Sohn Medizin studierte: »Suche mich nicht, laß mich nicht suchen, ich verschwinde!« wiederholte Dr. Narin sarkastisch und voller Zorn auf die rebellischen Worte seines toten Sohnes.

Er habe darin sofort die großen Kräfte der Großen Verschwörung erkannt, die zugeben mußten, daß sie ihm mit seinem Laden, seinen Ideen, seinem Geschmack nie würden beikommen können, und sich deswegen seines Sohnes bemächtigt und auf diesem Wege versucht hätten, ihn – mich, Dr. Narin! sagte er stolz – in die Knie zu zwingen. So habe er die ganze Sache umdrehen wollen und gerade das getan, was sein Sohn seinem Brief zufolge nicht wünschte. Er habe seinen Sohn beschatten lassen und Berichte über jeden seiner Schritte verlangt. Da er mit dem ersten nicht zufrieden war, habe er einen zweiten, einen dritten Mann auf seinen Sohn angesetzt. Auch sie hätten angefangen, Berichte zu schreiben. Ebenso die anderen, die er später beauftragte ... Und während er diese Berichte las, sei er erneut von der Existenz der Großen Verschwörung überzeugt worden, die dieses Land, unseren Geist vernichten, unser Gedächtnis auslöschen wolle.

»Wenn Sie diese Berichte lesen, werden Sie verstehen, was ich meine«, sagte er. »Jeder muß alles, was mit ihnen zusammenhängt, beobachten. Ich habe eine große Aufgabe übernommen, die eigentlich dem Staat zustünde. Ich kann sie übernehmen, denn es gibt inzwischen viele Menschen mit gebrochenem Herzen, die mir zugetan sind und an mich glauben.«

Die kleine, von der erstiegenen Höhe aus übersehbare Postkartenlandschaft, ganz und gar Dr. Narins Eigentum, lag jetzt unter taubengrauen Wolken. Das sehr klare, scharfe Bild verlor sich, angefangen von dem Hügel mit dem Friedhof, in einem blassen, safrangelben Flimmern. »Dahinten regnet es«, sagte Dr. Narin. »Doch bis hierher wird es nicht kommen.« Er hatte wie ein Gott gesprochen, der von einer Höhe auf die Regungen des Daseins hinunterblickte, das sich kraft seines Willens bewegte, doch seine Stimme enthielt etwas Scherzhaftes, eine Selbstironie, die zeigte, daß er sich seiner Redeweise bewußt war. Ich stellte fest, daß dieser feine, unbestimmte Humor seinem Sohn ganz und gar fehlte. Ich hatte begonnen, Dr. Narin zu mögen.

Während zarte, zerbrechliche Blitze durch die Wolken zuckten, betonte Dr. Narin nochmals, daß es ein Buch gewesen sei, das seinen Sohn gegen ihn aufgebracht habe. Eines Tages habe sein Sohn ein Buch gelesen und geglaubt, daß sich die ganze Welt verändert habe. »Ali Bey«, fragte er, »Sie sind auch der Sohn eines Vertreters, auch Sie sind in Ihren Zwanzigern, sagen Sie mir, ist so etwas heutzutage möglich, ein Buch, das die ganze Welt eines Menschen verändern würde?« Ich schwieg und beobachtete Dr. Narin aus dem Augenwinkel. »Mit welchem Rezept von heute könnte eine so starke Magie verwirklicht werden?« Zum erstenmal stellte er eine Frage nicht, um einen Gedanken zu bestätigen, sondern um von mir eine Antwort zu erhalten, und ich schwieg verstört. Für einen Augenblick glaubte ich, er würde nicht auf die Steine der Burg hinter mir, sondern auf mich zugehen, dicht an mich herantreten. Plötzlich hielt er inne und pflückte etwas vom Boden.

»Sieh nur, was ich gefunden habe«, sagte er und zeigte mir in seiner offenen Hand, was er abgepflückt hatte. »Ein dreiblättriges Kleeblatt«, erklärte er lächelnd.

Nach diesem Angriff des Buches und des Geschriebenen

hatte Dr. Narin die Beziehungen zu dem Krawattenträger in Konya, dem pensionierten General in Sivas, zu Halis Bey in Trabzon und zu den anderen Freunden mit gebrochenem Herzen gefestigt, die sich aus Damaskus, Edirne und vom Balkan her gemeldet hatten. Als Maßnahmen gegen die Große Verschwörung hatten sie begonnen, ihre Waren untereinander zu kaufen und zu verkaufen, sich anderen gekränkten Brüdern anzuvertrauen und sich auf vorsichtige, menschliche und bescheidene Art gegen die Komplizen der Großen Verschwörung zusammenzuschließen. Dr. Narin hatte alle Freunde gebeten, ihre Sachen, all jene echten Dinge, die wie ein Teil ihrer Hände, ihrer Arme waren und ihre Seelen auf poetische Weise vollkommen machten, die fein taillierten Teegläser, Ölgefäße, Schreibzeugdosen, Steppdecken, »ebenjene Dinge, die dich zu dir selbst machen«, aufzubewahren, damit wir nach diesen Tagen des Elends und des Vergessens, wenn der Tag der Erlösung anbrach, nicht hoffnungslos dastehen würden wie Toren, die ihr Gedächtnis, »diesen unseren größten Schatz«, verloren hatten, und die »Souveränität unserer eigenen lauteren Zeit, die man auslöschen will«, siegreich wiedererrichten könnten. Auf diese Weise hatte jeder in seinem Laden – und falls der »Städtische Bestimmungen« genannte Staatsterror das Aufbewahren in den Läden verbot –, in den Wohnungen, Kellern, ja sogar in Gruben, die man im Garten aushob, oder unter der Erde, jeder eben auf seine Weise, alte Rechenmaschinen, Öfen, ungefärbte Seifen, Moskitonetze und Pendeluhren aufgehoben.

Als Dr. Narin zwischen den Zypressen hinter der Burgruine verschwand, weil er sich hin und wieder von mir entfernte und allein auf und ab ging, wartete ich auf ihn. Dann sah ich, daß er auf eine Erhöhung zuging, die hinter den hohen Hecken und Zypressen verborgen geblieben war, und lief ihm nach, um ihn einzuholen. Wir gingen eine leichte

Neigung hinab, die mit Farnen und Dornbüschen bewachsen war, und begannen dann, einen steilen Hang zu erklimmen. Dr. Narin ging voran und wartete manchmal auf mich, damit ich hören konnte, was er sagte.

Wenn schon die der Großen Verschwörung bewußt oder unbewußt als Werkzeug, als Schachfiguren Dienenden uns mit dem Geschriebenen, mit dem Buch angriffen, dann sollten wir, so hätten die Freunde gemeint, etwas dagegen unternehmen. »Welches Geschriebene?« fragte er mich, während er wie ein gewandter Pfadfinder von einem Felsbrocken zum anderen sprang. »Welches Buch?« Er habe nachgedacht. Eine Weile schwieg er, als wolle er mir zeigen, wie gründlich er überlegt und welch eine lange Zeit ihn das gekostet hatte. Er gab die Antwort, als er die Hand ausstreckte, um mich von einem Dornengestrüpp zu befreien, in dem sich mein Hosenbein verfangen hatte: »Nicht nur jenes Buch, das meinen Sohn verführt hat. Alle aus dem Druck kommenden Bücher sind die Feinde unserer Zeit und unseres Lebens.«

Wogegen er sich wende, seien nun nicht die mit der Feder aufgesetzten Schriften, die ein Teil der Hand seien, welche die Feder hielt, welche die Hand in Bewegung setzte, Schriften, die den Verstand beglückten und die Trauer, die Wißbegier und die Güte des Geistes zum Ausdruck brachten, der diesen Verstand erhellte. Er habe auch nichts gegen jene lehrreichen Bücher, die den unwissenden Bauern aufklärten, der mit den Nagern nicht fertig wurde, Bücher, die dem Unachtsamen die verlorene Richtung wiesen, die dem Verwirrten, der seine Seele verloren hatte, die Vorfahren nahebrachten, die dem Kind mit Bildergeschichten die unbekannte Welt und die Abenteuer zeigten, die sie zu bieten hatte, diese Bücher seien im Gegenteil heute so notwendig wie eh und je, und je mehr davon geschrieben würde, desto besser sei es. Wogegen er sich wende, das seien vielmehr jene Bücher, die ihre Ausstrahlung, ihre Echtheit, ihre Redlichkeit eingebüßt hätten und nur so taten, als besäßen sie Ausstrahlung, Echtheit und Redlichkeit. Jene Bücher, deren Behauptung zufolge wir das Geheimnis und den Frieden des Paradieses in den Mauern dieser engbegrenzten Welt finden könnten, sie seien es, die von den Kreaturen der Großen Verschwörung – eine Feldmaus huschte im Nu vorbei – unaufhörlich in den Verlagen gedruckt und verbreitet würden, um uns die Poesie und die Feinheit unseres Lebens vergessen zu machen. »Beweise?« fragte er und schaute mich zweifelnd an, als hätte ich gefragt. »Beweise?« Rasch kletternd wand er sich zwischen Felsen voller Vogelexkremente und schwächlichen kleinen Eichen hindurch.

Als Beweis müsse ich die Protokolle der Nachforschungen lesen, die er durch seine Leute, durch seine Agenten im ganzen Lande hatte durchführen lassen. Nach der Lektüre des Buches habe sein Sohn nicht nur die Orientierung verloren und seinem Vater und der Familie den Rücken gekehrt – nennen wir es rebellische Jugend! –, sondern er sei auch in eine Art »Blindheit«, eine Art »Todesverirrung« verfallen, die ihn blind gemacht hätten gegenüber dem ganzen Reichtum des Lebens, das heißt gegenüber der »geheimen Symmetrie der Zeit«, gegenüber all den »kleinen Einzelheiten der Dinge«. »Ist das alles die Tat eines einzigen Buches?« wollte Dr. Narin wissen. »Dieses Buch ist nur ein kleines Werkzeug der Großen Verschwörung!«

Trotzdem, sagte er sofort, habe er das Buch und seinen Verfasser keineswegs unterschätzt. Wenn ich die Berichte und Protokolle der Freunde und Agenten zu lesen bekäme, würde mir klarwerden, daß dieser Mann und sein Buch für Zwecke mißbraucht worden waren, die nicht in seiner Absicht gelegen hätten. Der Verfasser sei ein armseliger Beamter im Ruhestand und habe einen so schwachen Charakter, daß er nicht einmal den Mut habe aufbringen können, sein

Buch zu verteidigen. »Einen so schwachen Charakter, wie ihn sich diejenigen für uns wünschen, die uns mit der gedächtnisentleerenden Pest des Vergessens und den Strömungen aus dem Westen infizieren ließen ... Ein Schwächling, unscheinbar, ein Nichts! Er ist verschwunden, wurde vernichtet, vom Erdboden ausgelöscht.« Wort für Wort deutlich betonend, ließ er wissen, es tue ihm nicht leid, daß der Autor des Buches ermordet worden sei.

Eine lange Zeit kletterten wir, ohne zu sprechen, über einen Ziegenpfad. Silbrige Blitze zuckten ab und zu durch die Regenwolken, die ganz allmählich wanderten, doch weder näher kamen noch fortzogen, und wir hörten keinen Donner, ganz so, als säßen wir vor einem Fernseher mit abgeschaltetem Ton. Auf der Höhe angekommen, überschauten wir nicht nur Dr. Narins Grundbesitz, sondern auch, sauber und ordentlich wie der von einer fleißigen Hausfrau gedeckte Tisch, das Städtchen unten in der Ebene, rote Ziegeldächer, die Moschee mit ihrem schlanken Minarett, die sich in alle Richtungen verteilenden Straßen und außerhalb der Ortschaft die geradlinig abgegrenzten Weizenfelder und Obstgärten.

»Bevor mich der Tag morgens weckt und mich empfängt, erwache ich und empfange den Tag«, erklärte Dr. Narin, während er die Landschaft betrachtete. »Hinter den Bergen kommt der Morgen hervor, doch der Mensch begreift gemeinsam mit den Schwalben, daß die Sonne andernorts schon lange aufgegangen ist. Ich steige morgens manchmal bis hier hinauf und empfange die Sonne, die mich begrüßt. Die Natur ist ruhig, die Bienen und die Schlangen halten sich noch verborgen. Ich und die Welt, wir fragen uns gegenseitig, warum wir existieren, warum wir zu dieser Stunde hier sind, was ihr und mein Ziel, unser größtes Ziel ist. Nur wenige Sterbliche denken gemeinsam mit der Natur darüber nach. Falls die Menschen überlegen, gibt es nur ein paar armselige Gedanken in ihren Hirnen, die sie von anderen hörten und für ihre eigenen halten, aber nicht solche Dinge, die sie beim Blick in die Natur entdeckt haben. Sie sind alle schwach, unbedeutend und empfindlich.

Daß man stark und entschlossen sein muß, um fest auf den Füßen zu stehen, war mir schon klar gewesen, bevor ich die Existenz der Großen Verschwörung aus dem Westen entdeckte«, erklärte Dr. Narin. »Die melancholischen Straßen, die geduldigen Bäume und die trüben Laternen blieben gleichmütig, so sammelte auch ich meine Sachen zusammen und brachte meine eigene Zeit in Ordnung; ich beugte mich nicht der Geschichte und dem Spiel derer, die Herrscher der Geschichte sein wollen. Warum sollte ich mich beugen? Ich glaubte an mich selbst. Und weil ich an mich glaubte, glaubten auch andere an meine Widerstandskraft und an die Poesie meines Lebens. Ich habe sie wunschgemäß an mich gebunden. Auf diese Weise entdeckten auch sie ihre eigene Zeit. Wir haben uns zusammengetan. Wir sandten einander chiffrierte Nachrichten, schrieben uns Briefe wie Liebende, trafen uns nur ganz im geheimen. Unsere erste Vertreterversammlung in Güdül ist der Erfolg eines jahrelangen Kampfes, einer Bewegung, die so geduldig plante und vorging wie beim Graben eines Brunnens mit einer Nadel, der Erfolg einer Organisation, die mit der Sorgfalt und Akribie eines Spinnennetzes gewebt wurde, Ali Bey! Der Westen kann jetzt tun, was er will, er wird uns nicht von unserem Weg abbringen!« Nach einem Schweigen setzte er hinzu: Drei Stunden nachdem ich mit meiner hübschen Frau Güdül heil und gesund verlassen hätte, seien in der Stadt Brände ausgebrochen. Und daß die Feuerwehr trotz all der staatlichen Unterstützung erfolglos blieb, sei kein Zufall. Denn auch die Tränen und der Zorn der Freunde mit gebrochenem Herzen, die ahnten, daß ihnen die Seele, die eigene Poesie und die Erinnerungen gestohlen worden waren, seien bei den Aufständischen, bei den von der Presse angeschwärzten Plünderern gewesen. Ob ich wohl wisse, daß man Autos angesteckt hatte, daß geschossen worden und auch eine Person – einer der Ihren – gestorben war? Natürlich habe der Landrat, dem die Inszenierung dieser ganzen Provokation zusammen mit Ankara und den örtlichen Parteien zu verdanken war, die Versammlung der Vertreter mit gebrochenem Herzen wegen Störung der öffentlichen Ordnung verboten.

»Die Dinge sind nun einmal ins Rollen gekommen«, sagte Dr. Narin. »Nachgeben werde ich nicht. Die Auseinandersetzung mit dem Thema Engel hat während der Versammlung auf meinen Wunsch stattgefunden. Ebenso wollte ich, daß ein Fernsehgerät gebaut wurde, das unser Gemüt und unsere Kindheit reflektierte, und ich habe es bauen lassen. So wie ich auch wollte, daß solche Schlechtigkeiten wie das Buch, das ich meinem Sohn abgenommen habe, bis in das Loch, aus dem sie gekommen sind, bis in die tückische Grube, die sie ausgeheckt hat, zurückverfolgt und vernichtet werden. Wir haben erfahren, daß jedes Jahr Hunderte und Aberhunderte unserer Jugendlichen mit dieser Sorte Spiel ›ihr ganzes Leben veränderten‹, daß man ihnen ein, vielleicht auch zwei Bücher in die Hand drückte und ›alle ihre Welten durcheinandergeraten waren‹. Ich habe jede Einzelheit bedacht. Es war kein Zufall, daß ich der Versammlung ferngeblieben bin. Und daß ich durch jene Versammlung einen jungen Mann wie Sie für mich gewinnen konnte – auch diese Gunst des Schicksals hat sich nicht auf gut Glück ergeben. Alles fügt sich so, wie ich es vorher durchdacht hatte … Mein Sohn war in Ihrem Alter, als er mir durch einen Verkehrsunfall genommen wurde … Heute ist der Vierzehnte des Monats. Ich habe meinen Sohn am Vierzehnten des Monats verloren.«

Als Dr. Narin seine große Faust öffnete, sah ich den Klee.

Er hielt ihn am Stiel, schaute ihn für einen Augenblick sehr genau an und überließ ihn dann dem schwachen Luftstrom. Aus der Richtung der Regenwolken kamen leichte Windstöße; doch mir schien, als nähme ich nur ihre Kühle wahr, nicht aber ihr Wehen. Die taubengrauen Wolken selbst waren wie unschlüssig auf ihren Plätzen hängengeblieben. Eine Stelle weit hinter der Ortschaft köchelte in einem gelblich-blassen Schimmer. Dr. Narin meinte, dort regne es jetzt gerade. Als wir auf der anderen Seite der Hügelkuppe an den Rand des Felsenabgrundes kamen, sahen wir, daß sich die Wolken über dem Friedhof geöffnet hatten. Ein Milan, der in der stellenweise erschreckend steilen Felswand nistete, warf sich aufgeregt in die Luft, als er uns bemerkte, und begann, über Dr. Narins Besitzungen einen weiten Kreis zu ziehen. Wir schauten dem Vogel, der fast ohne einen Flügelschlag dahinglitt, still und achtungsvoll, ja mit Bewunderung zu.

»In diesem ganzen Grund und Boden liegen der Reichtum und die Kraft«, erklärte Dr. Narin, »um das große Unternehmen, um meine große Idee aufrechtzuerhalten, die ich, inspiriert von einer einzigen klaren Vorstellung, zur Reife brachte. Wäre mein Sohn willensstark genug gewesen und nicht trotz seiner Intelligenz von der Großen Verschwörung überlistet und von einem Buch auf Abwege geführt worden, würde er heute von dieser Höhe herunterschauen und die Stärke und Schöpferkraft fühlen, die ich empfinde. Ich weiß, Sie haben heute dieselbe Intuition und sehen denselben Horizont vor sich. Als man mir von Ihrer Entschlossenheit auf der Vertreterversammlung berichtete, verstand ich sofort, daß nichts daran übertrieben war. Und ich zögerte nicht, als ich Ihr Alter erfuhr; es war nicht einmal nötig, Ihre Vergangenheit zu erforschen. Sie haben in einem Alter, in dem mir mein Sohn durch Betrug und Grausamkeit genommen wurde, alles soweit begriffen, daß

Sie auf eigenen Wunsch an der Vertreterversammlung teilnahmen. Unsere nur eintägige Bekanntschaft hat mich gelehrt, daß die Geschichte die bei einer Person unterbrochenen Willenshandlungen bei einer anderen Person wiederaufnimmt. Nicht umsonst habe ich Ihnen das kleine Museum meines Sohnes geöffnet. Sie waren der erste, der dieses Zimmer außer seiner Mutter und seinen Schwestern betreten hat. Dort haben Sie sich selbst, Ihre eigene Vergangenheit und Zukunft gesehen. Den nächsten Schritt, der nun unternommen werden muß, werden Sie verstehen, wenn Sie auf mich, auf Dr. Narin, hören. Sei mein Sohn! Nimm seinen Platz ein. Führe du alles nach mir fort. Ich bin ein alter Mann, doch meine Leidenschaften sind noch nicht mürbe geworden. Zu gern möchte ich glauben, daß du dieses Unternehmen weiterführst. Ich habe auch Verbindungen zu staatlichen Stellen. Meine Berichterstatter sind noch tätig. Ich lasse Hunderte von irregeleiteten Jugendlichen beobachten. Alle Akten werde ich dir zugänglich machen, denn alles, was mein Sohn unternahm, habe ich beobachten lassen, du wirst es lesen. Wie viele junge Menschen es gibt, die man verleitet hat! Du darfst die Verbindung zu deinem Vater, zu deiner Familie nicht abbrechen. Ich möchte dir auch meine Waffensammlung zeigen. Sage ja zu mir! Sage: Ja, ich bin mir meiner Verantwortung bewußt. Ich bin kein Schwächling, ich erkenne alles! Viele Jahre habe ich vergeblich auf einen Sohn gewartet, habe gelitten, dann wurde er mir genommen, ich habe noch stärker gelitten, aber nichts wäre mir schmerzlicher, als keinen Erben für diese Hinterlassenschaft zu finden.«

Während sich hie und da in der Ferne die Regenwolken teilten, fielen Sonnenstrahlen auf Dr. Narins Land, wie das Licht der Szenenbeleuchtung hie und da auf eine Bühne fällt. Ein für Momente aufleuchtendes Stück Land, ein ebener Abschnitt mit Apfelbäumen und Weiden, der Friedhof, auf dem, wie er sagte, sein Sohn ruhte, die karstige Erde im Umkreis einer Hürde, sie alle veränderten nach kurzer Zeit ihre Farbe, und wir konnten beobachten, wie das kegelförmige Lichtbündel wie ein höchsterregter Geist, der vorwärtsdrängend keine Grenzen kennt, mit ein paar raschen Schritten über die Felder hastete und verschwand. Als ich entdeckte, daß wir von unserem Standpunkt aus einen großen Teil des Weges sehen konnten, der uns auf den Hügel geführt hatte, wanderten meine Blicke die ganze Strecke von dem Felsenabgrund über den Ziegenpfad, die Maulbeerbäume, die erste Anhöhe, die Baumgruppen und die Weizenfelder immer weiter zurück und trafen plötzlich, wie die eines Menschen, der sein Haus zum erstenmal vom Flugzeug aus sieht, verwundert auf Dr. Narins Villa. Sie stand, von Baumgruppen umgeben, in der Mitte eines ziemlich weitläufigen und ebenen Geländes, und fünf kleine Menschlein waren auf dem Weg zu den Pinien und zu der Straße, die von dem ebenen Gelände zur Ortschaft führte, und daß eins davon Canan war, erkannte ich an dem kirschroten Kattunkleid, das sie zuletzt gekauft hatte, nein, nicht nur daran, auch an ihrem Gang, ihrer Haltung, an ihrer Feinheit, ihrer Eleganz, nein, an dem Schlagen meines Herzens. Plötzlich sah ich, daß weit in der Ferne, am Rande des Gebirges, das an den Grenzen von Dr. Narins kleinem Wunderland begann, ein Regenbogen entstanden war.

»Wenn andere die Natur betrachten«, meinte Dr. Narin, »sehen sie dort ihre eigenen Grenzen, Unzulänglichkeiten und Ängste. Aus Furcht vor den eigenen Schwächen nennen sie es dann die Grenzenlosigkeit und Größe der Natur. Ich aber sehe in der Natur eine mächtige Botschaft, die zu mir spricht, mich an meine Willenskraft gemahnt, die mich aufrecht hält, sehe eine reiche Schrift, die ich entschlossen, ungerührt und furchtlos lese. Genau wie große Zeiten und große Länder sind große Männer solche, die so viel innere

Kraft speichern konnten, daß es sie fast zu sprengen droht. Wenn die Zeit kommt, die Vorzeichen stimmen, wenn von neuem Geschichte gemacht wird, dann beginnt sie, sich zu regen, diese große Kraft, treibt den großen Mann zur Tat und trifft mit ihm ohne Mitleid ihre Entscheidungen. Und ebenso schonungslos beginnt das Schicksal zu agieren. An jenem großen Tag wird der Öffentlichkeit, den Zeitungen, den aktuellen Ideen, dem AYGAZ-Zeug, den LUX-Seifen, den COCA-COLAs und den MARLBOROs und den kleinen Sachen und der kleinen Moral unserer armen vom Westwind verführten Brüder nicht der geringste Wert mehr beigemessen.«

»Darf ich, bitte, die Berichte lesen?« fragte ich.

Lange Zeit blieb es still. Der Regenbogen spiegelte sich in Dr. Narins staubigen, befleckten Brillengläsern symmetrisch glänzend als ein doppelter Regenbogen wider.

»Ich bin ein Genie«, sagte Dr. Narin.

ZEHNTES KAPITEL

Wir gingen zum Landhaus zurück. Nach einem gemeinsamen, ruhigen Mittagessen ließ mich Dr. Narin mit einem Schlüssel, der jenem glich, mit dem uns Gülcihan morgens Mehmets Kinderzimmer geöffnet hatte, in sein Arbeitszimmer ein. Während er die Hefte aus dem Schrank, die Akten aus den Regalen nahm und mir vorlegte, sprach er von der Willenskraft, welche die Anfertigung dieser Zeugenaussagen, dieser Agentenberichte anordnen ließ, und daß er nicht außer acht gelassen habe, daß diese Willenskraft sich eines Tages in Form eines Staates äußern könne. Wenn er, wie es die von ihm organisierte Agentenbürokratie gezeigt habe, der Großen Verschwörung gegenüber erfolgreich sei, würde Dr. Narin einen neuen Staat gründen.

Da alle Berichte akribisch genau datiert und eingeordnet waren, fiel es mir tatsächlich leicht, in das Herz der Dinge vorzudringen. Dr. Narin hatte die Leute, die er seinem Sohn nachspüren ließ, nicht miteinander bekannt gemacht, hatte jedem von ihnen als Pseudonym den Namen einer Uhrenmarke gegeben. Obwohl die meisten westlicher Herkunft waren, sah Dr. Narin diese Uhren als die »unseren« an, da sie seit fast hundert Jahren ihrer Existenz unsere Zeit anzeigten.

Der erste Agent, Zenith, hatte den ersten Bericht im März vor vier Jahren geschrieben. Damals hieß Mehmet noch Nahit und war Student der Medizin in der Istanbuler Çapa-Universität gewesen. Zenith stellte fest, daß dieser Student im sechsten Semester seit dem Herbst in den Seminaren außerordentlich schlechte Leistungen erbringe, und faßte seine Beobachtungen wie folgt zusammen: »Der Grund für die Erfolglosigkeit des Genannten während der letzten Monate besteht darin, daß er das Studentenheim in Kadırga kaum verlassen und die Seminare, die Kranken-stationen, ja die Hospitale selbst überhaupt nicht mehr auf-gesucht hat.« Die Akte war gefüllt mit Berichten, die ge-nau festhielten, wann Nahit das Studentenheim verlassen hatte und zu welchem Barbier, Pide-, Kebab-, Puddingladen, zu welcher Bank er gegangen war. Nachdem er seine Ange-legenheiten erledigt hatte, war Mehmet jedesmal schnur-stracks und schnellen Schrittes in das Studentenheim zurückgekehrt, und mit jeder Meldung hatte Zenith von Dr. Narin mehr Geld für seine »Untersuchungen« gefordert.

Movado, den Dr. Narin nach Zenith beauftragte, muß einer der Leiter des Studentenheims in Kadırga gewesen sein, und wie viele Heimleiter stand er mit der Polizei in Verbindung. Meiner Ansicht nach mußte dieser erfahrene Mann, der Mehmet nahezu jede Stunde beobachten konnte, früher schon für andere wißbegierige Väter in der Provinz oder für MIT, den Nationalen Nachrichtendienst, Berichte über Studenten verfaßt haben, denn er skizzierte das Gleich-gewicht der politischen Kräfte in dem Studentenheim mit professionellem Geschick und meisterhafter Kürze. Resul-tat: Zu den dort um Einfluß kämpfenden Gruppen, von denen zwei extrem fundamentalistisch waren, eine der Nakşibendi-Sekte zugehörte und eine aus gemäßigt linken Studenten bestand, hatte Nahit keinerlei Verbindung. Un-ser junger Mann lebte ohne jede Reibung mit diesen Grup-pen ganz für sich in seinem eigenen Winkel, in einem Zim-mer, das er mit drei Freunden teilte, und sah, »wenn man so sagen darf, bitte sehr«, wie ein den Koran studierender Hafız von morgens bis abends, ohne den Kopf zu heben, nichts weiter an als ein einziges Buch. Die Heimleitung, die Movados politischen und ideologischen Vorstellungen ver-traute, die Polizei und die Zimmergenossen unseres jungen Mannes hatten bezeugt, daß dieses Buch keines der gefährlichen Sorte war, die von der politisch und religiös aktiven Jugend auswendig gelernt wurde. Movado hatte hinsichtlich dieses Falls, den er nicht sehr wichtig nahm, noch ein, zwei Beobachtungen hinzugefügt, zum Beispiel, daß der junge Mann nach stundenlangem Lesen am Tisch in seinem Zimmer ganz verträumt aus dem Fenster schaute oder den Sticheleien, ja dem offenen Spott seiner Freunde in der Kantine lächelnd oder gar gleichgültig begegnete, oder auch, daß er sich nicht mehr jeden Tag rasierte. Doch aus seiner Erfahrung heraus konnte Movado seinem Efendi als erfreuliche Nachricht mitteilen, daß all dies »vorübergehende« Jugendgelüste seien, wie das ständig wiederholte Anschauen desselben Sexfilms, das tausendfache Anhören derselben Kassette oder der Wunsch nach immer dem gleichen Porree mit Hackfleisch.

Der im Mai seine Tätigkeit aufnehmende Omega mußte wohl von Dr. Narin einen entsprechenden Befehl empfangen haben, da er dem von Mehmet so viel gelesenen Buch nachspürte. Was auch der Vermutung des Vaters bereits in den ersten Monaten recht gab, daß es nämlich dieses Buch war, welches Mehmets, das heißt Nahits Leben aus der Bahn geworfen hatte.

An vielen Plätzen Istanbuls, wo man Bücher verkaufte, hatte sich Omega umgesehen, unter anderem auch an jenem Stand, an dem ich drei Jahre später mein Buch erwarb. Während seiner geduldigen Nachforschungen war er an zwei Straßenständen auf das Werk gestoßen, aufgrund der Auskünfte der Verkäufer zu einem der Antiquariate am Beyazıt-Platz gegangen und nach dem, was er dort erfahren hatte, zu folgendem Ergebnis gekommen: Eine geringe Stückzahl der Auflage, bis zu hundertfünfzig oder zweihundert Exemplaren, die aus einer unbekannten Quelle stammten, das heißt vermutlich aus einem schimmelverseuchten Buchlager, das man schließen oder räumen wollte, war kiloweise von einem Altwarenhändler aufgekauft und an eins der Antiquariate und an ein paar Straßenstände weitergegeben worden. Der kiloweise aufkaufende Vermittler hatte sich mit seinem Partner gestritten, sein Geschäft geschlossen und Istanbul verlassen. So war es unmöglich, ihn zu finden und den ursprünglichen Verkäufer zu ermitteln. Der Besitzer des Antiquariats hatte Omega auf den Gedanken gebracht, dieses Buch sei von der Polizei verteilt worden: Irgendwann einmal legal verlegt, auf Verlangen eines Staatsanwalts beschlagnahmt und in einem Polizeidepot eingelagert, hätten, wie so oft, Polizeibeamte in Geldnot einen Teil davon gestohlen und als Kiloware an Altwarenhändler verkauft, so daß es wieder in Umlauf gekommen sei.

Als der tüchtige Omega weder in den Bibliotheken ein weiteres Werk des Autors noch in einem der alten Telefonbücher dessen Namen finden konnte, war ihm folgende Idee gekommen: »Obwohl bekanntlich, bitte sehr, manche Leute, die sich nicht einmal ein Telefon leisten können, die Impertinenz besitzen, Bücher zu schreiben, so glaube ich andererseits, daß der Name des Verfassers dieses speziellen Werkes ein angenommener ist.«

Mehmet, den ganzen Sommer über in dem leeren Studentenheim mit dem Lesen und Wiederlesen des Buches beschäftigt, hatte vor Herbstanfang selbst eine Nachforschung begonnen, die ihn zu den Ursprüngen des Buches führen sollte. Diesmal setzte ihm sein Vater einen Mann auf die Fersen, dessen Pseudonym einer in den ersten Jahren der Republik in Istanbul weit verbreiteten sowjetischen Taschen- und Tischuhrenmarke entsprach: Serkisof.

Nach Serkisofs Feststellung, Mehmet lese nun ständig und mit Hingabe in der staatlichen Bibliothek von Beyazıt, meldete er Dr. Narin zunächst die freudige Nachricht, daß dieser junge Mann das normale Studentendasein wiederaufnehme und an den vernachlässigten Studien arbeite. Als er jedoch später herausfand, daß unser Junge seine Tage in der Bibliothek mit der Lektüre von Kinderserien wie *Pertev und Peter* oder *Ali und Marie* verbrachte, hatte er die Zuversicht verloren, als Trost aber den Gedanken geäußert, der junge Mann hoffe möglicherweise, durch die Rückkehr zu seinen Kindheitserinnerungen die Krise zu überwinden, in die er geraten war.

Den Berichten zufolge war Mehmet im Oktober nach Babıali gegangen, um dort ein paar Verlage, die Kinderzeitschriften herausbrachten oder früher herausgebracht hatten, sowie auch einige gewiefte, für diese Zeitschriften tätige Schriftsteller vom Schlage eines Neşati zu besuchen. In der Annahme, Dr. Narin lasse den Jungen wegen seiner politischen oder ideologischen Beziehungen beobachten, hatte sich Serkisof über jene Persönlichkeiten wie folgt geäußert: »Wie sehr sich diese Leute auch mit Politik zu beschäftigen scheinen und tagespolitische und ideologische Themen kommentieren, so gibt es im Grunde genommen keine Idee, an die diese Federfuchser von Herzen glauben. Die meisten von ihnen schreiben für Geld, und wenn nicht das, dann um jene zu verdrießen, die sie nicht mögen.«

Daß Mehmet eines Morgens im Herbst zum Personalbüro der Staatsbahnen in Haydarpaşa ging, konnte ich sowohl Serkisofs wie auch Omegas Bericht entnehmen, die beide voneinander nichts wußten. Es war Omega, der die richtige Information erlangte: »Der Junge wollte sich nach einem der pensionierten Beamten erkundigen.«

Ich blätterte hastig die gehefteten Berichtseiten um. Voller Aufregung suchten meine Augen nach den Namen meines Viertels, meiner Straße, meiner Kinderzeit. Als ich las, wie Mehmet durch die Straße gegangen war, in der ich wohnte, wie er eines Abends zu den Fenstern einer Wohnung im zweiten Stock hinaufgeschaut hatte, begann mein Herz schneller zu schlagen. Es war, als ob die Wegbereiter seiner Wunderwelt, in die ich demnächst gerufen würde, ihre ganzen Fähigkeiten auf elegante Weise direkt vor mir ausbreiten wollten, um es mir leichter zu machen, doch ich, damals noch ein Oberschüler, hatte nicht das geringste davon erfahren.

Mehmets Treffen mit Onkel Rıfkı hatte am folgenden Tag stattgefunden. Was allerdings meine Schlußfolgerung war. Daß der Junge ein Haus in Erenköy, Telli-Kavak-Straße 28, betrat und sich sechs, nein, fünf Minuten darin aufhielt, war von beiden der auf Mehmet angesetzten Männer festgestellt worden, nicht aber, an welcher Wohnungstür er klingelte oder mit wem er sich unterhielt. Der fleißige Omega hatte wenigstens den Krämergehilfen in dem Eckladen befragt und Auskunft über die drei Familien eingeholt, die das Gebäude bewohnten. Dies muß, so nehme ich an, das erste Mal gewesen sein, daß Dr. Narin etwas über Onkel Rıfkı erfuhr.

In den Tagen nach dem Treffen mit Rıfkı Bey war Mehmet in eine sogar von Zenith wahrgenommene Krise geraten. Movado hatte verzeichnet, der Junge bleibe nur noch auf seinem Zimmer im Studentenheim und gehe nicht einmal mehr zur Kantine hinunter, doch beim Lesen des Buches habe er ihn kein einziges Mal beobachten können. Mehmet verließ das Heim nur noch sporadisch und, wie Serkisof meinte, ohne jedes Ziel. In einer Nacht war er bis zum Morgen durch die Gassen von Sultanahmet gelaufen, hatte sich in den Park gesetzt und stundenlang Zigaretten geraucht. In einer anderen Nacht wiederum war Omega Zeuge geworden, wie er in vier Stunden eine Tüte voll Weintrauben leerte, wobei er jede Traube lange Zeit wie ein Juwel betrachtete, langsam zerkaute und hinunterschluckte, um dann ins Heim zurückzukehren. Sein Bart war gewachsen und seine Kleidung liederlich geworden. Die Beschatter beschwerten sich in ihren Berichten über die unregelmäßig gewordenen Ausgangszeiten des jungen Mannes und verlangten höhere Honorare.

Eines Nachmittags Mitte November hatte Mehmet den Dampfer nach Haydarpaşa bestiegen, war von dort mit dem Zug bis nach Erenköy gefahren und dort lange, lange durch die Straßen gewandert. Omega zufolge, der ihm auf den Fersen war, hatte der Junge sämtliche Straßen des Viertels durchstreift, und nachdem er dreimal unter meinem Fenster vorbeigegangen war – vermutlich, während ich drinnen saß –, hatte er sich bei Einbruch der Dunkelheit zum Haus Telli-Kavak-Straße 28 begeben und damit begonnen, von der anderen Straßenseite aus zu den Fenstern hochzuschauen. Nach zwei Stunden Warten in der Dunkelheit unter dem Nieselregen war Mehmet, ohne sich irgendwie entschließen zu können oder, wie Omega meinte, weil er von den erleuchteten Fenstern her nicht das gewünschte Signal erhielt, abends in eine der Kadıköyer Kneipen gegangen, wo er sich ordentlich betrank, und dann ins Heim zurückgekehrt. Später meldeten Omega und Serkisof, daß der Junge die gleiche Reise sechsmal wiederholt habe, und der stets präzisere Serkisof fand auch die Person hinter dem erhellten Fenster heraus, zu dem der Junge ständig aufschaute.

Das zweite Treffen Onkel Rıfkıs mit Mehmet hatte sich vor Serkisofs Augen abgespielt. Er hatte die hellen Fenster im zweiten Stock zuerst vom gegenüberliegenden Gehsteig, dann von der niedrigen Gartenmauer aus scharf beobachtet und das Treffen – manchmal sagte er Rendezvous – in seinen späteren Briefen viele Male gedeutet, doch seine ersten Eindrücke trafen eher zu, denn sie orientierten sich mehr an den Fakten und dem, was er zu sehen bekam.

Zu Anfang saßen sich der alte und der junge Mann auf zwei Sesseln gegenüber (zwischen ihnen ein Fernseher, der einen Cowboyfilm zeigte) und sprachen sieben bis acht Minuten lang kein Wort miteinander. Irgendwann brachte ihnen die Frau des Alten Kaffee. Dann war Mehmet aufgestanden und hatte irgendwelche Dinge so leidenschaftlich und heftig mit den Armen fuchtelnd geschildert, daß Serkisof meinte, der Junge sei dabei, die Hand gegen den Alten zu erheben. Als dann die Rede des Jungen noch ungestümer wurde, war der bis dahin nur betrübt lächelnde Rıfkı Bey aufgestanden und hatte ihm ähnlich erregt geantwortet. Danach setzten sich beide, von ihren getreuen Schatten an den Wänden imitiert, wieder in die Sessel und hörten einander geduldig zu, schwiegen, blickten voll Trauer ein Weilchen auf den Bildschirm, sprachen wieder, dann erzählte der Alte für einige Zeit, und der Junge hörte zu, danach wieder schauten sie schweigend und tieftraurig aus dem Fenster, ohne aber Serkisof wahrzunehmen.

Doch eine boshafte Frau in dem Apartmenthaus nebenan entdeckte den spionierenden Serkisof und schrie in den höchsten Tönen aus dem Fenster: »Hilfe! Allah strafe ihn! Ein Perverser!«, so daß unser Beobachter leider gezwungen war, seinen so günstigen Posten Hals über Kopf zu verlassen, ohne die letzten drei Minuten jenes Treffens festhalten zu können, das er für sehr wichtig hielt und in seinen folgenden Briefen mit Hypothesen über diverse Geheimorganisationen, internationale politische Bruderschaften und Komplotte verknüpfte.

Wie aus der folgenden Akte hervorging, hatte Dr. Narin zu jener Zeit verlangt, seinen Sohn besonders scharf zu beobachten, so daß eine Flut von Agentenberichten über ihn hereingebrochen war. In den Tagen nach seinem Gespräch mit Rıfkı Bey war Mehmet, wie Omega meinte, kaum mehr Herr seiner selbst, Serkisof zufolge jedoch überaus traurig und fest entschlossen, und er kaufte die Exemplare des Buches überall dort auf, wo er sie ausgestellt fand, und versuchte, »dieses Werk« im Studentenheim Kadırga (Movado), in den Studentencafés (Zenith und Serkisof) und an allen nur denkbaren Orten der Stadt wie Omnibushaltestellen, Kinoeingängen und Schiffsanlegestellen (Omega) zu verteilen, was ihm auch teilweise gelang. Movado fiel vor allem auf, daß Mehmet seine Zimmergenossen im Heim rücksichtslos zu beeinflussen versuchte. Man hatte Mehmets Versuche registriert, auch an anderen Studententreffpunkten junge Leute um sich zu versammeln, doch da er bis jetzt sehr zurückgezogen in seiner eigenen Welt gelebt hatte, war ihm dabei nur wenig Erfolg beschieden. Gerade erfuhr ich, daß er in den Kantinen der Studentenheime und in den Vorlesungen, die er allein zu diesem Zweck wiederaufnahm, ein paar Studenten überredet und sie dazu gebracht hatte, das Buch zu lesen, da stieß ich auf einen Zeitungsausschnitt:

MORD IN ERENKÖY (A. A.): Rıfkı Hat, Hauptinspektor der Staatlichen Eisenbahnen im Ruhestand, wurde gestern abend gegen neun Uhr von einem Unbekannten erschossen. Als er abends sein Haus verließ, um das Café aufzusuchen, gab eine Person, die sich Hat in der Telli-Kavak-Straße entgegenstellte, drei Schüsse auf ihn ab. Der Angreifer entkam sofort unerkannt vom Schauplatz. Hat (67), der seinen Verletzungen sofort erlag, war nach aktivem Dienst auf verschiedenen Rangstufen der Staatlichen Eisenbahnen zuletzt als Hauptinspektor in den Ruhestand getreten. Der Tod Hats, der in seiner Umgebung sehr beliebt war, wird tief bedauert.

Ich hob meinen Kopf von den Akten und erinnerte mich: Mein Vater war sehr spät und ganz verstört nach Hause gekommen. Alle hatten auf dem Begräbnis geweint. Es war die Rede von einem Mord aus Eifersucht gewesen. Wer war dieser eifersüchtige Mann? Ich versuchte es herauszufinden, während ich Dr. Narins ordentliche Akten hastig durchblätterte: Der fleißige Serkisof? Der schwache Zenith? Der präzise Omega?

Einer weiteren Akte entnahm ich, daß die Nachforschungen, die Dr. Narin mit wer weiß welchen Kosten gefördert hatte, noch zu einem anderen Ergebnis gelangt waren. Der höchstwahrscheinlich auch für den MIT tätige Agent mit der Uhrenbezeichnung Hamilton hatte Dr. Narin in einem kurzen Schreiben folgendes mitgeteilt:

Rıfkı Hat war der Verfasser des Buches. Er hatte das Werk vor zwölf Jahren geschrieben und, wie üblich bei Leuten, die ambitioniert, aber schüchtern sind, nicht gewagt, seinen eigenen Namen darauf zu setzen. Die für die Presse zuständigen Nachrichtendienstleute mit einem offenen Ohr für die Beschwerden von Vätern und Lehrern, die sich in jenen Jahren um die Zukunft ihrer Söhne und Studenten sorgten, hatten den Meldungen entnommen, daß einige unserer Jugendlichen vom rechten Weg abgekommen waren, daraufhin über die Druckerei die Identität des Amateur-Schriftstellers festgestellt und die Lösung des Problems dem in dieser Hinsicht sehr erfahrenen Presse-Staatsanwalt überlassen. Der Staatsanwalt hatte ein Exemplar des Buchs vor zwölf Jahren in aller Stille beschlagnahmen und in ein Depot schaffen lassen. Doch war es nicht einmal nötig gewesen, den eifrigen Autor anzuklagen und damit einzuschüchtern, denn schon bei der ersten Vorladung zur Staatsanwaltschaft hatte er, der pensionierte Eisenbahninspektor Rıfkı Hat, auf eine klare, fast schon an Zufriedenheit grenzende Art und Weise zum Ausdruck gebracht, daß er den Beschluß zur Beschlagnahme des Buches nicht anfechten würde, hatte das auf eigenen Wunsch ausgefertigte Protokoll sofort unterzeichnet und später auch kein weiteres Buch mehr geschrieben. Hamiltons Bericht war elf Tage vor dem Mord an Onkel Rıfkı ausgestellt worden.

Aus Mehmets Reaktionen ließ sich erkennen, daß ihm

Onkel Rıfkıs Ermordung sehr schnell zu Ohren gekommen war. Der »verirrte Jüngling« hatte sich, so Movado, in leidendem Zustand auf sein Zimmer zurückgezogen und mit geradezu religiösem Eifer begonnen, von morgens bis abends das Buch zu lesen. Omega wie auch Serkisof, der meldete, daß Mehmet später das Heim verlassen habe, waren beinahe überzeugt davon, daß unser Junge weder Ziel noch Plan hatte. An einem Tag wanderte er sinnlos wie ein Streuner stundenlang durch die Gassen von Zeyrek, um dann wieder einen ganzen Nachmittag in den Kinos von Beyoğlu zu verbringen und sich Pornofilme anzusehen. Manchmal stellte Serkisof fest, daß er mitten in der Nacht das Heim verließ, wußte aber nicht zu sagen, wohin er gegangen sein mochte. Einmal entdeckte ihn Zenith um die Mittagszeit in aufgelöstem Zustand: Haar und Bart waren lang gewachsen, sein Äußeres war gänzlich verwahrlost, und er blickte die Leute in den Straßen, auf den Gehsteigen »wie eine Eule an, die das Tageslicht scheut«. Er blieb jetzt allem fern, den Studentencafés, den Gängen der Universität, die er aufgesucht hatte, um Leser für das Buch zu finden, und allen Bekannten. Eine Beziehung zu einer Frau oder irgendein Bemühen in der Richtung gab es nicht. Movado, der Heimleiter, hatte einmal in Mehmets Abwesenheit dessen Zimmer durchsucht und ein paar Magazine mit Aktfotos gefunden, aber gleich hinzugefügt, dies sei bei den meisten Studenten üblich. Wie aus dem mühevollen Tun Zeniths und Omegas hervorging, die nichts voneinander wußten, war er eine Zeitlang dem Alkohol verfallen. Nachdem sich aber in der zumeist von Studenten besuchten Bierkneipe der Şen Karga Kardeşler – der lustigen Krähenbrüder – aus einer ironischen Bemerkung ein Streit entwickelt hatte, bevorzugte er die etwas mehr heruntergekommenen Kneipen in den weiter abgelegenen Gassen. Wie sehr er auch für eine Weile versucht hatte, mit seinen Kommilitonen oder mit den Kneipenbekanntschaften von neuem in Kontakt zu kommen, so wenig war es ihm gelungen. Danach hatte er sich stundenlang vor den Auslagen der Buchhändler aufgestellt und seine Zeit damit vertan, eine verwandte Seele zu finden, die wie er das Buch kaufen und lesen würde. Einige junge Leute, mit denen er sich befreunden konnte und die er dazu gebracht hatte, das Buch zu lesen, suchte er wieder auf, doch Zenith zufolge war er seiner Reizbarkeit wegen sofort mit ihnen in Streit geraten. Omega war es gelungen, eine dieser Auseinandersetzungen, die sich in den Seitenstraßen von Aksaray in einer Kneipe abspielte, wenigstens aus einigem Abstand zu verfolgen, und er hatte gehört, wie unser »Jüngling«, der nun nicht mehr wie ein Jüngling wirkte, begeistert von der Welt in dem Buch, vom Dorthingelangen, von der Schwelle, vom Frieden, von dem einmaligen Augenblick und dem Unfall sprach. Doch auch diese Begeisterungswelle mußte vorübergehend gewesen sein, denn Mehmet, dessen Haar, Bart, Unsauberkeit und Verwahrlosung nach Movados Feststellung für die Freunde – falls er noch Freunde hatte – abstoßend geworden waren, las das Buch überhaupt nicht mehr. »Meiner Meinung nach, bitte sehr«, hatte Omega geschrieben, dem die sinnlosen Wanderungen unseres jungen Mannes, das ergebnislose Herumlaufen einfach zuviel wurden, »sucht der Junge nach etwas, um seinen Kummer zu erleichtern, und ich bin mir nicht ganz sicher, was er sucht, wie ich andererseits ebensowenig glaube, daß er sich dessen sicher ist.«

An einem jener Tage, als er ziellos durch die Straßen von Istanbul streifte, fand unser Junge, dem Serkisof dicht auf den Fersen war, »diese Sache«, die seinen Kummer erleichtern, seiner Seele zumindest ein wenig Frieden geben sollte, an den Busbahnhöfen, nein, in den Omnibussen selbst. Ohne eine Tasche bei sich zu haben, die auf sein Vorhaben hätte schließen lassen, ohne einen das Ziel anzeigenden

Fahrschein zu kaufen, bestieg Mehmet in einer plötzlichen Eingebung den ersten besten abfahrbereiten Omnibus an einem der Bahnhöfe, und der nur einen Augenblick unentschlossene Serkisof sprang auf den nachfolgenden Magirus.

Einer auf der Spur des anderen, von Ortschaft zu Ortschaft, von Endstation zu Endstation, von Omnibus zu Omnibus, so waren sie wochenlang unterwegs gewesen, ohne zu wissen, wohin sie fuhren, ohne zu begreifen, wohin sie geführt wurden. Die von Serkisof auf den zittrig bebenden Omnibussitzen in krakeliger Schrift verfaßten Protokolle gaben eindringlich Zeugnis vom Zauber dieser unbestimmten Reisen, vom Kolorit dieses ziellosen Umherwanderns: Sie sahen Reisende, die ihre Richtung, ihre Koffer verloren, und Verzückte, die sich im Jahrhundert geirrt hatten, sie trafen Kalender verkaufende Rentner, begeisterte junge Leute auf dem Weg zum Militärdienst und solche, die den Weltuntergang voraussagten. Sie saßen in den Lokalen der Bahnhöfe und aßen gemeinsam mit frisch verlobten Paaren, Werkstattgehilfen, Fußballern, mit Händlern, die geschmuggelte Zigaretten verkauften, mit gedungenen Mördern, Grundschullehrern und Kinobesitzern, sie schliefen gemeinsam mit Hunderten von Leuten in den Wartesälen, auf den Sitzen der Omnibusse, dicht aneinandergedrängt. Nicht ein einziges Mal übernachteten sie in einem Hotel. Nicht ein einziges Mal knüpften sie eine bleibende Verbindung, eine Freundschaft an: Nicht eine einzige Fahrt erlebten sie so, als hätten sie ein Ziel erreicht.

»Unser ganzes Tun und Lassen, bitte sehr, bestand nur daraus, von einem Bus aus- und in den nächsten einzusteigen«, hatte Serkisof berichtet. »Wir warten auf etwas, vielleicht ein Wunder, vielleicht ein Licht, vielleicht einen Engel, vielleicht einen Unfall ... Es ist, als suchten wir nach den Zeichen, die uns in ein unbekanntes Land führen sollen, doch hatten wir kein Glück in dieser Hinsicht. Daß uns bis heute nicht der kleinste Unfall passiert ist, beweist womöglich die schützende Hand eines Engels, der über uns wacht. Ob der Junge noch immer nichts von meiner Gegenwart bemerkt hat, ist mir unbekannt. Und ich weiß nicht, ob ich bis zum Ende durchhalten kann.«

Er hatte es nicht durchhalten können. Eine Woche nach diesem Bericht in krummen, schiefen Wörtern hatte Mehmet auf einer Raststätte um Mitternacht seine Suppe zur Hälfte stehenlassen und war auf einen abfahrenden BLAUE BUSREISEN aufgesprungen, und der an einem Ecktisch die gleiche Suppe löffelnde Serkisof mußte völlig verblüfft dem verschwindenden Mehmet nachsehen. Danach hatte er seine Suppe in Ruhe ausgelöffelt und Dr. Narin ehrlich davon berichtet, ohne sich dessen zu schämen. Was sollte er jetzt tun?

Was Mehmet danach tat, hatte weder Dr. Narin noch der von ihm zur Weiterführung der Nachforschungen beauftragte Serkisof herausfinden können.

Bis zu Mehmets vermutlicher Begegnung mit der Leiche eines anderen jungen Mannes hatte Serkisof sechs Wochen lang in den Busbahnhöfen, auf den Stationen der Verkehrspolizei und in den Kaffeestuben der Fahrer die Zeit totgeschlagen, war aus einer Ahnung heraus an die Schauplätze von Verkehrsunfällen gegangen, um dort unter den Toten nach unserem Jungen zu suchen. Daß Dr. Narin im gleichen Zeitraum noch andere Uhren auf die Spuren seines Sohnes ansetzte, erfuhr ich aus anderen, auch in Bussen geschriebenen Briefen. Während Zenith einen dieser Briefe verfaßte, hatte sein pünktliches Herz durch Blutverlust aufgehört zu schlagen, da der Bus auf einen Pferdewagen auffuhr, und der blutbefleckte, unvollendete Brief war Dr. Narin von den Leitern der Firma FRÜH REISEN per Post zugestellt worden.

Erst vier Stunden nach dem Geschehen konnte Serkisof den Ort des Unfalls erreichen, der Mehmets erstes Leben als Nahit siegreich beschließen sollte. Ein Bus der Firma WOHLFAHRTEXPRESS war von hinten auf einen Tankwagen voller Druckfarbe geprallt, hatte für eine Weile unter lautem Geschrei in einer tiefschwarzen Flüssigkeit gefunkelt und war dann um Mitternacht in einer hell leuchtenden Flamme verbrannt. Eigentlich hatte Serkisof, wie er schrieb, den »unseligen, verirrten, bis zur Unkenntlichkeit verbrannten Nahit« nicht identifizieren können, und sein einziger Beweis war der zum Glück nicht mitverbrannte Ausweis, den man bei dem Toten fand. Reisende, die dem Unfall heil entkommen waren, bestätigten, daß der Sitz des Jungen vorn die Nummer siebenunddreißig gewesen war. Hätte Nahit auf der Nummer achtunddreißig gesessen, wäre er ohne den geringsten Nasenstüber davongekommen. Serkisof, der von einem weiteren Mitreisenden erfuhr, daß der Unverletzte auf dem Sitz Nummer achtunddreißig ein Junge im gleichen Alter mit dem Namen Mehmet war, hatte dessen Spur bis zu seinem Haus in Kayseri verfolgt, um ihn über Nahits letzte Stunden zu befragen, ihn aber dort nicht finden können. Da dieser junge Mann, nachdem er dieses furchtbare Unglück heil und gesund überstanden hatte, noch immer nicht zu seinen in Tränen aufgelösten und auf ihn wartenden Eltern zurückgekehrt war, mußte ihn das Ereignis wohl tief erschüttert haben, was aber nicht Serkisofs Sorge sein sollte. Der erwartete jetzt von Dr. Narin neue Anweisungen und Geld, um nach dem Tod des monatelang von ihm verfolgten Jungen nun jemand anders nachzuspüren. Denn seine Nachforschungen hatten ihn gelehrt, daß Anatolien und vielleicht der ganze Mittlere Osten und der Balkan von überspannten jungen Menschen wimmelten, die solche Bücher lasen.

Nach der Nachricht vom Tod seines Sohnes und dem Eintreffen des verkohlten Leichnams im Hause hatte sich Dr. Narin seinem Zorn überlassen. Die Ermordung Onkel Rıfkıs linderte die Heftigkeit des Zorns nicht, sie ließ nur dessen Brennpunkt verschwimmen und dehnte ihn in breiterer Linie auf eine ganze Gesellschaft aus. In den Tagen nach dem Begräbnis hatte Dr. Narin durch einen pensionierten Polizeibeamten mit weitreichenden Beziehungen, der sich in Istanbul um seine Angelegenheiten kümmerte, noch sieben weitere Beschatter beauftragt und auch sie mit verschiedenen Namen von Uhrenmarken für ihre Unterschriften bedacht. Er hatte außerdem die Beziehungen zu den Vertretern mit gebrochenem Herzen gegen den gemeinsamen Feind, die Große Verschwörung, vertieft und erhielt von ihnen nach und nach diese und jene Meldung. Besonders jene Personen, die wegen der internationalen Konkurrenz in Branchen wie Öfen, Eiscreme, Kühlschränke, Sprudelwässer, Geldverleih und Fleischklöße auf Brotteig einer nach dem anderen den Laden schließen mußten, betrachteten nicht nur Onkel Rıfkıs Buch, sondern ganz allgemein die ihnen sonderbar, anders und fremd erscheinenden Bücher mitsamt den jungen Leuten, die sie lasen, voller Argwohn, stuften sie als verdächtig ein, und falls Dr. Narin sie dazu aufforderte, folgten sie den jungen Leuten, forschten ihr Leben aus und übernahmen freudig die Pflicht, wütende und paranoide Berichte darüber zu schreiben.

Während ich das Abendbrot verzehrte, das von Gülizar auf einem Tablett mit der Bemerkung gebracht worden war: »Mein Vater meinte, Sie würden Ihre Arbeit ungestört fortsetzen wollen«, las ich verschiedene Stellen in den Berichten. In einer Provinzstadt oder in dem stickigen Schlafsaal eines Studentenheims oder auch in einem Viertel am Rand von Istanbul hatte jemand wie ich das Buch so gelesen, wie ich es gelesen hatte, und er war dabei durch einen von Dr. Narins Spionen beobachtet worden ... Angeregt davon, einer verwandten Seele begegnen zu können, blätterte ich rasch die Seiten um und stieß dabei auf ein, zwei interessante, haarsträubende Fälle, doch wieweit sie mit mir verwandte Seelen waren, das blieb offen.

So war zum Beispiel ein Student der Veterinärmedizin, Sohn eines Grubenarbeiters im Kohlenbergwerk von Zonguldak, gleich nach Beginn der Lektüre des Buches in einen Zustand geraten, in dem er nichts anderes tun konnte, das heißt, außer der Befriedigung von Grundbedürfnissen wie Essen und Schlafen hatte er seine ganze Zeit dem wiederholten Lesen des Buches gewidmet. Manchmal las dieser Junge den ganzen Tag über tausendmal die gleiche Seite, weiter machte er nichts. Der Mathematiklehrer einer Oberschule wiederum, ständig betrunken und offensichtlich suizidgefährdet, verbrachte so lange die letzten zehn Minuten des Unterrichts damit, aus dem Buch ein paar Sätze vorzulesen und anschließend nervtötende Lachsalven von sich zu geben, bis seine Schüler revoltierten. Ein Student der Wirtschaft aus Erzurum aber hatte die Wände seines Zimmers im Heim mit den Seiten des Buches tapeziert. Das hatte zu einem bitteren Streit mit seinen Zimmergenossen geführt, und einer von ihnen behauptete, das Buch beschimpfe den Propheten Mohammed, worauf der sehbehinderte Verwalter des Studentenheims auf einen Stuhl gestiegen war und den Winkel zwischen dem Ofenrohr und der Decke mit der Lupe zu lesen begonnen hatte; dem Monteur mit gebrochenem Herzen, der Dr. Narin diesen Fall meldete, war das Buch erst auf diese Weise zur Kenntnis gekommen, ich aber konnte mir nicht sicher sein, ob es sich bei diesem Buch, das Diskussionen über das »Ja oder Nein zu einer Anzeige bei der Staatsanwaltschaft« auslöste und das Leben unseres Erzurumer Studenten verfinsterte, um jenes von Onkel Rıfkı verfaßte Werk handelte.

Wie sich daraus ergab, erweckte dieses noch immer in hundert, hundertfünfzig Exemplaren als streunende Mine von Hand zu Hand wandernde Buch oder andere Bücher, die auf irgendeine Weise die gleiche geheimnisvolle Funktion erfüllten, bei zufälligen Begegnungen, durch Äußerungen halbinteressierter Leser oder durch Auffallen in den Auslagen manchmal bei einem der Leser eine Welle der Begeisterung, eine Art von Inspiration. Manche zogen sich mit dem Buch in die Einsamkeit zurück und befreiten sich, wenn sie an der Schwelle eines Zusammenbruchs standen, durch Aufgeben ihrer Zurückhaltung wieder von ihrer Krankheit. Es gab auch solche, die tief erschüttert und vom Zorn gepackt wurden, sowie sie das Buch lasen. Sie beschuldigten Freunde, Verwandte und Geliebte, nichts von der Welt im Buch zu wissen, sie nicht zu kennen und nicht nach ihr zu streben, und kritisierten sie gnadenlos dafür, daß sie nicht so waren wie die Menschen in der Welt des Buches. Eine andere Gruppe wieder blieb nicht in sich selbst gekehrt, sondern ging gleich nach der Lektüre des Buches daran, auch andere Menschen dafür zu gewinnen. Diese Eifrigen machten sich auf die Suche nach Menschen, die das Buch so gelesen hatten wie sie selbst, und wenn das nicht gelang – was immer der Fall war –, dann versuchten sie wenigstens, mit jenen Personen etwas Gemeinsames zu unternehmen, die anderen nachstellten, um sie zum Lesen des Buches zu bringen. Doch weder sie selbst noch die ihnen folgenden Beschatter hatten die geringste Ahnung davon, was diese gemeinsamen Unternehmungen sein sollten.

Innerhalb der folgenden zwei Stunden ergab sich für mich aus den Zeitungsausschnitten, die sorgfältig und genau zwischen den Berichten eingeordnet waren, daß fünf jener von dem Buch inspirierten Leser von Dr. Narins Uhren ermordet worden waren. Welche Uhr zu welchem Zweck und auf wessen Befehl gemordet hatte, stand nicht fest. Die Zeitungsausschnitte mit den kurzen Nachrichten über die Morde lagen nur dem richtigen Datum entsprechend zwischen den Meldeprotokollen. Zu zweien der Morde gab es

Einzelheiten: In einem Fall hatte der Verband patriotischer Journalisten das Ereignis für wichtig erachtet und erklärt, daß sich die türkische Presse dem abartigen Terror niemals beugen würde, weil der Ermordete, Student der Zeitungswissenschaften, Übersetzer in der Abteilung Auslandsnachrichten der Zeitung *Güneş* gewesen war. Im zweiten Fall hatte man einen Kellner in einem Dönerlokal erschossen, als er eine Handvoll leerer Ayranflaschen trug, und die islamischen Jugendkommandos hatten das Opfer als einen der Ihren ausgegeben und auf einer Pressekonferenz verlauten lassen, daß dieser Vorfall den Kreaturen des CIA und der COCA-COLA zugeschrieben werden müßte.

ELFTES KAPITEL

Die Musik, die ich in jenen Augenblicken inmitten der Mordnachrichten und der Dokumente des exzentrischen und geordneten Archivs hörte, muß diese Lesevergnügen genannte Sache gewesen sein, an der es den Klagen würdiger, ernsthafter Männer zufolge in unserer Gesellschaft mangelt. Meine Arme spürten eine leichte Nachtkühle, meine Ohren hörten eine ungespielte Serenade, und ich, der ganz junge Mann, war fest entschlossen, mich ohne Zögern den Wundern des Lebens zu stellen, die mir begegnen würden, versuchte aber auch, herauszufinden, was ich von jetzt an tun sollte. Da ich ein junger Mann mit guten Vorsätzen sein wollte, der auch die Zukunft bedachte, hatte ich aus Dr. Narins Archiv ein Stück Papier entnommen und angefangen, mir nützliche kleine Hinweise zu notieren.

Mit der Musik in den Ohren verließ ich den Archivraum zu einer Stunde, in der ich tief empfand, wie wirklich und zugleich mitleidlos die Welt und mein Gastgeber, der philosophierende Vater, waren. Mir schien, als hörte ich das ermutigende Provozieren eines geisterhaften Spaßvogels: Irgendwo in meinem Innern regte sich jenes Verspieltsein, so leicht wie die leichte Musik, die unsereiner zu hören meint, wenn er aus einem Film kommt, der ihn fröhlich und hoffnungsvoll gestimmt hat. Man kennt das doch: Diese Täuschung, daß ich all die geistreichen Witze im Film, die spontanen Nettigkeiten des Helden, die unglaublich schlagfertigen Antworten sowieso immer parat habe ...

Beinahe hätte ich Canan, die mich besorgt ansah, gefragt: »Möchten Sie mit mir tanzen?«

Sie saß mit den drei Rosenschwestern am Tisch in der Halle und betrachtete die bunten Wollknäuel, die wie reife Äpfel und Orangen einer Saison der Fülle und des Glücks aus einem geflochtenen Korb heraus ihre Farben über den Tisch ergossen hatten. Und neben dem Korb lag das Magazin *Haus und Frau*, das früher auch meine Mutter gekauft hatte, mit den Strickmustern auf den mittleren Seiten, den Kreuzstichblumen, den Entchen, Katzen, Hunden, die alle aus deutschen Magazinen stibitzt waren, und mit Moschee-Motiven als Zugabe des Verlegers für die türkischen Frauen. Auch ich blickte kurz auf all diese Farben im Licht der Petroleumlampen, und mir fiel ein, daß die Szenen des realen Lebens, von denen ich eben noch gelesen hatte, aus diesen rohen Farben entstanden waren. Dann wandte ich mich Gülcihans kleinen Töchtern zu, die sich gähnend und mit klappernden Lidern an die Mutter schmiegten und zu dem Bild einer glücklichen Familie verschmolzen: »Nanu, eure Mutter hat euch noch nicht zu Bett gebracht?«

Sie staunten, waren erschrocken, schmiegten sich enger an die Mutter. Ich wurde noch vergnügter. »Sie beide, Sie stehen doch noch in voller Blüte«, hätte ich sogar zu Gülendam und Gülizar, die mich zweifelnd musterten, sagen können.

Doch als ich in das anliegende Gästezimmer hinüberging, brachte ich nur ein »Herr Doktor« zu Dr. Narin heraus. »Herr Doktor, mit großem Bedauern habe ich die Geschichte Ihres Sohnes gelesen.«

»Alles ist dokumentiert«, erklärte Dr. Narin.

Er machte mich in dem zwielichtigen Raum mit zwei zwielichtigen Männern bekannt. Nein, sie waren keine Uhren, diese nicht tickenden Herren, einer war Notar, und wer oder was der andere war, nahm mein Gedächtnis nicht auf, wie das in so dunklen Situationen ist, denn ich achtete auf die Art und Weise, in der Dr. Narin mich ihnen vorstellte: Ich war ein besonnener, ernsthafter und sehr strebsamer junger Mann, ein Erfolgskandidat für große Dinge, und von jetzt ab jemand, der ihm sehr nahestand. An mir war nichts von diesen langhaarigen, alles imitierenden Jungen wie aus den amerikanischen Filmen. Er vertraute mir, vertraute mir sehr.

Und wie mir doch diese Lobreden honiggleich heruntergingen! Ich wußte nicht, wohin mit meinen Händen, und wie es einem Jungen geziemt, wollte ich mit vornehm geneigtem Kopf das Thema wechseln, um angesichts all dieses Lobs nicht die Bescheidenheit zu verlieren, sehr wohl bedenkend, daß man mir den Wunsch, das Thema zu wechseln, auch ansehen sollte.

»Wie still hier die Nacht ist, Herr Doktor«, sagte ich.

»Nur die Blätter des Maulbeerbaums rascheln«, meinte Dr. Narin. »Sogar an ganz windstillen, ruhigen Nächten. Horchen Sie.«

Wir horchten gemeinsam. Das Zwielicht im Zimmer machte mich frösteln und durchdrang mich viel tiefer als das Blättergeraschel, das aus unbekannter Entfernung herkam. Während des anhaltenden Schweigens erinnerte ich mich daran, daß es ein Tag war, an dem in diesem Haus nur geflüstert wurde.

Dr. Narin zog mich zur Seite. »Wir werden jetzt anfangen, Bésigue zu spielen«, sagte er. »Bitte, antworten Sie mir, was möchten Sie sehen, mein Sohn, meine Uhren oder meine Waffen?«

Instinktiv gab ich zurück: »Ich möchte Ihre Uhren sehen, Herr Doktor.«

In einem noch dunkleren Nebenzimmer sahen wir zwei alte Zenith-Tischuhren, deren Ticken wie Schüsse klang. Wir betrachteten eine Konsolenuhr aus den Uhrenwerkstätten der Kolonie von Galata, mit Holzschnitzerei verkleidet, eine Spieluhr, die einmal die Woche aufgezogen wurde und deren Zwilling sich Dr. Narin zufolge im Harem des Serails von Topkapi befand. Aus welcher Hafenstadt die Pendeluhr im geschnitzten Walnußgehäuse mit der Signatur des Levantiners Simon S. Simonien stammte, erfuhren wir aus den Worten »à Smyrne« auf dem emaillierten Zifferblatt. Wir bemerkten, daß eine Uhr der Marke Universal mit Mond und Daten die Tage des Erscheinens des Erdtrabanten anzeigte. Als Dr. Narin den Skelettmechanismus einer Pendeluhr, deren Vorderseite auf Anregung Sultan Selims III. kegelförmig hoch wie eine Derwischkappe gestaltet war, mit einem riesigen Schlüssel aufzog, spürten wir intensiv die Anspannung ihrer inneren Organe. Wir erinnerten uns daran, an wie vielen Orten wir seit unserer Kindheit die Pendeluhr von Junghans gesehen und gehört hatten, die noch immer in vielen Wohnungen traurig vor sich hin tickte, wie ein Kanarienvogel im Käfig. Und wir fingen an zu frösteln, als wir auf dem Zifferblatt der primitiven Tischuhr Marke Serkisof die Lokomotive und darunter die Bezeichnung Made in USSR sahen.

»Für uns ist das Ticken der Uhr nicht der Laut, durch den wir die Welt wahrnehmen, sondern der Laut des Hinübergehens in das innere Reich, ganz so wie das Plätschern des Brunnens im Hof der Moschee«, erklärte Dr. Narin. »Fünfmal am Tag ist die Stunde des Gebets, Sahur – die Stunde der letzten Mahlzeit vor Fastenbeginn, Iftar – Stunde des Fastenbrechens … Die Muvakkithane, welche die Gebetszeiten regelt, und die Uhr dienen bei uns nicht wie im Westen als Mittel zum Schritthalten mit der Welt, sondern sie sind Instrumente, durch die wir Allah entgegeneilen. Kein anderes Volk hängt so an seinen Uhren wie das unsere. Wir waren stets die größten Kunden des europäischen Uhrengewerbes. Als einziges der Dinge, die wir von ihnen übernahmen, entsprach die Uhr unserem Wesen. Deshalb gibt es auch bei ihr, genau wie bei den Waffen, keinen Unterschied zwischen ausländischer und einheimischer Ware. Wir haben zwei Wege, Allah nahezukommen. Mit der Waffe, dem Instrument des Heiligen Krieges, und der Uhr, dem Instrument des Gebets. Unsere Waffen haben sie zerstört. Jetzt wollen sie unsere Uhren zerstören und haben dazu diese Eisenbahnen geschaffen. Jeder weiß, daß die Abfahrtszeit der Züge der größte Feind der Gebetszeiten ist. Weil mein seliger Sohn das wußte, hat er die uns verlorengegangene Zeit monatelang in den Omnibussen gesucht. Darum haben jene, die ihn mir entfremden wollten, sich der Seele meines Kindes in einem Bus bemächtigt. Aber Dr. Narin ist nicht so naiv, auf ihr Spiel einzugehen. Eines vergesse ich nie: Die Uhr ist seit Jahrhunderten der erste Gegenstand, den einer von uns kauft, wenn er ein wenig zu Geld kommt ...«

Vielleicht hätte Dr. Narin noch weiter im Flüsterton erzählt, doch eine englische Prior-Uhr mit Goldauflage, emailliertem Zifferblatt, Rubinrose und Nachtigallenstimme schnitt ihm mit der Melodie des Liedes »Mein Sekretär« das Wort ab.

Während die Bésigue-Freunde bei der süßen Weise des nach Üsküdar fahrenden Sekretärs aufhorchten, flüsterte mir Dr. Narin ins Ohr: »Haben Sie sich entschlossen, mein Junge?«

Genau in diesem Augenblick sah ich durch die offenstehende Tür in den Spiegeln der Anrichte des Zimmers nebenan Canans glänzendes Bild, das im Licht der Petroleumlampe bebte, und geriet durcheinander.

»Ich muß im Archiv noch etwas weiterarbeiten, bitte«, gab ich zur Antwort.

Ich hatte das nicht gesagt, um einen Entschluß zu fassen, sondern um ihm auszuweichen. Ich ging durch den Raum nebenan und spürte auf mir die Blicke der nervösen Gülendam, der akkuraten Gülizar und von Gülcihan, die ihre Kinder zu Bett gebracht hatte. Wie neugierig blickten Canans honigfarbene Augen und auch wie entschieden! Ich fühlte mich wie jemand, der etwas Bedeutendes geschaffen hatte, genau so, wie sich meiner Ansicht nach ein Mann mit einer schönen lebensprühenden Frau an seiner Seite fühlen mußte.

Wie weit ich aber davon entfernt war, ein solcher Mann zu sein! Ich saß in Dr. Narins Archiv, vor mir die offenen Akten mit Berichten, und das Bild Canans, deren Schönheit durch die Spiegel der Anrichte im Nebenzimmer gesteigert wurde, hatte sich eifersüchtig in mir festgesetzt, und ich wurde noch eifersüchtiger und blätterte hastig die Seiten durch, um letzten Endes einen Entschluß fassen zu können.

Lange brauchte ich nicht zu suchen. Nach der Beerdigung des unglücklichen Jungen aus Kayseri an Sohnes Statt war Seiko, der fleißigste und eifrigste der neuen Uhrenagenten, die Dr. Narin zur Beobachtung aller Leser des Buches angestellt hatte, bei seinen Nachforschungen in der Architektur-Fakultät auf Mehmet und Canan gestoßen, als er hoffte, in den Istanbuler Studentenheimen, den Cafés, Vereinen und auf den Korridoren der Universitäten einige solcher Leser ausfindig zu machen. Das war vor sechzehn Monaten gewesen. Es war Frühling, Mehmet und Canan waren verliebt, und in ihren Händen befand sich das Buch, das sie, in einen Winkel zurückgezogen, lasen. Von Seikos Existenz, der sie acht Monate lang – wenn auch nicht ganz aus nächster Nähe – beschattete, hatten sie nicht die leiseste Ahnung gehabt.

Im Lauf dieser acht Monate, von ihrer Entdeckung angefangen bis zu meiner Lektüre des Buches und den Schüssen auf Mehmet an der Minibusstation, hatte Seiko in unregelmäßigen Abständen zweiundzwanzig Berichte an Dr. Narin geschickt. Bis weit nach Mitternacht las ich diese Berichte aufmerksam, geduldig und von Eifersucht erfüllt immer wieder und versuchte, das aus den Ergebnissen gesogene Gift mit Hilfe einer Logik zu absorbieren, die der Ordnung des Archivs entsprach, in dem ich beschäftigt war.

1. Was Canan mir sagte, als wir in dem Städtchen Güdül nachts aus unserem Hotelzimmer Nummer neunzehn auf den Platz hinunterschauten, nämlich daß kein Mann sie angerührt habe, entsprach nicht der Wahrheit. Seiko, der sie nicht nur in den Frühlingstagen, sondern den ganzen Sommer über mehrmals traf und ihnen folgen konnte, hatte festgestellt, daß die beiden jungen Leute in das Hotel gingen, in dem Mehmet arbeitete, und dort viele Stunden verbrachten. Ich hatte das natürlich vermutet, wenn aber ein anderer schon lange der Zeuge unserer Vermutungen war und sie schriftlich festhält, dann meinen wir, noch dümmer zu sein, als wir uns ohnehin fühlen.

2. Weder sein Vater noch die Leitung des Hotels, in dem er arbeitete, noch das Immatrikulationsbüro der Architekturfakultät oder auch Seiko selbst hatten je an Mehmets neuer, nach Beendigung seines Lebens als Nahit erworbener Identität und an seiner neuen Existenz gezweifelt.

3. Außer ihrer Verliebtheit war an den beiden Verliebten nichts, was sie in der Gesellschaft verdächtig gemacht hätte. Von den letzten zehn Tagen abgesehen, hatten sie nicht versucht, das Buch an andere weiterzugeben. Aus diesem Grund war Seiko auch kaum auf das eingegangen, was sie mit dem Buch anfingen. Dem äußeren Anschein nach waren sie zwei ganz normale Studenten, die sich auf eine Ehe vorbereiteten. Ihre Freundschaften mit Kommilitonen waren ausgeglichen, ihre Leistungen gut, ihre Begeisterung für dies oder das maßvoll. Sie hatten keine Verbindung zu einer politischen Gruppierung, und es gab nichts von Bedeutung, was sie besonders aufregend fan-

den. Nach Seikos Beschreibung war Mehmet sogar der ruhigste, leidenschaftsloseste und am wenigsten verbohrte unter den Lesern des Buches. Vielleicht war er aus diesem Grund über die spätere Entwicklung so erstaunt, mag sein, sogar erfreut.

4. Seiko war eifersüchtig. Ich sah auch aus anderen Berichten, daß er Canan mehr als die nötige Beachtung bezeigte und sie auf mehr poetische Weise beschrieb: »Bei der Lektüre des Buches ziehen sich die Brauen des jungen Mädchens leicht zusammen, und auf ihrem Gesicht erscheinen deutlich Vornehmheit und Würde.« »Dann bewegte sie die Hand auf ihre ganz eigene Art und raffte mit leichtem Schwung das Haar hinter den Ohren zusammen.« »Wenn sie während des Schlangestehens in der Mensa in das Buch schaut, schiebt sie die Oberlippe leicht vor, und ihre Augen beginnen auf einmal so stark zu funkeln, daß man glaubt, jeden Augenblick könne in diesen schönen Augen eine riesige Träne erscheinen.« Oder auch solche staunenswerten Zeilen: »Die Züge des Mädchens, dessen Gesicht ganz und gar dem Buch zugewandt war, wurden so weich nach der ersten halben Stunde und nahmen einen so seltsamen und ganz anderen Ausdruck an, daß ich für einen Augenblick annahm, ein magisches Licht sprühe nicht etwa durch die Fenster herein, sondern aus den Seiten des Buches hervor, das dieses Mädchen mit dem engelsgleichen Antlitz las.« Parallel zur Engelwerdung Canans wurde der Junge an ihrer Seite zunehmend weltlicher. »Das ist, bitte sehr, die Liebe eines jungen Mädchens aus guter Familie und eines armen jungen Mannes aus einer Familie von unbekannter Herkunft.« »Unser Jüngling ist stets achtsamer, nervöser und genauer.« »Das Mädchen wäre vielleicht geneigt, sich mehr den Freunden zuzuwenden, ihnen näherzukommen, ja vielleicht sogar das Buch mit ihnen zu teilen, doch der Hotelsekretär hält sie zurück.« »Fest steht, daß er sich vor den

Kreisen geniert, in denen das Mädchen verkehrt, weil er aus einer armen Familie kommt.« »Im Grunde genommen ist kaum zu verstehen, was das junge Mädchen an diesem kühlen, unauffälligen Mann findet.« »So eingebildet, wie man es von einem Hotelsekretär nicht erwarten würde.« »Einer von den geschickten Leuten, die stilles Verhalten und Schweigsamkeit als Tugend vorweisen können ...« »Buchhaltersnob.« »Eigentlich ohne jede besondere Eigenschaft.« Ich hatte begonnen, Seiko zu mögen. Wenn er mich doch hätte überzeugen können! Er hatte mich aber in einer anderen Sache überzeugt.

5. Ach, wie glücklich sie waren! Sie kamen aus der Vorlesung, gingen in ein Kino in Beyoğlu und sahen sich händehaltend den Film *Endlose Nächte* an. Sie saßen in einer Ecke der Mensa, beobachteten das Kommen und Gehen und plauderten zärtlich miteinander. Sie machten gemeinsam einen Schaufensterbummel in Beyoğlu, fuhren gemeinsam Omnibus, saßen in den Vorlesungen nebeneinander. Sie wanderten durch die Stadt, saßen Knie an Knie auf den Hockern eines Imbißstandes, aßen ihr Sandwich, betrachteten sich dabei im Spiegel, und plötzlich holte das Mädchen das Buch aus der Handtasche, und sie lasen darin. Da war vor allem ein Sommertag gewesen! Seiko hatte Mehmet von der Tür des Hotels an beobachtet. Als er sah, wie Mehmet sich mit Canan traf, die eine Plastiktüte bei sich trug, hatte er gemeint, einer Sache auf der Spur zu sein, und die Verfolgung aufgenommen. Sie waren mit dem Schiff nach Büyükada gefahren, hatten ein Boot gemietet und gebadet, eine Tour mit der Pferdekutsche gemacht, Mais und Eiscreme gegessen und sich nach der Heimkehr in das Hotel, den Arbeitsplatz des jungen Mannes, begeben und sich auf dessen Zimmer zurückgezogen. Das zu lesen kostete Mühe. Sie hatten kleine Meinungsverschiedenheiten, sie stritten sich, und manchmal legte Seiko dies als negative Entwick-

lung aus, doch bis zum Herbst gab es keine Spannung zwischen ihnen.

6. Die Person, die an jenem verschneiten Dezembertag an der Minibushaltestelle mit der Pistole aus der Plastiktüte auf Mehmet schoß, war Seiko gewesen. Ganz sicher war ich mir dessen nicht, doch seine Wut und seine Eifersucht bestätigten es. Als ich mir den Schatten wieder vor Augen rief, den ich vom Fenster aus gesehen, dessen Fluchtsprünge durch den verschneiten Park ich verfolgt hatte, schätzte ich ihn auf etwa dreißig Jahre. Ein eifriger Beamter, Absolvent der Polizeiakademie, etwa um die Dreißig, der zum Aufbessern seines kleinen Gehalts zusätzlich Arbeit annimmt und den die Architekturstudenten als »Snob« betrachten. Na gut, was aber hielt er wohl von mir?

7. Ich war eine armselige, in die Falle gelockte Jagdbeute. So leicht hatte Seiko diesen Schluß ziehen können, daß er meinetwegen sogar traurig gewesen war. Eins aber hatte er übersehen: daß Canans Wunsch, mit dem Buch irgend etwas anzufangen, eine Folge der seit dem Herbst zwischen den Liebenden entstandenen Spannung war. Sie hatten sich entweder auf Canans Drängen hin entschieden, das Buch jemand anders zu geben, oder Mehmet hatte ihr schließlich nachgegeben und einfach zugestimmt. Und wie sich private Unternehmer die Kandidaten für einen freigewordenen Arbeitsplatz genauer ansehen, so hatten sie eine Zeitlang alle jungen Leute in Augenschein genommen, die ihnen auf den Fluren der Fakultät begegneten. Warum ihre Wahl auf mich gefallen war, blieb unklar. Doch Seiko hatte ganz richtig herausgefunden, daß sie mir irgendwann zu folgen begannen, mich beobachteten und von mir sprachen. Dann folgte die Jagdszene, die sich, da sie mich ausgewählt hatten, leicht durchführen ließ. Leicht insofern, als Canan einige Male, das Buch in der Hand, auf dem Korridor ganz nah an mir vorbeigegangen war. Einmal schenkte sie mir ein liebens-

wertes Lächeln. Und danach genoß sie das eigentliche Spiel: Ihr war aufgefallen, daß ich sie während des Schlangestehens in der Mensa anschaute, worauf sie so tat, als suche sie ihr Portemonnaie in der Tasche und müsse deshalb fortlegen, was sie in der Hand hielt, und so legte sie das Buch direkt vor mir auf den Tisch, um es acht bis zehn Sekunden später mit zarter Hand wieder fortzunehmen. Nachdem sie beide, Mehmet und Canan, sicher gewesen waren, daß der arme Fisch den Köder geschluckt hatte, hinterließen sie das Buch kostenlos bei dem vorher ausgesuchten Straßenhändler, an dessen Stand ich vorbeikommen mußte, damit ich es abends auf dem Rückweg mit zerstreutem Blick als »Ach, das Buch!« erkennen und kaufen sollte. So war es denn auch geschehen. Bekümmert und mit Recht sagte Seiko in seinem Lagebericht über mich: »Ein träumerischer Junge ohne besondere Eigenschaften.«

Es störte mich nicht, daß er den gleichen Ausdruck für Mehmet verwendet hatte, es tröstete mich sogar ein bißchen und gab mir den Mut zu folgender Frage: Warum hatte ich mir bisher nicht eingestanden, daß ich das Buch als ein Hilfsmittel gekauft und gelesen hatte, um mich dadurch dem schönen Mädchen nähern zu können?

Das unerträglichste war, daß Mehmet uns beide und Seiko uns drei von fern beobachtet hatte, während ich Canan bewundernd anschaute, während ich sie ansah, ohne mir dessen bewußt zu sein, während ich das Buch wie das Exemplar einer geheimnisvollen, scheuen Vogelart einmal auf meinen Tisch legte, dann wieder aufhob, das heißt, während ich die Verzauberung meines Lebens erfuhr.

»Der Zufall, den ich für das Leben selbst hielt, dem ich beglückt und von Liebe erfüllt entgegenging, war also ganz allein die Inszenierung eines anderen«, sagte der betrogene Held und beschloß, das Zimmer zu verlassen, um sich Dr. Narins Waffen anzusehen.

Zunächst einmal aber mußte man etwas planen, etwas untersuchen, das heißt, man mußte ein wenig »Uhr« sein. Ich arbeitete schnell und erstellte eine Liste all der verdächtigen jungen Mehmets, die Dr. Narins fleißige Uhren und die Vertreter mit gebrochenem Herzen überall in Anatolien bei der Lektüre des Buches gesehen und registriert hatten. Da der Nachname unseres Mehmets von Serkisof nicht gemeldet worden war, entstand unter meiner Hand eine so lange Liste, daß ich zu jenem Zeitpunkt nicht wußte, wie ich sie jemals nachprüfen sollte.

Es war spät geworden, doch ich war sicher, Dr. Narin würde auf mich warten. Ich betrat den Raum, wo das Bésigue-Spiel vom Ticken der Uhren untermalt worden war. Canan und Dr. Narins Töchter hatten sich auf ihre Zimmer zurückgezogen, auch die Bésigue-Freunde waren weggegangen. Dr. Narin hatte sich, als scheue er das Licht der Gaslampen, im dunkelsten Winkel des Raumes in einem riesigen Sessel vergraben und las ein Buch.

Als er mich bemerkte, steckte er einen Brieföffner mit Perlmutterintarsien als Lesezeichen zwischen die Seiten des Buches, legte es fort, stand auf und sagte, er habe mich erwartet und sei bereit. Wenn meine Augen vom Lesen müde seien, solle ich mich ein wenig ausruhen. Doch er sei sicher, daß ich mit dem, was ich gelesen und erfahren hätte, zufrieden sei. Wie viele erstaunliche Vorfälle, wie viele Gauner es doch im Leben gab, nicht wahr? Er aber hatte es sich zur Aufgabe gemacht, Ordnung in dieses Chaos zu bringen.

»So akkurat wie ein Mädchen am Stickrahmen hat Gülendam die Akten und Verzeichnisse angelegt«, erklärte er. »So stark wie die Anhänglichkeit gegenüber ihrem Vater, so groß ist das Vergnügen für Gülizar, die Briefe an meine lieben, gehorsamen Uhren zu schreiben, wenn ich ihr in groben Zügen meine Wünsche und Antworten mitteile. Und jeden Nachmittag liest mir Gülcihan mit ihrer schönen Stimme alle Briefe einzeln vor, während wir unseren Tee trinken. Manchmal arbeiten wir in diesem Zimmer, manchmal gehen wir hinüber in das Archiv, in dem Sie gearbeitet haben. Im Sommer und an milden Frühlingstagen sitzen wir viele Stunden am Tisch unter dem Maulbeerbaum. Für einen Menschen wie mich, der die Gelassenheit liebt, vergehen diese Stunden wirklich voller Glück.«

Ich kramte in meinem Gedächtnis nach Lobesworten für all diese Opferbereitschaft und Liebe, all diese Achtsamkeit und Feinheit, all diese Ordnung und friedliche Ruhe. Die Titelseite des Buches, das Dr. Narin beiseite gelegt hatte, als er mich sah, verriet mir, daß es eine Ausgabe des *Zagor* war. Ob er wohl wußte, daß Onkel Rıfkı, den er durch seine Leute hatte ermorden lassen, in seinen erfolglosen Jahren mit einer nationalen Adaption dieser Bildergeschichte beschäftigt gewesen war? Doch ich hatte keine Lust, mich bei solchen kleinen Feinheiten der Zufälle aufzuhalten.

»Würden Sie mir wohl erlauben, Ihre Waffensammlung zu besichtigen?«

Er antwortete mir in liebevoll gütigem, vertrauenerweckenden Tonfall: Ich dürfe »Papa« zu ihm sagen oder auch »Doktor«.

Dr. Narin zeigte mir eine Browning-Pistole mit Magazin, 1956 aufgrund einer Ausschreibung der Polizei aus Belgien importiert, und erklärte mir, sie sei bis vor kurzem nur von hochrangigen Polizeioffizieren getragen worden. Von einer langläufigen deutschen Parabellum, deren Verkleidungsstück als Kolben angesetzt und die so zum Gewehr umgewandelt werden konnte, erzählte er mir, daß sie einmal versehentlich losgegangen sei und ihr 9-mm-Geschoß zwei schwerfällige ungarische Pferde durchbohrt, das Haus, zum einen Fenster hinein, zum anderen hinaus, durchflogen und sich dann im Maulbeerbaum festgesetzt habe, doch es sei schwierig, diese Waffe zu tragen. Falls ich etwas Praktisches und Verläßliches suchte, empfehle er mir eine Smith & Wesson mit Sicherung am Griff. Es gab noch einen Trommelrevolver, gegen eventuelle Ladehemmungen zu empfehlen, einen schimmernden Colt, der jeden Liebhaber begeistern mußte, aber man würde sich zu amerikanisch, zu sehr als Cowboy fühlen, wenn man ihn trug. So wandten wir unsere Aufmerksamkeit einer deutschen Walther-Serie zu, die sich unserem Wesen am ehesten anpassen ließ, und deren einheimischer Imitation, der patentierten Kırıkkale-Pistole. Auch daß sie weit verbreitet und seit vierzig Jahren von der Armee bis zu den Wächtern, von den Polizisten bis zu den Brotbäckern von seiten sehr vieler Waffenliebhaber an den Leibern sehr vieler Rebellen, Diebe, Schürzenjäger, Politiker und hungriger Bürger Hunderttausende von Malen getestet worden waren, ließ sie in meinen Augen als die beste Wahl erscheinen.

Nachdem Dr. Narin mehrmals betont hatte, zwischen der Walther und der Kırıkkale bestehe keinerlei Unterschied, sie seien im gleichen Maße ein Teil unseres Körpers wie unseres Geistes, entschied ich mich für eine Walther mit Abzugshahn, die man leicht in der Tasche tragen konnte und bei deren 9-mm-Geschoß es sich erübrigte, aus der Nähe zu feuern, um ein sicheres Ergebnis zu erzielen. Alles natürlich, ohne daß ich noch viel dazu sagen mußte. Von einer maßvollen Geste begleitet, die ein wenig auf die Waffenleidenschaft unserer Vorfahren hindeutete, überließ mir Dr. Narin die Pistole mit zwei vollen Magazinen als Geschenk und küßte mich auf die Stirn. Er werde noch weiterarbeiten, ich müsse jetzt schlafen, mich ausruhen.

Schlaf war das letzte, an was ich jetzt dachte. Während der siebzehn Schritte zwischen dem Waffenschrank und unserem Zimmer gingen mir siebzehn verschiedene Szenarien durch den Kopf. Ich hatte sie alle im Lauf der langen Lesestunden in einem Winkel meines Gehirns entworfen und im letzten Moment eine Mischung daraus als gut für die letzte Szene befunden. Wie ich noch weiß, ging ich dieses Wunderwerk meines Verstandes, der zu dieser Nachtzeit vom Lesen all der Seiten wie trunken war, nach dreimaligem Klopfen an die von Canan verschlossene Tür noch einmal durch, doch was ich da nochmals durchging, will mir nicht mehr einfallen. Denn sowie ich an die Tür klopfte, sagte meine innere Stimme: »Parole?«, vielleicht, weil ich dachte, daß Canan so fragen würde, und ich antwortete schlagfertig: »Lang lebe mein Padişah!«

Als Canan zunächst das Schloß und dann mit einem halb fröhlichen, nein, halb traurigen, nein, ganz und gar geheimnisvollen, mich ratlos machenden Gesichtsausdruck die Tür öffnete, war mir wie einem Bühnenneuling zumute, der die wochenlang auswendig gelernten Wörter vergißt, sowie er ins Rampenlicht tritt. Ein kluger Mensch sollte in dieser Lage leicht seinen Instinkten folgen können, statt dem armseligen Rest an Wörtern zu vertrauen, an die er sich vage erinnert. Das tat ich denn auch. Zumindest versuchte ich zu vergessen, daß ich eine in die Falle gelockte Jagdbeute war.

Ich küßte Canans Lippen wie ein nach langer Reise heimkehrender Ehemann. Endlich also, nach so vielen Zwischenfällen, waren wir zu Hause vereint, waren in unserem Zimmer. Ich liebte sie sehr. Alles andere war mir unwichtig. Falls es noch ein, zwei Hindernisse geben sollte, so würde ich diese nach einem so langen, beherzt zurückgelegten Weg leicht beseitigen. Ihre Lippen dufteten nach Maulbeeren. In diesem Zimmer hier sollten wir uns umarmen, sollten allem den Rücken kehren, den großen Ideen in der weiten, unbekannten Ferne und den von diesen Ideen getäuschten Menschen, denen das Leben entglitten war, und den leidenschaftlichen und ehrenwerten Toren, die versuchten, ihre eigenen Irrtümer auf die ganze Welt zu projizieren, und denen, die uns mit ihrer Opferbereitschaft beschämen wollten, und dem Ruf des unerreichbaren, anspruchsvollen Lebens dort draußen. Was konnte die beiden Menschen, die große Vorstellungen miteinander geteilt, eine so lange Wegstrecke gemeinsam zurückgelegt hatten und monatelang Tag und Nacht Reisegefährten gewesen waren, noch daran hindern, o Engel, die Welt hinter den Türen und Fenstern zu vergessen und einander zu umarmen, mehr als alles andere wirklich zu sein, dieses einmalige Stadium des Wirklichseins zu finden?

Das Gespenst eines Dritten.

Nein, Liebste, laß mich deine Lippen küssen, denn dieses Gespenst, das nur noch ein Name in den Agentenberichten ist, fürchtet sich davor, wirklich zu sein. Ich aber, sieh doch, ich bin hier und weiß, wie zäh und langsam die Zeit vergeht. Wie sich all jene Straßen, die wir gemeinsam in den Bussen befahren und hinter uns gelassen haben, als Asphalt, Stein und eine warme Berührung voller Ruhe in den Sommernächten ausstrecken, ganz von sich selbst erfüllt und ohne uns die geringste Beachtung zu schenken, so wollen wir uns hier gemeinsam ausstrecken, ohne Zeit zu verlieren ... Nein, Liebste, sieh nur, wie glücklich und ganz allmählich wir diese unvergleichliche Zeit erreichen, nach der wir in allen Bussen, auf allen Fahrten gesucht haben, während meine Hände deine schönen Schultern, deine zarten, zerbrechlichen Arme halten, während ich dir näherkomme, ohne Zeit zu verlieren. Während ich meine Lippen auf die fast durchsichtige Stelle zwischen deinem Haar und deinem Ohr presse, während erschrockene Vögel, von deinem Haar elektrisiert, plötzlich Herbstgeruch über meine Stirn, mein Gesicht verstreuen und sich deine Brust wie ein trotzig flatternder Vogel in meiner Hand aufrichtet, jetzt, schau, jetzt sehe ich in deinen Augen, wie diese unvergleichliche Zeit in machtvoller Fülle zwischen uns aufsteigt: Jetzt, siehst du, sind wir in einer Zukunft, die weder dort noch anderswo, noch in dem Land deiner Phantasie, noch in den Bussen oder den blinden Hotelzimmern, noch allein auf den Seiten des Buches existiert. Es ist, als ob wir beide uns hier und jetzt in diesem Zimmer mit meinen heftigen Küssen und deinen Seufzern in einer an beiden Enden offenen Zeit befänden, uns aneinander festhielten und darauf warteten, ein Wunder zu sehen. Augenblick der Fülle! Umarme mich, halte an, Zeit, nur zu, umarme mich, mein Leben, damit das Wunder nicht ende! Nein, wehre dich nicht, denke an die Nächte, in denen unsere Körper auf den Sitzen der Omnibusse langsam aufeinander zuglitten und sich unsere Träume wie unsere Haare miteinander vermischten; denke daran, bevor du mir deine Lippen versagst, wie wir, Kopf an Kopf an das kalte, dunkle Fenster gelehnt, in den Seitengassen der kleinen Städte ins Innere der Wohnungen blickten; denke an all die Filme, die wir händehaltend sahen: Kugelhagel, Blondinen, die Treppen herabschreiten, Männer, cool und schick, die du so hinreißend fandest. Erinnere dich: eine Sünde, die begangen wurde, eine vergessene Schuld, ein anderes Land und die Küsse, denen wir still und wie im Traum zugeschaut haben. Erinnere dich an die Lippen, die sich einander näherten, und an die Augen, die sich von der Kamera entfernten; erinnere dich daran, wie wir für einen Augenblick unbeweglich bleiben konnten, während sich die Räder unseres Omnibusses siebeneinhalbmal in der Sekunde drehten. Doch sie erinnerte sich nicht. Ich küßte sie ein letztes Mal, hoffnungslos. Das Bett war vollkommen zerwühlt. Ob sie wohl die Härte meiner Walther gespürt hatte? Ausgestreckt lag Canan neben mir und schaute nachdenklich zur Decke, als seien dort die Sterne. Trotz allem sagte ich: »Canan, waren wir nicht glücklich in den Omnibussen? Laß uns wieder dorthin zurückkehren.«

Was natürlich jeder Logik entbehrte.

»Was hast du gelesen«, fragte sie mich, »was hast du heute erfahren?«

»Sehr viel über das Leben«, gab ich mit den Worten eines Synchronsprechers in Serienfilm-Manier zurück. »Sehr nützliche Dinge im Grunde genommen. Es gibt viele, die das Buch lesen, und alle beeilen sich, irgendwohin zu gelangen ... Alles ist sehr chaotisch, und das Licht des Buches, das die Menschen inspiriert, blendet ihre Augen auf tödliche Weise. Wie erstaunlich doch das Leben ist!«

Ich merkte, daß ich in dieser Sprache weiterreden und Wunder vollbringen konnte, wenn nicht mit Liebe, so doch wenigstens mit solchen Worten, die auch Kinder erfreuten. Verzeihe mir meine Einfalt, Engel, und die Spielerei, der ich mich in meiner Verzweiflung ergab! War es mir doch das erstemal nach siebzig Tagen gelungen, Canan so nahezukommen, und nun lag ich neben ihr, und wie jeder weiß, der ein wenig gelesen hat, ist doch die Nachahmung der Kindheit das erste Mittel, zu dem ein Mensch wie ich greift, vor dem das Tor zum Paradies der wahren Liebe zugeschlagen wurde. War mir nicht durch Seiko erst vor kurzem klargeworden, daß der Film *Falsche Paradiese*, den wir nachts in einem Bus zwischen Afyon und Kütahya sahen, als ein sintflutartiger Regen das Wasser über Dach und Fenster strömen ließ, derselbe war, den Canan ein Jahr zuvor händehaltend mit ihrem Geliebten in einer verklärteren und friedvolleren Umgebung gesehen hatte?

»Wer ist der Engel?« fragte sie.

»Er hat offensichtlich etwas mit dem Buch zu tun. Das wissen nicht nur wir. Auch andere sind ihm auf der Spur«, sagte ich.

»Wem erscheint er?«

»Denen, die an das Buch glauben, die es aufmerksam lesen.«

»Und dann?«

»Wenn du das Buch wieder und wieder liest, wirst du er. Wenn du eines Morgens aufstehst, werden die Leute dich anschauen und sagen, meine Güte, werden sie sagen, das Mädchen ist in dem Lichtstrom aus dem Buch zum Engel geworden! Das heißt, der Engel war ein Mädchen. Später aber fragst du dich, wie so ein Engel andere in die Falle locken kann! Können denn Engel böse Spiele spielen?«

»Ich weiß nicht.«

»Ich weiß es auch nicht. Ich denke auch darüber nach. Ich bin auch am Suchen«, sagte ich, Engel, mit dem Gedanken, daß dieses Bett, auf dem ich neben Canan lag, vielleicht der einzige Zipfel des Paradieses war, zu dem mich diese ganze Reise hingebracht hatte, und ich hütete mich davor, einen Schritt auf gefährliches, unsicheres Gelände zu tun. Laß diesen einmaligen Augenblick noch weiter regieren! Im Zimmer hing ein unbestimmter Holzgeruch, herrschte eine Kühle, die an das Parfüm alter Seifen und Kaugummis erinnerte, die wir in unserer Kindheit verwendet hatten, jetzt aber nicht mehr beim Krämer kauften, weil uns die Verpackung nicht gut genug war.

Ich war nicht imstande, in die Tiefen des Buches vorzudringen und Canans Zurückhaltung zu überwinden, spürte aber, daß ich zu dieser späten Nachtzeit ein paar Worte über ein Zwischenstadium sagen konnte. So erklärte ich Canan, das furchtbarste sei die Zeit; wir seien zu dieser Reise aufgebrochen, um uns von ihr zu befreien, und hätten nichts davon gewußt. Deshalb fuhren wir, deshalb suchten wir nach einem Augenblick, in dem sie stillstand. Und der unvergleichliche Augenblick, das war tiefes Erfülltsein. Wenn wir ihm nahekamen, hatten wir die Zeit des Übergangs erspürt, hatten eigenen Auges und gemeinsam mit Toten und Sterbenden zur Genüge die Wunder dieses unfaßbaren Bereiches gesehen. Die Weisheit des Buches war in den Kinderzeitschriften, die wir am Morgen durchgesehen hatten, auf naivste Art als Kern enthalten, und wir sollten unseren Verstand gebrauchen, um das endlich zu begreifen. Weit weg von hier, an einem fernen Ort, war nichts. Es war da, wo wir uns befanden, am Anfang unserer Reisen und auch an ihrem Ende. Sie hatte recht: Die Straßen, die dunklen Zimmer waren voller Mörder mit der Waffe in der Hand. Aus dem Buch, aus den Büchern sickerte der Tod in das Leben. Ich umarmte sie, mein Leben, laß uns hier bleiben, Liebste, wir sollten wissen, was dieses Zimmer wert ist: Sieh doch, ein Tisch, eine Uhr, eine Lampe, ein Fenster, und jeden Morgen stehen wir auf und bewundern den Maulbeerbaum. So, wie er dort ist, so sind wir hier, der Fensterrahmen, das Tischbein, der Lampendocht – Licht und Duft. Wie schlicht ist doch die Welt! Vergiß endlich das Buch. Auch das Buch will, daß wir es vergessen. Dich umarmen heißt zu existieren. Doch Canan war woanders.

»Wo ist Mehmet?«

Sie blickte konzentriert zur Decke, als würde sie dort die Antwort auf ihre Frage lesen. Ihre Brauen zogen sich zusammen. Ihre Stirn hob sich. Ihre Lippen bebten für einen Moment, als wollten sie ein Geheimnis preisgeben. Ihr Teint hatte im pergamentgelben Licht des Zimmers eine rosige Färbung angenommen, die ich nie zuvor an ihr gesehen hatte. So war nun nach all den Fahrten, den Nächten in den Omnibussen, nach einem Tag in einer ruhevollen Umgebung mit hausgemachtem Essen und Schlaf in Canans Gesicht Farbe gekommen. Ich sagte es ihr, denn sie würde mich vielleicht gerade deswegen auf einmal heiraten wollen, wie es so manches junge Mädchen, das sich schon lange nach einem glücklichen und ordentlichen Leben sehnt, ganz spontan tun würde.

»Weil ich krank werde, davon kommt es«, erklärte sie. »Ich habe mich im Regen erkältet und habe Fieber.«

Wie schön es war, meine Hand so sachlich wie ein Arzt auf ihre Stirn zu pressen und dort zu lassen, während sie lang ausgestreckt zur Decke schaute und ich neben ihr liegend die Färbung auf ihrem Gesicht bewunderte. Sie hatte sich nicht gerührt, als wolle sie sicher sein, daß mir meine Hand nicht außer Kontrolle geriet. Ich ließ Kindheitserinnerungen an meinen Augen vorüberziehen und entdeckte, wie sehr die Berührung den Reiz der Betten, der Zimmer, der Gerüche und ganz normalen Dinge von A bis Z verändert hatte. Und noch andere Gedanken und Überlegungen gingen mir durch den Kopf. Als sie mir das Gesicht zuwandte und mich fragend ansah, nahm ich die Hand von ihrer Stirn und sagte ihr die Wahrheit: »Du hast Fieber.«

Plötzlich tauchte vor mir ein Berg von Möglichkeiten auf, mit denen ich nicht gerechnet hatte. Es war zwei Uhr nachts, als ich in die Küche hinunterging. Zwischen furchterregenden Kesseln und Gespenstern stieß ich im Halbdunkel auf ein großes Stielgefäß, kochte darin einen Tee aus Lindenblüten, die ich in einem Glastopf gefunden hatte, und nahm mir vor, Canan zu sagen, das beste Mittel bei Erkältung sei, unter eine Wolldecke zu kriechen und jemand anders zu umarmen. Als ich danach auf dem von Canan beschriebenen Büffet zwischen Medikamentenschachteln nach Aspirin suchte, kam mir der Gedanke, daß wir tagelang in unserem Zimmer bleiben könnten, falls ich auch krank werden würde. Ein Vorhang bewegte sich, Pantoffeln trappelten. Zuerst stand ich dem Schatten der Frau Dr. Narins, dann ihrem nervösen Selbst gegenüber. O bitte, nein, sagte ich, es ist nichts Ernstes, sie hat sich nur etwas erkältet.

Sie brachte mich ins obere Stockwerk. Dort zog sie aus einem Bündel eine dicke Wolldecke hervor, steckte sie in einen Bezug und sagte: »Ach, mein Lieber, das Mädchen ist ein Engel, mach ihr keinen Kummer, paß auf!« Dann fügte sie noch etwas hinzu, was ich nie vergessen werde: Was für einen schönen Hals meine Frau doch habe!

Nachdem ich ins Zimmer zurückgekommen war, betrachtete ich eingehend ihren langen Hals. Hatte ich denn vorher nicht darauf geachtet? Doch, ich hatte es getan, hatte ihn geliebt, doch die Länge ihres Halses war so frappierend, daß ich für geraume Zeit an nichts anderes denken konnte. Ich sah ihr zu, wie sie langsam den Lindenblütentee trank, wie sie das Aspirin schluckte und sofort wie ein liebes Kind, das davon überzeugt ist, daß etwas »Gutes« geschehen wird, zuversichtlich darauf zu warten begann.

Lange blieb es still. Ich blickte aus dem Fenster, die Hände an die Schläfen gestützt. Der Maulbeerbaum regte sich leise. Sieh doch, Liebste, unser Maulbeerbaum zittert sogar im leichtesten Luftzug! Stille. Canan zittert – wie schnell die Zeit vergeht.

So verwandelte sich das Zimmer, unser Zimmer mit seinem speziellen Fluidum und Anblick, sehr schnell in jenen »Krankenzimmer« genannten Ort. Während ich auf und ab ging, spürte ich, wie Tisch und Glas und Ständer allmählich in nur allzu bekannte, allzu arglose Gegenstände transformiert wurden. Würdest du dich bitte zu mir setzen, sagte sie, hier neben mich, auf den Bettrand. Ich hielt ihre Füße fest, durch die Wolldecke hindurch. Sie lächelte mir zu, ich sei so lieb. Sie schloß die Augen, tat, als ob sie schliefe, nein, sie nickte ein, sie schlief. Schlief sie? Ja, sie schlief.

Ich merkte auf einmal, daß ich hin und her ging. Während ich auf die Uhr schaute, während ich Wasser aus der Karaffe ins Glas goß, während ich nach Canan sah, während ich mich nicht entschließen konnte. Während ich einfach nur so auch ein Aspirin schluckte. Während ich meine Hand auf ihre Stirn legte und nochmals das Fieber prüfte und sie die Augen aufschlug.

Als ob die Zeit, die doch die Stunden fließen lassen mußte, auf einmal stillstünde, so zerriß die fast durchscheinende Membran, die mich umhüllt hatte, und Canan richtete sich auf: Plötzlich redeten wir temperamentvoll über die Beifahrer in den Bussen. Einer von ihnen hatte erklärt, er werde sich eines Tages den Fahrersitz erobern und dann ein gänzlich unbekanntes Land entdecken. Ein anderer hatte den Mund nicht halten können und gesagt: Ein Geschenk unserer Firma an Sie, unsere werten Fahrgäste, es ist kostenlos, bitte sehr, die Kaugummis, kauen Sie nicht zuviel, Bruder, denn die sind opiumhaltig, damit die Reisenden sanft und selig schlafen und glauben, es sei wegen der Federung des Busses, wegen der Begabung unseres niemals überholenden Fahrers, es sei die Überlegenheit unserer Firma und unserer Fahrzeuge. Weißt du, Canan, da war noch einer – wie schön wir zusammen lachten! –, erinnerst du dich, den hatten wir in zwei verschiedenen Omnibussen getroffen, und er hatte gesagt, Bruder, ich habe gleich verstanden, als ich dich sah, daß du dieses Mädchen entführt hast, jetzt sehe ich, ihr habt geheiratet, Schwägerin, ich gratuliere.

Heiratest du mich? Wir hatten viele Szenen gesehen, die vom Leuchten dieser Worte belebt wurden: Wenn die Verliebten eng umschlungen unter Bäumen wandelten, unter einem Laternenmast standen oder im Auto saßen, hinten natürlich, wobei die Bosporusbrücke zu sehen war, oder – dank der Anregung ausländischer Filme – im Regen stehend, oder wenn die netten Onkel und wohlmeinenden Freunde den jungen Mann und das Mädchen auf einmal allein ließen, oder wenn der reiche junge Mann und das bezaubernde Mädchen in den Swimmingpool fielen, während er ihr diese Frage stellte. Heiratest du mich? Da ich keine Szene gesehen hatte, in der diese Frage einem Mädchen mit schönem Hals im Krankenzimmer gestellt wurde, konnte ich nicht annehmen, daß meine Worte wie im Film auf Canan eine magische Wirkung ausüben würden. Außerdem hatten sich meine Gedanken an einer frechen Mücke im Zimmer festgehakt ...

Ich blickte auf die Uhr und wurde nervös. Ich prüfte das Fieber und war ganz verstört. Zeig mir deine Zunge, sagte ich, sie streckte sie heraus, die Spitze spitz und rosa. Ich legte mich auf sie und nahm ihre Zunge in den Mund. So blieben wir ein Weilchen, Engel.

»Tu das nicht, mein Lieber«, sagte sie schließlich. »Du bist sehr lieb, aber das sollten wir nicht tun.«

Sie schlief ein. Ich legte mich am Rand des Bettes neben sie und zählte ihre Atemzüge. Viel später, als es schon zu dämmern begann, dachte ich an folgendes und überdachte es dann noch einmal: Überlege ein letztes Mal, Canan, würde ich sagen, ich tue alles für dich, Canan, begreifst du denn nicht, wie sehr ich dich liebe ...? Und ähnliche, stets dieselbe Logik wiederholenden Dinge ... Irgendwann dachte ich an die Erfindung einer Lüge, damit ich sie auf diese Weise wieder zu den Bussen mitschleppen konnte, doch erstens wußte ich nun ungefähr, wohin ich gehen mußte, und zweitens hatte ich seit der Bekanntschaft mit Dr. Narins gnadenlosen Uhren und einer mit Canan in diesem Zimmer verbrachten Nacht erkannt, daß ich mich vor dem Tod zu fürchten begann.

Du weißt es, Engel, bis zum Tagesanbruch lag der arme Junge neben seiner Geliebten und lauschte auf ihre Atemzüge. Er betrachtete ihr regelmäßiges, charaktervolles Kinn, ihre aus dem von Gülizar entliehenen Nachthemd herausragenden Arme, das über dem Kissen verteilte Haar und die allmählich zunehmende Beleuchtung des Maulbeerbaums.

Dann beschleunigte sich alles: Leises Klappern war im Haus zu hören, vorsichtige Schritte, die an der Tür vorbeitappten, das Schlagen eines Fensters im wiederauflebenden

Wind, das Muhen einer Kuh, das Brummen eines Wagens, ein Husten, und dann klopften sie an unsere Tür. Mit dem Duft von geröstetem Brot kam, ganz und gar der Doktor und eine riesige Arzttasche in der Hand, ein glattrasierter Mann in mittleren Jahren herein. Seine Lippen waren so rot, als hätte er eben Blut getrunken, und an ihrem Rand saß ein häßliches Furunkel. Mir kam der Gedanke, er würde die fiebernde Canan schamlos entkleiden und mit diesen Lippen ihren zitternden Hals und Rücken küssen. Während er sein Stethoskop aus der verhaßten Tasche holte, zog ich blitzschnell meine Walther aus ihrem Versteck und verließ, ohne mich um die besorgte Mutter an der Tür zu kümmern, mein Zimmer und das Haus.

Ungesehen tauchte ich rasch in dem Gelände unter, mit dem mich Dr. Narin vertraut gemacht hatte. An einer einsamen, von Pappeln umgebenen Stelle, wo ich sicher war, daß mich niemand sehen und der Wind keine Gerüchte verbreiten konnte, zog ich meine Pistole und schoß drauflos. So habe ich, mit den mir von Dr. Narin geschenkten Patronen geizend, ein kurzes und betrüblich ungeschicktes Übungsschießen veranstaltet. Nach drei Kugeln aus vier Schritt Entfernung zeigte die als Ziel gewählte Pappel nicht einen einzigen Einschuß. Ich weiß noch, daß ich ein Weilchen unentschlossen stehenblieb und verzweifelt versuchte, meine Gedanken wieder zu sammeln, während ich den eilig aus dem Norden heraufziehenden Wolken zuschaute. Die Leiden der jungen Walther ...

Etwas weiter entfernt lag ein ziemlich hohes Felsstück, das einen Teil von Dr. Narins Grundbesitz überragte. Ich kletterte hinauf, setzte mich hin, betrachtete die Weite und den Reichtum der Landschaft, und statt mich edlen Gedanken hinzugeben, dachte ich daran, an welche elenden Orte mich mein Leben noch hinführen würde. Eine lange Zeit verging, doch kein Engel, kein Buch, keine Muse und kein weiser Mann aus dem Dorf erschien mir, wie sie in solchen schweren Zeiten den Propheten, Filmstars, Heiligen und politischen Führern zu Hilfe eilen.

Ich kehrte ohne Hoffnung zur Villa zurück. Der verrückte Doktor mit den roten Lippen hatte mit Wohlbehagen das Blut meiner Canan gesaugt und saß nun mit den Rosenmädchen und ihrer Mutter zusammen beim Tee. Als er mich erblickte, leuchtete in seinen Augen das Vergnügen, mir Ratschläge zu erteilen.

»Mein Junge!« sagte er. Meine Frau sei erkältet, habe eine schwere Grippe; und was noch wichtiger sei, weil sie geschwächt und vernachlässigt sei, sei sie nahezu asthenisch. Was tat ich bloß, was sie so ermüdet hatte, wie behandelte ich sie nur, daß sie in so schlechter Verfassung war? Die Mädchen und ihre Mutter blickten den jungen, frischgebackenen Ehemann voller Argwohn an.

»Ich habe ihr starke Medikamente gegeben«, sagte der Arzt. »Eine Woche lang muß sie das Bett hüten.«

Eine Woche! Als der komische Doktortyp sich nach dem Tee davongemacht und vorher noch schnell zwei Makronen in sich hineingestopft hatte, überlegte ich, daß sieben Tage mehr als ausreichend für mich sein würden. Canan schlief im Bett, ich suchte mir im Zimmer ein paar Dinge zusammen, die ich für notwendig hielt, nahm meine Notizen und mein Geld. Dann küßte ich Canans Hals. Rasch verließ ich das Zimmer, einem Freiwilligen gleich, der zur Verteidigung des Vaterlandes eilt. Zu Gülizar und ihrer Mutter sprach ich von einer Sache, die unverzüglich erledigt werden müsse, von einer unaufschiebbaren Verantwortung. Ich vertraute ihnen meine Frau an. Sie versprachen, auf sie aufzupassen, als sei es die eigene Schwiegertochter. Ich betonte, daß ich in fünf Tagen zurück sein würde, und entfernte mich in Richtung der Ortschaft, auf die Busstation zu, ohne mich noch einmal umzudrehen und auch nur einen einzi-

gen Blick auf das hinter mir liegende Land der Hexen, Gespenster und Räuber und das dort liegende Grab zu werfen,
in dem der Junge aus Kayseri in seiner Eigenschaft als Sohn
Dr. Narins ruhte.

ZWÖLFTES KAPITEL

So war ich wieder auf den Straßen gelandet! Seid gegrüßt, ihr alten Busstationen, klapprigen Fahrzeuge und tief betrübten Reisenden! Und wie es geschieht, wenn wir eine ganz normale Leidenschaft nicht mehr zelebrieren können, die zur Gewohnheit wurde, ohne daß wir uns dessen bewußt sind, dann ergreift uns das bittere Gefühl, das Leben sei nicht mehr so wie früher. Ich meinte, mich von dieser Bitterkeit befreien zu können, während mich ein alter Magirus aus dem heimlich von Dr. Narin regierten Städtchen Çatık in den restlichen Teil der Zivilisation transportierte. Denn ich befand mich ja in einem Omnibus, auch wenn er hustete und nieste und auf den Bergstraßen wie ein alter Mann schnaufte und wimmerte. Doch im Herzen des Märchenlandes, das ich hinter mir gelassen hatte, lag Canan fiebernd in einem Zimmer, und eine Mücke, mit der ich nicht fertig geworden war, wartete heimtückisch im gleichen Zimmer auf die Nacht. Ich ging meine Pläne und meine Notizen noch einmal durch, um meine Aufgabe so schnell wie möglich zu erledigen, erfolgreich zurückzukehren und das neue Leben beginnen zu können.

Als ich mitten in der Nacht zwischen Schlaf und Wachen meinen Kopf von der zitternden Fensterscheibe eines anderen Busses hob und die Augen öffnete, dachte ich hier vielleicht zum erstenmal voller Zuversicht, Engel, daß ich dich Aug in Auge sehen könnte. Doch wie weit war die Intuition von mir entfernt, die das Geheimnis des einmaligen Augenblicks mit der Reinheit der Seele vereinen sollte! Und ich wußte, daß ich dich von den Fenstern des Omnibusses aus für eine lange Zeit nicht würde sehen können. Während vor meinem Fenster dunkle Ebenen, erschreckende Abgründe, quecksilberfarbene Flüsse und vergessene Tankstellen und Zigaretten- und Kölnischwasser-Reklametafeln vorbeizogen, mit Lücken, wo die Buchstaben verrottet und abgefallen waren, gingen mir schlimme Berechnungen, egoistische Vorstellungen, der Tod und das Buch durch den Kopf, und weder sah ich das meine Phantasien belebende granatapfelfarbige Licht eines Videofilms, noch hörte ich das steinerweichende Schnarchen eines unruhigen Schlächters, der sich auf dem Heimweg von seinem täglichen Gemetzel im Schlachthaus befand.

Das Bergstädtchen Alacaelli, in dem mich der Bus gegen Morgen absetzte, hatte, ganz zu schweigen von der Sommerzeit, sogar den Herbst übersprungen und ganz schnell den Winter eingeführt. In dem kleinen Kaffeehaus, in dem ich die Öffnungszeiten der Behörden abwarten wollte, fragte mich ein Gehilfe, der den Tee ziehen ließ, die Gläser wusch und dessen Haaransatz so dicht über den Brauen lag, daß er fast keine Stirn hatte, ob auch ich wie die anderen gekommen sei, um den Herrn Scheich reden zu hören. Zum Zeitvertreib sagte ich ja. Er gab mir als Vergünstigung einen extradunklen Tee und leistete sich das Vergnügen, mit mir über die Fähigkeit des Scheichs zu sprechen, Kranke zu heilen und unfruchtbaren Frauen zur Schwangerschaft zu verhelfen, aber auch über dessen eigentliche Talente, solche Wunder nämlich wie das Verbiegen einer Gabel, die sich in der Hand eines anderen befand, oder das Öffnen einer Flasche Pepsi-Cola durch Berühren mit der Fingerspitze.

Als ich das Kaffeehaus verließ, war der Winter gegangen, der Herbst wieder übersprungen, und längst hatte ein heißer, fliegenreicher Sommertag eingesetzt. Ich ging wie ein reifer, entschiedener Mensch, der auf seine Probleme direkt zugeht und sie löst, geradewegs zum Postamt und betrachtete leicht erregt die Postbeamten und -beamtinnen, die an den Tischen Zeitung lasen, an den Pulten Tee tranken und rauchten. Doch er war nicht dabei. Eine Beamtin, die mir auffiel und den Eindruck einer gutmütigen älteren Schwester machte, erwies sich jedoch als eine ausgesprochen garstige Person: Bis sie mir endlich sagte, Herr Mehmet Buldum sei vor kurzem zum Austragen fortgegangen, nervte sie mich dermaßen – Wie sagten Sie noch, verwandt oder befreundet? Warten Sie hier, aber jetzt ist Arbeitszeit, Bruder, kommen Sie nachher wieder –, daß ich schließlich erklären mußte, ich sei ein Kamerad aus der Militärzeit, aus Istanbul, mit hochgeachteten Freunden in der Generaldirektion der Post. Auf diese Weise hatte Mehmet Buldum, der vor ganz kurzer Zeit, gerade eben, aus dem Postamt fortgegangen war, genügend Zeit gefunden, in den Straßen und den Vierteln zu verschwinden, die ich hoffnungslos durcheilte und deren Namen ich durcheinanderbrachte.

Trotz allem fragte ich, fragte überall herum – Liebe Frau, ist der Postbote Mehmet hier vorbeigekommen? –, bis ich es geschafft hatte, mich in den engen Gassen des Stadtkerns zu verirren, und innehielt. Eine Katze leckte sich faul das kunterbunte Fell in der Sonne. Leute von der Stadtverwaltung lehnten eine Leiter an einen Lichtmast und sahen sich Aug in Auge einer recht hübschen jungen Frau gegenüber, die ihr Bettzeug auf den Balkon brachte. Ich traf einen schwarzäugigen Buben, der sofort wußte, daß ich ein Fremder war. »Was ist los?« fragte er mich hahnenstolz. Wäre Canan bei mir gewesen, hätte sie umgehend mit diesem Pfiffikus Freundschaft geschlossen und ein außerordentlich kluges Gespräch angefangen; und ich hätte gemeint, so heiß verliebt in sie zu sein, weil sie sofort mit dem Jungen auf diese Weise reden konnte, und nicht, weil ich sie schön, unwiderstehlich und geheimnisvoll fand.

Ich ließ mich auf dem Gehsteig vis-à-vis dem Postamt an einem Tisch des Kaffeehauses Smaragd nieder, unter einer

Kastanie und mit Blick auf das Atatürk-Denkmal. Nach einer Weile las ich die Zeitung *Alacaelli-Post*: Die Quellen-Apotheke hatte das Abführmittel Marke Stlops aus Istanbul anliefern lassen, der vom Sportverein Bolu angeworbene Trainer der Jugendmannschaft der Ziegelei von Alacaelli, die sich mit hohen Erwartungen auf die kommende Saison vorbereitete, war gestern in unserer Stadt eingetroffen. Sieh an, es gibt also eine Ziegelei, dachte ich gerade, als ich Herrn Mehmet Buldum, die schwere Posttasche über der Schulter, pustend und stöhnend das Rathaus betreten sah und eine Enttäuschung erlebte. Wie wenig glich dieser schwerfällige, müde Mehmet doch dem anderen, den Canan einfach nicht vergessen konnte. Nachdem meine Arbeit hier getan war und meiner Liste gemäß noch viele junge Mehmets auf mich warteten, hätte ich das bescheidene, friedliche Städtchen sich selbst überlassen und ohne Zögern abreisen sollen. Doch ich hörte auf den Teufel und wartete darauf, daß Mehmet aus dem Amtsgebäude herauskam.

Als er mit schnellen Postbeamtenschrittchen auf den schattigen Gehsteig zusteuerte, nannte ich seinen Namen, schnitt ihm den Weg ab, umarmte und küßte ihn, als er mich verblüfft anschaute, und machte ihm Vorwürfe, daß er mich, seinen lieben Kameraden aus der Militärzeit, nicht mehr erkannte. Er setzte sich schuldbewußt mit mir an den Kaffeehaustisch, fiel auf mein unbarmherziges Spiel herein: »Erinnere dich wenigstens an meinen Namen« und stellte hoffnungslose Vermutungen an. Nach einer Weile brachte ich ihn auf etwas harte Art zum Schweigen, erfand einen Namen und erklärte, ich hätte Bekannte bei der Postverwaltung. Er schien ein echter Freund zu sein, interessierte sich nicht einmal besonders für die Postverwaltung oder irgendwelche Beförderungsmöglichkeiten. Da er von der Hitze und dem Gewicht der Posttasche in Schweiß geraten war, blickte er die eisgekühlte Flasche BUDAK-Sprudelwasser, die der Kellner sofort gebracht und geöffnet hatte, dankbar an, wollte aber die Blamage und den anhänglichen Militärkameraden, an den er sich auf keinen Fall erinnerte, so schnell wie möglich loswerden. Vielleicht kam's von der Schlaflosigkeit, aber ich empfand ein deutliches Rachegefühl, das mir angenehm zu Kopf stieg.

»Du sollst ein Buch gelesen haben!« sagte ich sehr ernst, während ich meinen Tee schlürfte. »Du sollst ein Buch lesen und das angeblich manchmal vor allen Leuten tun.«

Sein Gesicht verlor sofort alle Farbe. Er hatte nur allzugut verstanden, um was es ging.

»Woher hast du das Buch?«

Aber er hatte sich schnell wieder gefangen. Da gab es einen Verwandten, der nach Istanbul ins Krankenhaus gekommen war, das Buch, vom Titel getäuscht, als Gesundheitsbuch von einem Straßenstand gekauft und es ihm dann mitgebracht hatte, weil er es nicht wegwerfen mochte.

Wir schwiegen. Auf einem der beiden leeren Stühle am Tisch landete ein Spatz und hüpfte hinüber auf den anderen.

Ich musterte den Postbeamten, dessen Name in sorgfältig geschriebenen kleinen Buchstaben auf seinem Kragen stand. Er war in meinem Alter, vielleicht ein wenig älter. Das Buch, das mein ganzes Leben aus der Bahn gerissen, meine Welt auf den Kopf gestellt hatte, war auch diesem Mann in den Weg gekommen, hatte ihn beeindruckt und erschüttert, auf eine mir unklare Weise, von der ich nicht sagen konnte, ob ich wirklich Genaueres darüber wissen wollte oder nicht. Es gab zwischen uns eine Gemeinsamkeit, die uns zu etwas wie Opfern oder Auserwählten machte, und ebendas ging mir auf die Nerven.

Weil ich erkannte, daß er das Thema nicht einfach links liegenließ oder wie die Flaschenkapsel des Sprudelwassers Marke BUDAK achtlos in eine Ecke warf, spürte ich auch den besonderen Wert, den er dem Buch beimessen mußte. Was für ein Mensch war das? Er hatte sehr schöne, wohlgeformte Hände mit langen Fingern. Sein Teint konnte fast als zart bezeichnet werden, sein Gesicht war sensibel, und seine Augen, die jetzt Zorn und Besorgnis ausdrückten, waren mandelförmig. Konnte man wohl sagen, daß auch er, genauso wie ich, eine Beute des Buches war? Hatte sich auch seine ganze Welt verwandelt? Erlebte auch er die aus dem Buch erstandenen einsamen Nächte, in denen er vor Trauer erstickte?

»Wie dem auch sei«, sagte ich, »mein Freund, ich habe mich sehr gefreut, aber mein Bus fährt ab.«

Verzeihe mir meine Grobheit, Engel, denn in jenem Augenblick merkte ich plötzlich, daß ich imstande sein würde, etwas vollkommen Unvorhergesehenes zu tun, daß ich diesem Mann meine leidende Seele wie eine Wunde offenlegen könnte, damit er mir seine Seele öffnete. Nicht, weil ich diese Art Feierstunde der Aufrichtigkeit hasse, die beim Trinken mit Trübsal, Tränen und einer wenig überzeugenden Gefühlsduselei der Verbrüderung endet – eigentlich gehe ich dieser Tätigkeit mit Freunden aus meinem Viertel in finsteren Kneipen mit dem größten Vergnügen nach –, nein, weil ich in jenem Augenblick einzig und allein an Canan denken wollte. So schnell wie möglich allein sein wollte ich, wollte mich mit der Phantasievorstellung des glücklichen Familienlebens beschäftigen, das ich eines Tages mit Canan zusammen würde führen können. Ich war schon vom Tisch aufgestanden, als mein Militärkamerad sagte: »Es gibt keinen Omnibus, der aus dieser Stadt zu dieser Stunde irgendwohin fahren würde.«

Nicht möglich! Sieh mal an, wie klug! Er war mit dem Dasein zufrieden, weil er's mir heimzahlen konnte, und seine schönen Hände streichelten die Sprudelflasche.

Ich zögerte eine Weile, ob ich meine Waffe ziehen und

sein Gesicht mit dem zarten Teint durchlöchern oder aber sein bester Freund, Vertrauter und Schicksalsgenosse sein sollte. Vielleicht konnte ich einen Mittelweg finden, zum Beispiel ihn erst einmal in die Schulter schießen, es dann bereuen und ihn schnell ins Krankenhaus bringen. Und in der Nacht, wenn seine Schulter verbunden war, würden wir sämtliche Briefe aus seiner Tasche öffnen, lesen und uns wie verrückt amüsieren.

»Macht nichts«, sagte ich schließlich. Mit einer eleganten Geste ließ ich das Geld für Tee und Sprudel auf dem Tisch zurück. Ich wandte mich ab und ging fort. Aus welchem Film ich dieses ganze Verhalten abgeschaut hatte, fiel mir nicht ein, aber es war mir sicher ganz gut gelungen.

Ich ging sehr schnell, wie die Männer, die stets hinter einem Geschäft her sind und sich immer durchsetzen; er würde mir wohl nachschauen. Am Denkmal Atatürks vorbei ging ich über den engen, schattigen Gehsteig zum Busbahnhof. Apropos Busbahnhof: Falls es in diesem elenden Nest – »Stadt« genannt von meinem Postbotenfreund – einen bedauernswerten Bus geben sollte, der die Nacht hier verbringen mußte, so glaubte ich, daß es nicht einmal ein überdachtes Hüttchen gab, um ihn vor Schlamm und Schnee zu schützen. Ein hochmütiger Mann, zu lebenslangem Fahrscheinverkauf in einem zwei Schritt breiten Raum verurteilt, erklärte mir sehr zufrieden, der erste Bus komme nicht vor Mittag an. Daß seine Glatze genau die gleiche Melonenfarbe hatte wie die Beine der Schönheit auf dem Goodyear-Reifen-Kalender hinter ihm, behielt ich natürlich für mich.

Denn ich fragte mich, warum ich so zornig war, warum so gereizt, sag es mir, Engel, von dem ich nicht weiß, wer er ist, für wen er was ist, sprich! Paß zumindest auf mich auf, ruf mich zur Ordnung, damit ich, ohne durch meinen arroganten Zorn vom Wege abzukommen, wie ein unglücklicher Familienvater zum Schutz seines Heims die Schlechtigkeiten und die Ungunst der Welt aus eigner Kraft ins rechte Lot bringen und so schnell wie möglich wieder mit meiner fiebernden Canan vereint sein kann.

Doch der Zorn in meinem Innern wollte und wollte sich nicht legen. Geschah so etwas einem jungen Menschen von zwanzig Jahren, der anfing, eine Walther bei sich zu tragen?

Ich warf einen Blick auf meine Notizen, und es war leicht, die genannte Straße und das Geschäft zu finden: Wohlfahrt-Kurzwaren. Die in dem kleinen Schaufenster mit Umsicht ausgelegten Handarbeitsdecken, Handschuhe, Kinderschuhe, Spitzen und Gebetsketten verwiesen geduldig auf die Poesie einer anderen Zeit, die Dr. Narin begeistern würde. Ich war dabei, einzutreten, als ich den Mann hinter der Theke erblickte, der die *Alacaelli-Post* las, und erstaunt umkehrte. War jeder in dieser Ortschaft so selbstsicher, oder kam es mir nur so vor?

Leicht angeschlagen setzte ich mich in ein Kaffeehaus, trank einen BUDAK-Sprudel und trommelte das Heer meiner Gedanken zusammen. Ich erwarb aus der Quellen-Apotheke eine dunkle Brille, die mir, als ich auf dem Gehsteig vorbeikam, in dem staubigen Schaufenster aufgefallen war. Die Zeitungsanzeige für das Abführmittel hatte der fleißige Inhaber schon längst ausgeschnitten und ans Schaufenster geklebt.

Mit der Brille auf der Nase konnte auch ich wie einer dieser selbstsicheren Männer die Wohlfahrt-Kurzwarenhandlung betreten. Ich ließ in zurückhaltendem Ton wissen, daß ich Handschuhe zu sehen wünschte. So, wie es meine Mutter tun würde. Sie sagte nicht: »Ich möchte Lederhandschuhe für mich« oder auch: »Wollhandschuhe Größe sieben für meinen Sohn beim Militär«, sondern: »Ich möchte Handschuhe sehen«, was eine stimulierende Wirkung auf das Geschäft ausüben würde.

Meine Aufforderung mußte wohl diesem Mann, der, wie es sich herausstellte, sein eigener Chef und Verkäufer war, wie Musik in den Ohren geklungen haben. Geschickt wie eine achtsame Hausfrau und mit der beinahe leidenschaftlichen Ordnungsliebe eines Soldaten, der sich entschlossen in den Generalstab hochdienen will, holte er all seine Ware aus den Schubladen, den handgefertigten Beuteln und dem Schaufenster, um sie mir vorzulegen. Er war etwa sechzig Jahre alt, sein Gesicht war unrasiert und seine Stimme so scharf, daß sich die Handschuh-Marotte daraus nicht erkennen ließ: Er zeigte mir kleine Handschuhe für Damen aus handgesponnener Wolle, jeder Finger durch drei verschiedene Farben aufgeheitert, wendete die von Hirten bevorzugten groben Wollhandschuhe von innen nach außen, um auf den Filzeinsatz an der Handfläche, ein Produkt aus Maraş, hinzuweisen, und erklärte, daß keine künstlichen Farben für diejenigen Handschuhe verwendet worden waren, die er aus selbstgesammelten Wollfäden von Bauersfrauen hatte stricken lassen. In die Fingerspitzen, die bei Wollhandschuhen am schnellsten abgenutzt werden, hatte er Futter einarbeiten lassen. Falls ich eine Blume auf dem Puls wünschte, dann sollte ich dieses Paar nehmen, das mit reinster Walnußtönung gefärbt und an den Gelenken mit Spitzen besetzt war, oder falls ich an etwas ganz Besonderes dächte, dann sollte ich bitte die dunkle Brille abnehmen und mir dieses Wunder aus der Haut eines Kangalhundes aus Sivas anschauen.

Ich tat es und setzte meine Brille wieder auf.

»Waise Fünfzig«, sagte ich – in den Informantenbriefen an Dr. Narin war dies sein Pseudonym –, »Dr. Narin schickt mich, er ist überhaupt nicht zufrieden mit dir.«

»Wieso denn?« fragte er kaltblütig, als hätte ich die Farbe an einem der Handschuhe bemängelt.

»Der Postbote Mehmet ist ein harmloser Bürger ... Warum will man ihm übel, warum bespitzelt man ihn?«

»Der ist nicht harmlos«, meinte er. Und erklärte in demselben Ton, mit dem er die Handschuhe einzeln vorgelegt hatte: Der lese das Buch, und zwar so, daß andere darauf aufmerksam würden. Es stehe fest, daß er in seinem Kopf häßliche, finstere Gedanken hege, die mit dem Buch und mit den Gemeinheiten, die das Buch verbreite, zusammenhingen. Einmal habe man ihn erwischt, wie er unter dem Vorwand, einen Brief abzugeben, in die Wohnung einer Witwe eingetreten sei, ohne an die Tür zu klopfen. Ein andermal sei er gesehen worden, wie er Knie an Knie und Kopf an Kopf mit einem Grundschüler in einem Kaffeehaus gesessen und ihm angeblich aus einer Bildergeschichte vorgelesen habe. Die Bildergeschichte sei natürlich von der Sorte gewesen, in der Räuber, Leute ohne Moral, Diebe und Heilige aller Religionen samt und sonders in einen Topf gesteckt wurden. »Reicht das?« fragte er mich.

Ich schwieg, etwas unschlüssig.

»Wenn es heute in dieser Kleinstadt« – ja, er sagte Kleinstadt – »als ungehörig gilt, asketisch wie ein Derwisch zu leben, sich mit einem Stück Brot und einem Wams zu begnügen, und wenn Damen, die ihre Hände mit Henna färben, verachtet werden, dann ist das nur dem zu verdanken, was dieser Postbote und die Fernseher in den Omnibussen und Kaffeehäusern aus Amerika hergebracht haben. Mit welchem Bus bist du gekommen?«

Ich sagte es ihm.

»Dr. Narin ist ohne Zweifel ein großer Mann«, meinte er. »Es ist beruhigend für mich, danke sehr, von ihm einen Befehl, eine Aufforderung zu erhalten. Aber jetzt geh, junger Mann, und sage ihm, er soll mir keinen Jungen mehr schicken.« Er suchte die Handschuhe zusammen. »Sag ihm auch noch dies: Ich habe gesehen, wie dieser Postbote sich auf dem Klo der Mustafa-Pascha-Moschee einen runterholte!«

»Und mit diesen schönen Händen!« sagte ich und verließ den Laden.

Ich hatte geglaubt, mich im Freien wohler zu fühlen, doch sowie ich den Fuß auf die in der prallen Sonne liegende, steingepflasterte Straße setzte, fiel mir voller Schrecken ein, daß ich noch zweiundeinhalb Stunden in dem Ort verbringen mußte.

So wartete ich, wie betäubt, wie tief erschöpft und noch viel mehr schlaflos, den Magen gefüllt mit Gläsern von Lindenblütentee und schwarzem Tee und von BUDAK-Sprudel, die kleinen »Stadt-Nachrichten« der *Alacaelli-Post* auswendig im Kopf, vor meinen Augen die Ziegel der Bürgermeisterei und die Farben Rot und Lila, die auf dem Plexiglasschild der Ziraat-Bank einer Fata Morgana gleich auftauchten und verschwanden, und Vogelgezwitscher, Generatorengeheul und Hustengeräusche in meinen Ohren.

Als der Omnibus schließlich auf eindrucksvolle Weise zum Stehen gebracht wurde und ich die Tür ergriff und sie öffnete, gab es ein Geschiebe und Gedränge von drinnen nach draußen. Die draußen Stehenden zogen mich fort – zum Glück, ohne meine Walther zu ertasten! –, damit ich den Weg frei machte für den verehrten Scheich, der aus dem Bus stieg. Einen verklärten Ausdruck auf dem rosaroten Gesicht, würdevoll, als sei er betrübt über uns, die im Morast Versunkenen, und dennoch mehr als zufrieden mit dem Dasein und dem Interesse, das ihm entgegenschlug, so kam er langsam mit wiegenden Schritten an mir vorbei und entfernte sich. Warum sollte ich nach der Waffe greifen, fragte ich mich, während ich meine Walther an der Hüfte spürte. Ich bestieg den Bus, ohne mich im geringsten um einen der anderen zu kümmern.

Als es während des Wartens schien, der Omnibus würde niemals abfahren und mit der ganzen Welt würde mich nun auch Canan vergessen, mußte ich zwangsläufig vom Sitz

Nummer achtunddreißig aus die den Scheich empfangende Menge beobachten, und irgendwo in der Mitte sah ich den stirnlosen Gehilfen aus dem Kaffeehaus, als er zum Handkuß an die Reihe kam. Er küßte die Hand des Scheichs auf nette Art und führte sie vorsichtig an seine Stirn, als sich der Bus zu bewegen begann. In dem Moment bemerkte ich unter den Köpfen der wogenden Menge den des Kurzwarenhändlers mit gebrochenem Herzen. Er schob sich vorwärts wie ein Killer, der beschlossen hat, einen führenden Politiker umzubringen, und während sich unser Omnibus entfernte, spürte ich, daß er in Wirklichkeit auf mich zugekommen war, nicht auf den Scheich.

Vergiß es, sagte ich zu mir, als die Ortschaft hinter uns blieb und eine erbarmungslose Sonne mich nach jedem Baum, nach jeder Kurve wie ein geschickter Detektiv auf meinem Sitz im Genick packte und meinen Nacken und Arm wie einen Laib Brot buk, vergiß es einfach. Doch während unser fauler Bus näselnd durch einen trockenen, knallgelben Landstrich ohne Haus, ohne Schornstein, Baum oder Felsen fuhr und meine schlaflosen Augen vom Licht geblendet wurden, war an Vergessen nicht zu denken, im Gegenteil, ich ahnte etwas anderes, was mich tief im Innern beschäftigte: Fünf Stunden hatte ich in dieser Kleinstadt verbracht, hergeführt durch den Report des Kurzwarenhändlers mit gebrochenem Herzen, in dem der Name meines Postbotenfreundes Mehmet genannt worden war, und diese fünf Stunden hatten – wie soll ich's sagen – Farbe und Klang dessen bestimmt, was mir als Amateur-Detektiv in den zukünftigen Orten an Menschen und Szenen begegnen würde.

So wartete ich zum Beispiel genau sechsunddreißig Stunden nach meiner Abfahrt aus Alacaelli im Busbahnhof einer staubigen und dunstigen Kleinstadt, kaum mehr als ein Dorf und mehr der Phantasie als der Wirklichkeit entsprungen, auf den Mitternachtsbus und spürte, daß sich mir ein übelgesinnter Schatten näherte, während ich ein Fladenbrot mit Käse aß, um die nicht vergehen wollende Zeit totzuschlagen und meinen schmerzenden Magen zu beruhigen. War es der handschuhliebende Kurzwarenhändler? Nein, sein Geist! Nein, ein zorniger Vertreter mit gebrochenem Herzen. Nein, es mußte Seiko sein, dachte ich gerade, als eine Klotür zuschlug, das Bild sich vollkommen wandelte und das Seiko-Phantom im Regenmantel zu einem unauffälligen Mann im Regenmantel wurde. Als sich dann eine müde Frau mit Kopftuch und Plastiktüten in der Hand und eine Tochter zu ihm gesellten, überlegte ich, warum ich mir Seiko in einem staubig-braunen Regenmantel vorgestellt hatte. War es, weil ich unseren Freund, den Kurzwarenhändler mit gebrochenem Herzen, in der Menge an der Busstation in einem Regenmantel von gleicher Farbe gesehen hatte?

Ein andermal zeigte sich die Gefahr nicht als Seiko-Phantom im Regenmantel, sondern als eine ganze Fabrik. Nach einem bequemen Bus und einem tiefen Schlaf hatte ich in einem anderen, noch solideren und besser gefederten Fahrzeug durchgehend weitergeschlafen und am Morgen einen Mühlenbetrieb aufgesucht, wo ich schnell zum Ziel kommen wollte und die Lüge vom Kameraden aus dem Militärdienst vorbrachte, um den jungen Buchhalter des Betriebs möglichst umgehend sehen zu können, den ein Pastetenbäcker mit gebrochenem Herzen denunziert hatte. Diese Militärdienstlüge, die immer nützlich war, weil die verschiedenen von mir aufzuspürenden Mehmets wie der richtige Mehmet etwa drei- bis vierundzwanzig Jahre alt waren, muß einem vom Mehl schneeweiß gewordenen Arbeiter so wahr erschienen sein, daß er mit freundschaftlich, brüderlich und vor Bewunderung leuchtenden Augen zur Verwaltung ging, als wäre er mit uns in der gleichen Kompanie gewesen. Ich zog mich in eine Ecke zurück und empfand, warum auch immer, eine merkwürdig gefahrvolle Stimmung. Eine riesige Eisenstange, bewegt von den Elektromotoren der Mühle an diesem liederlichen, Fabrik genannten Ort, drehte sich über meinem Kopf, immer wieder »grober Kerl, grober Kerl« rufend, und furchterregende weiße Arbeitergespenster mit funkelnden Zigaretten im Mund bewegten sich schwerfällig im Zwielicht. Ich merkte, daß die Gespenster mich feindselig ansahen, auf mich zeigten und miteinander redeten, doch ich versuchte, in meiner Ecke so zu tun, als wäre es mir gleichgültig. Etwas später, als ich gerade das Gefühl hatte, ein dunkles Rad, das ich durch einen Spalt in der Wand aus Mehlsäcken sehen konnte, rolle direkt auf mich zu, machte sich eins der rührigen Gespenster wiegenden Schrittes an mich heran und fragte mich, wo ich's mit den Würfeln getrieben hätte. Er hörte mich nicht vor lauter Lärm, und ich gab ihm schreiend zu verstehen, daß ich noch nie Würfel oder sonst etwas gespielt hätte. Nein, er wollte wissen, welcher Wind mich hergetrieben habe. Inmitten des gleichen Lärms begann ich meine Geschichte. Ich mochte ihn sehr, meinen Militärkameraden; Mehmet sei doch ein sehr witziger, guter und vertrauenswürdiger Freund. Auf meiner Reise durch Anatolien, auf der ich Lebens- und Unfallversicherungen verkaufte, hätte ich mich seiner erinnert. Das Mehlgespenst fragte mich nach dem Beruf als Versicherungsvertreter: Gab es in diesem Geschäft auch andere Leute außer Dieben, gemeinen Betrügern, Freimaurern, pistolenbewaffneten Schwulen und weiteren – ich meinte, es in dem Lärm falsch verstanden zu haben – niederträchtigen Glaubens- und Vaterlandsfeinden? Wohl oder übel redete ich lang und breit darüber, er schaute mich freundlich an und hörte zu. Und wir kamen in die richtige Stimmung: So war nun einmal jeder Beruf. Es gab ehrliche Bürger auf dieser Welt, doch ebenso Schufte und Gauner, die nicht wußten, hinter was sie her waren. Dann aber fragte ich noch einmal, wo mein alter Kamerad Mehmet abgeblieben sei. »Sieh mal, mein Lieber«, sagte das Gespenst zu mir. Es streifte die Hose hoch und zeigte ein merkwürdiges Bein. »Mehmet Okur gehört nicht zu den Deppen, die mit einem verkrüppelten Bein zum Militär gehen, verstehst du?« Wer ich denn eigentlich sei?

Nicht, weil ich hilflos, sondern weil ich verblüfft war, fiel es mir leicht, so zu tun, als hätte ich im Moment die Antwort auf diese Frage auch vergessen. Ich sei etwas durcheinander und hätte die Namen und Adressen durcheinandergebracht, erklärte ich, wohl wissend, daß es nicht überzeugend klang.

Nachdem ich, ohne Prügel zu bekommen, entwischt war, aß ich im Zentrum der Ortschaft bei unserem Denunzianten mit gebrochenem Herzen eine leckere Blätterteigpastete, die auf der Zunge zerging, und dachte unterdessen, daß der hinkende Mehmet in keiner Weise jemandem glich, der das Buch lesen würde, aber aus Erfahrung wußte ich, wie falsch es war, sich stets auf seine Menschenkenntnis zu verlassen.

So hatte zum Beispiel in dem Städtchen Incirpaşa, wo alle Straßen nach Tabak dufteten, nicht nur der gemeldete junge Feuerwehrmann, sondern die gesamte Mannschaft der städtischen Feuerwehr das Buch mit erstaunlicher Hingabe gelesen. Als bei den Vorbereitungen zum Jahrestag der Befreiung von der giechischen Besatzung unsere Freunde, die Brandschützer, ihre eisernen Helme aufsetzten, die kleine Gasherde trugen, und dann auf dem Platz der Feuerwehr Flämmchen über ihren Köpfen zuckten, sah und hörte ich mit den Kindern und einem braven großen Hirtenhund zu, wie sie klar und fehlerfrei das Lied: »Flammen, Flammen, Vaterland in Flammen« sangen, von passenden Laufschritten begleitet. Im Anschluß setzten wir uns alle gemeinsam zu

Tisch und aßen geschmortes Ziegenfleisch. Die freundlichen Brandschützer, alle im gleichen leuchtend gelb-roten Hemd mit kurzen Ärmeln und alle froh und glücklich, raunten mir im Scherz oder aber als Gruß für mich hin und wieder ein, zwei Zitate aus dem Buch zu. Das Buch selbst wurde, so zeigten sie mir später, in der Fahrerkabine des einzigen Feuerwehrwagens aufbewahrt, als sei es der Koran. Sie glaubten daran, daß die in klaren Sommernächten zwischen den Sternen hindurchgleitenden Engel – nicht der Engel – den Tabakduft des Städtchens schnupperten, sich den Sorgen- und Kummerbeladenen kurz einmal zeigten und ihnen den Weg zum Glück wiesen. Hatten nun diese Feuerwehrleute das Buch falsch gelesen oder ich?

In einer kleinen Stadt ließ ich beim Fotografen eine Aufnahme von mir machen. In einer anderen ließ ich einen Arzt meine Lungen abhorchen. In einer dritten kaufte ich dem Juwelier der Stadt nicht den Ring ab, den ich anprobiert hatte, und bei jeder Abfahrt aus einer dieser trübseligen, verstaubten und heruntergekommenen Ortschaften stellte ich mir vor, sie eines Tages mit Canan aufzusuchen, um dort gemeinsam die Bilder unseres Glücks aufnehmen zu lassen, ihren hübschen Lungentrauben liebevolle Aufmerksamkeit zu widmen und einen Ring zu erwerben, der uns beide bis in den Tod verbinden würde, nicht aber, um herauszubekommen, wer der Fotograf Mehmet, der Dr. Ahmet oder der Juwelier Rahmet nun wirklich waren und mit welcher Begeisterung sie das Buch gelesen hatten.

Später wanderte ich dann jeweils über den Platz, tadelte die Tauben, die das Atatürk-Denkmal vollschissen, schaute auf meine Uhr, tastete nach meiner Walther und machte mich auf den Weg zum Busbahnhof, und manchmal packte mich genau in diesem Augenblick das Gefühl, von diesen bösen Männern, den Herren im Trenchcoat, den Uhren-Phantomen und dem entschlossenen Seiko, verfolgt zu werden. War der lange Schatten, der mich beim Einsteigen in meinen Bus nach Adana erblickte und rückwärts aus seinem Bus stieg, der Movado vom MIT? Ja, er mußte es sein, er war es, und ich mußte sofort mein Fahrtziel ändern. Ich tat es, verkroch mich in einem stinkenden Klo, und während ich am Fenster eines SOFORT REISEN, in den ich unauffällig in letzter Sekunde eingestiegen war, hoffnungslos nach dem Engel Ausschau hielt, spürte ich den Blick eines Augenpaares, der mein Genick zum Kribbeln brachte, drehte mich um und vermutete, daß mich diesmal Serkisof von der hintersten Reihe aus boshaft beobachtete. So ließ ich während der mitternächtlichen Rasten in den resopalbunten Lokalen meinen Tee halb ausgetrunken stehen und schaute bis zur Abfahrt des Busses aus den Maisfeldern hinauf zu den Sternen am dunkelblauen Samthimmel; oder ich betrat mit lachendem Gesicht und in schneeweißer Kleidung einen Laden im städtischen Marktviertel und kam in rotem Hemd, purpurfarbenem Jackett, Cordsamthosen und mit finsterer Miene wieder heraus; und einige Male geschah es, daß ich, dunkle Schatten auf meinen Fersen, mitten durch das Kleinstadtgewimmel in vollem Tempo zur Bushaltestelle rannte.

Als ich meinte, das bewaffnete Phantom nach all dem Gehetze abgehängt zu haben, beziehungsweise zu dem Schluß kam, Dr. Narins närrische Uhren hätten ohnehin keinen Grund, mich festzunageln, traten an die Stelle böser Augen, die mich von draußen verfolgten, die verständnisvollen Blicke freundlicher Kleinstädter, die froh waren, mich bei sich zu sehen.

Einmal begleitete ich eine schwatzhafte Frau auf dem Rückweg vom Markt nach Hause, um sicher zu sein, daß ein gewisser Mehmet aus ihrer Nachbarwohnung, der zur Zeit bei seinem Onkel in Istanbul weilte, nicht der bewußte Mehmet war. Während sich aus den Netzen und Plastiktüten, die wir gemeinsam trugen, pralle Auberginen, fröhliche Tomaten und spitze Pfefferschoten der glänzenden Sonne entgegenstreckten, sagte die Frau zu mir, wie nett es sei, daß jemand seinen Kameraden aus der Militärzeit besuche, war von der Krankheit meiner zu Hause auf mich wartenden Frau unbeeindruckt und erzählte mir, wie wunderschön das Leben sei.

Vielleicht war es auch so. Im Feinschmecker-Gartenlokal von Karaçali aß ich unter einer riesigen Platane Auberginenpüree und einen köstlichen, nach Thymian duftenden Dönerkebab. Ein leichter Wind, der die Blätter einmal nach oben, einmal nach unten wendete, trug mir aus der Küche mit einem angenehmen Duft nach Teig auch glückliche Erinnerungen zu. Als ich in einem unruhigen Ort bei Afyon, dessen Name mir entfallen ist, in einem Süßwarengeschäft, zu dem mich meine oft genug nach eigenem Instinkt die Richtung wählenden Beine trugen, die mit Zuckerwerk in Altrosa und Mandarinenschalenfarbe gefüllten Glastöpfe sah und eine Mutter, die genauso rund und gepflegt wie die blanken Glasgefäße war, stutzte ich einen Moment, wandte mich der Kasse zu und war verblüfft. Ein kleines, blasses Ebenbild der Mutter, eine beispiellose Miniaturschönheit von etwa sechzehn Jahren mit kleinen Händen, kleinem Mund, hochstehenden Wangenknochen und ein wenig schlitzäugig, hatte den Kopf von ihrem Fotoroman gehoben und schaute mich, so unwahrscheinlich es klingen mag, wie diese unbefangenen, teuflischen Frauen aus den amerikanischen Filmen ganz offen lächelnd an.

Eines Nachts lernte ich in einem Busbahnhof, angenehm beleuchtet wie das stille, behagliche Wohnzimmer eines eleganten Hauses in Istanbul, drei Reserveoffiziere kennen und spielte mit ihnen, während wir auf den Omnibus warteten, »Der Schah ist verblüfft«, ein Kartenspiel, das sie erfunden hatten. Auf den Spielkarten, ausgeschnitten aus den

Zigarettenschachteln der Sorte Yenice, waren Schahs, Drachen, Sultane, Dämonen, Verliebte und Engel gezeichnet, und aus der Art, in der sie einander freundschaftlich neckten, erkannte ich, daß jeder der Engel in der Rolle eines gütigen, wegweisenden weiblichen Jokers entweder das geliebte Mädchen aus ihrer Nachbarschaft vertrat oder die einzige große Liebe ihrer Jugend oder auch, wie bei dem Witzigsten unter ihnen, eine einheimische Film- und Nachtlokaldiva, mit der er nur in seinen Wichsphantasien vereint sein konnte. Den vierten Engel überließen sie mir und waren so feinfühlig, mich nicht zu fragen, an wessen Stelle ihn meine Phantasie setzen würde – was man sogar bei klugen, verständnisvollen Freunden recht selten findet.

Während ich mir das Gerede der Denunzianten mit gebrochenem Herzen anhörte und unter den diversen Mehmets, die alle in ihren abgelegenen Winkeln, hinter verriegelten Toren, hinter dornengewächs- und knoblauchbewehrten Gartenmauern lebten und lediglich über ziemlich gewundene Pfade zu erreichen waren, nach dem für mich so wichtigen Mehmet suchte und während ich an den Busbahnhöfen, auf den Plätzen, in den Lokalen vor den mich verfolgenden imaginären bösen Uhren in richtigen Trenchcoats ständig davonlief, gab es eins unter den Bildern vom Glück, das mir arg zusetzte.

Es war am fünften Tag meiner wiederaufgenommenen Fahrten. Ich hatte aus Teegläsern Raki getrunken, den mir der Besitzer der Zeitung *Freie Stimme Çorum* anbot, damit ich seine Gedichte besser verstand, ich hatte begriffen, daß der Zeitungsmann in der Rubrik »Haus und Familie« keine Abschnitte aus dem Buch veröffentlichen konnte, weil das jetzt der Sache der Eisenbahn oder auch dem Bau einer Bahnlinie von Amasya nach Çorum nichts mehr nützen würde, und ich hatte, nachdem ich in dem Ort sechs Stunden lang kreuz und quer herumgelaufen war, um Hinweisen und Adressen nachzugehen, voller Wut entdecken müssen, daß von einem Denunzianten ein nicht existenter Leser des Buches in einer nicht existierenden Straße gemeldet worden war, ganz allein, um Dr. Narin dafür Geld abzuknöpfen, und ich hatte mich gerade noch nach Amasya, wo es wegen des steilen Felsgebirges zu beiden Seiten sehr früh Abend wird, davonmachen können. Da meine Liste der Mehmets ohne Ergebnis auf die Hälfte geschrumpft war und das Bild der wohl noch immer fiebernd zu Bett liegenden Canan in meinen Beinen ein unruhiges Kribbeln verursachte, plante ich, in dieser Stadt an der entsprechenden Adresse nach meinem Militärkameraden zu fragen und gleich, wenn ich wüßte, daß er nicht der richtige Mehmet war, in einen Bus zu steigen, der mich zum Ufer des Schwarzen Meeres bringen würde.

Über eine Brücke, die ein trübes, alles andere als grünes Gewässer überspannte – es sollte der Yeşil Irmak, der Grüne Fluß, sein –, erreichte ich ein Viertel direkt unter den Felsengräbern in den Gebirgswänden. Prächtige, große alte Villen zeugten davon, daß in diesem staubigen Stadtteil Menschen lebten, die irgendwann einmal – wer weiß, als welcher Pascha oder Herr über weite Ländereien – bessere Tage gesehen hatten. Ich klopfte an die Tür einer dieser Villen, fragte nach meinem Kameraden vom Militär; sie sagten, er sei mit seinem Wagen unterwegs, ließen mich ins Haus und boten mir die schönsten Szenen eines strahlend glücklichen Familienlebens dar:

1. Während sich der Familienvater, der ohne Honorar die Rechtsverfahren armer Leute übernahm, über die Sorgen eines eben an der Tür verabschiedeten, tiefbekümmerten Klienten grämte, vertiefte er sich in einen Band juristischer Kommentare, den er einer prachtvollen Bibliothek entnahm. 2. Als mich die von dem Verfahren unterrichtete Mutter dem zerstreuten Vater, der klug blickenden Schwe-

ster, der Großmutter mit der Weitsichtigenbrille und dem jüngsten, seine Briefmarkensammlung (Landesserie) inspizierenden Sohn vorstellte, freuten sich alle mit jenem echten Ausdruck der Gastfreundschaft und der Begeisterung, die westliche Reisende in ihren Büchern schildern. 3. Während die Mutter und die kluge Tochter darauf warteten, daß Tante Süveydes herrlich duftender Börek im Ofen gar wurde, fragten sie mich zuerst auf dezente Art und Weise aus und debattierten anschließend über den Roman *Climats* von André Maurois. 4. Der fleißige Sohn Mehmet, der den ganzen Tag in der Apfelbaumpflanzung zugebracht hatte, erklärte offen und ehrlich, er könne sich nicht mehr an mich während der Militärzeit erinnern, suchte gutmütig nach gemeinsamen Gesprächsthemen und fand sie auch, so daß wir Gelegenheit hatten, über die Nachteile zu diskutieren, die sich aus dem Verzicht auf die Eisenbahnpolitik und der Vernachlässigung von Kooperativen in den Dörfern für unser Land ergaben.

Diese Menschen vögeln wahrscheinlich nie, dachte ich nach dem Verlassen der glücklichen Villa, während ich in der Dunkelheit der Straßen erstickte. Mir war doch klar gewesen, sowie ich an die Tür geklopft und die Bewohner gesehen hatte, daß der bewußte Mehmet nicht in diesem Haus wohnen konnte. Warum war ich dann dortgeblieben und hatte mich von den glücklichen Szenen bezaubern lassen, wie man sie in der Werbung für Wohnungskredite sieht? Meiner Walther wegen, sagte ich mir und spürte die Pistole an der Hüfte. Sollte ich mich den behaglich erleuchteten Fenstern des glücklichen Hauses, aus dem ich kam, zuwenden und meine 9-mm-Geschosse in ihre Richtung entleeren? Doch ich wußte auch, es war kein Gedanke, sondern mehr ein Flüstern: Damit der schwarze Wolf im Herzen des finsteren Waldes meiner Gedankenwelt schlief! Schlafe, schwarzer Wolf, schlafe! Ach ja, laß uns schlafen! Ein Laden, ein Schaufenster, eine Ankündigung: Meine Füße, meine artigen Füße, furchtsam wie das Lamm vor dem Wolf, trugen mich irgendwohin. Wohin? Zum Freuden-Kino, zur Frühlings-Apotheke, zu den Todes-Trockenfrüchten. Warum schaut mich, die Zigarette in der Hand, der Gehilfe im Trockenfrüchteladen so merkwürdig an? Als ich nach diesem Geschäft, nach einem Krämerladen und einer Kuchenbäckerei in einem ziemlich großen Schaufenster die ARÇELIK-Kühlschränke, AYGAZ-Herde, Brotkästen, Sessel, Diwane, Emaillewaren, Lampen, Öfen Marke MODERN und einen dicht behaarten, fröhlichen Hund, das heißt die auf dem ARÇELIK-Radio hockende Hundefigur sah, merkte ich, es würde kein Halten mehr geben für mich.

Und so begann ich, Engel, bitterlich zu weinen, um Mitternacht vor einem Schaufenster in der zwischen zwei Bergen eingeklemmten Stadt Amasya. Wie das so ist, wenn man ein Kind fragt, Warum weinst du, mein Kleines, und es erklärt dem netten Onkel, der die Fragen stellt, es habe seinen blauen Bleistiftspitzer verloren, es weint jedoch, weil es sich tief innerlich verletzt fühlt. Genauso erging es mir, all die Sachen im Schaufenster stimmten mich unendlich traurig. Für nichts und wieder nichts sollte ich zum Mörder werden und bis an das Ende meines Daseins mit diesem Kummer auf meiner Seele weiterleben müssen. Als ich beim Trockenfrüchtehändler Sonnenblumenkerne kaufte, mich selbst im Schaufenster des Krämerladens betrachtete und in dem glücklichen Leben zwischen Kühlschränken und Öfen meinen Körper sah, wollte sich in meinem Innern wieder diese verfluchte, hinterlistige Stimme erheben, wollte dieser gemeine schwarze Wolf wieder seine Zähne fletschen und zu mir sagen: Du bist schuldig.

Wie hatte ich dagegen einmal an das Leben geglaubt, Engel, und daran, daß es gut sein müsse. Jetzt aber gab es zwischen einer Canan, der ich nicht glauben konnte, und einem

Mehmet, den ich töten würde, falls ich ihm glaubte, nichts, woran ich Halt fand, außer meiner Walther und einer nebelhaften Vorstellung vom Glück, die eine überaus verschlungene, überaus verschlagene Berechnung versprochen hatte. Von einem unhörbaren Klagelied begleitet, schwankte vor meinen Augen ein Zug von Kühlschränken, Orangenpressen und Sesseln vorbei, die man auf Raten erwerben konnte.

Der gute Onkel aus den einheimischen Filmen, der in solchen Situationen den schniefenden kleinen Kindern und den hübschen Frauen mit tränenfeuchten Augen Beistand leistet, kam in diesem Augenblick mir, dem alten, zähen Hahn, zu Hilfe und sagte: »Warum weinst du, mein Sohn, hast du Kummer, mein Sohn? Weine doch nicht!«

Dieser kluge, bärtige Onkel war entweder auf dem Weg zur Moschee, oder er wollte jemandem den Hals umdrehen. Ich sagte: »Ach, wissen Sie, mein Vater ist gestern gestorben.«

Das muß ihm wohl zweifelhaft vorgekommen sein. »Zu wem gehörst du, mein Sohn?« fragte er. »Sicher bist du nicht von hier.«

»Mein Stiefvater wollte uns niemals hier haben«, gab ich zurück und überlegte, ob ich noch folgendes hinzufügen sollte: »Ich wollte eigentlich als Pilger nach Mekka fahren, aber der Bus ist schon fort, leihen Sie mir doch etwas Geld!«

Ich tat, als müsse ich sterben vor Gram, und lief, sterbend vor Gram, hinein in die Finsternis.

Trotz allem hatte es gutgetan, aus dem Handgelenk heraus ein paar Lügen zu erfinden. Als ich später auf dem Fernsehschirm des SICHER REISEN, den ich stets am sichersten fand, mit ansah, wie böse Männer den Wagen einer zierlichen Dame kaltblütig und entschlossen mitten in eine Menschenmenge hineinsteuerten, war ich wirklich erleichtert. Vom Geschäft des Krämers am Ufer des Schwarzen

Meeres telefonierte ich morgens mit meiner Mutter in Istanbul und sagte ihr, ich würde meine Probleme bald hinter mir haben und dann mit der Engelsbraut nach Hause zurückkehren. Falls sie weinte, sollte sie vor Glück weinen. Ich setzte mich in eine Konditorei am alten Markt, holte meine Notizen hervor und machte genaue Pläne, um meine Angelegenheiten so schnell wie möglich zu erledigen.

Der Leser des Buches in Samsun war ein junger Arzt, der in der Sozialversicherungsklinik sein Praktikum machte. Sowie ich sah, daß er nicht der gesuchte Mehmet war, begriff ich auf einmal – vielleicht seiner sauberen Rasur, seines gepflegten Äußeren, seines Selbstvertrauens wegen oder aus sonstwelchen Gründen –, daß dieser Mann das Buch im Gegensatz zu Menschen wie mir, deren Leben dadurch auf die schiefe Bahn geglitten war, auf eine andere, gesunde und sinnvolle Weise seinem Verdauungssystem einverleibt hatte und in Frieden und Leidenschaft damit leben konnte. Ich haßte ihn sofort. Wie vermochte dieses Buch, das meine ganze Welt verwandelt, mein Geschick verwirrt hatte, bei diesem Mann eine vitaminartig stimulierende Wirkung zu zeitigen? Da meine Neugier, wie ich wußte, hell entbrannt war, wies ich auf das Buch hin, das in falscher Unschuld wie einer der Medikamentenkataloge zwischen den anderen auf dem Tisch lag, und eröffnete das Thema, während ich den gutaussehenden, breitschultrigen Arzt musterte und die dunkelhaarige Krankenschwester mit den riesigen Augen und den harten Zügen, eine drittklassige Kim-Novak-Kopie.

»Ach, der Herr Doktor liest sehr gern!« kicherte die kräftige, resolute Kim Novak.

Als die Schwester hinausging, verschloß der Arzt die Tür. Zeremoniell wie alle reifen Männer ließ er sich auf seinem Stuhl nieder. Und während wir beide eine Zigarette rauchten, erklärte er alles von Mann zu Mann.

Unter dem Einfluß seiner Familie sei er einmal gläubig gewesen, habe in frühester Jugend freitags die Moschee besucht und im Ramasan gefastet. Als er sich später in ein Mädchen verliebte, habe er seinen Glauben verloren, dann sei er sogar Marxist geworden. Nachdem diese Stürme nicht ganz spurlos an ihm vorübergegangen seien, habe er eine geistige Leere verspürt. Als er jenes Buch in der Bibliothek eines Freundes entdeckt und gelesen habe, hätten alle Dinge »ihren richtigen Platz« gefunden. Jetzt sei ihm bewußt, welche Stelle der Tod in unserem Leben einnehme, er habe ihn wie einen Freund auf der Straße, wie den unentbehrlichen Baum im Garten akzeptiert und nicht mehr rebelliert. Er habe begriffen, wie wichtig die Kindheit sei, habe auf diese Weise gelernt, sich der Kleinigkeiten aus der Vergangenheit, der Kaugummis und der Bildergeschichten zu erinnern und sie zu lieben, habe desgleichen die Bedeutung der ersten Bücher, der ersten Liebe und ähnlicher Dinge im Leben erkannt. Die verrückten und traurigen Omnibusse habe er genauso wie sein wildes Land ohnehin seit der Kindheit geliebt. Was den Engel anbetraf, so war es für ihn äußerst wichtig, daß er die Existenz dieses wundersamen Geschöpfes verstandesmäßig erfaßt hatte und von Herzen daran glaubte. Nach all diesen Synthesen wußte er nun endlich, daß der Engel eines Tages kommen und ihn finden und er dann mit ihm gemeinsam zum Himmel des neuen Lebens aufsteigen würde und daß es für ihn zum Beispiel möglich sein könnte, in Deutschland eine Arbeit zu finden.

Er sagte das alles, als hätte er für mich ein Rezept zum Glücklichsein ausgestellt und mir erklärt, wie ich wieder gesund werden könnte. Als sich der Herr Doktor in der Gewißheit erhob, daß sein Rezept verstanden worden war, oblag es dem unheilbar Kranken, sich der Tür zuzuwenden. Ich war dabei, hinauszugehen, da sagte er noch, als weise er mich an, die Pillen nach dem Essen einzunehmen: »Ich unterstreiche immer etwas in Büchern, wenn ich sie lese, das sollten Sie auch tun.«

Mit dem ersten Bus fuhr ich nach Süden, Engel, nach Süden, als wolle ich fliehen. Ich werde nie wieder an die Küste des Schwarzen Meeres fahren, schwor ich mir, und als gäbe es in meinen Entwürfen für das Glück eine so farbenfrohe, feste Vorstellung, ergänzte ich noch, daß Canan und ich am Schwarzen Meer sowieso niemals glücklich geworden wären. Vor dem dunklen Spiegel meines Fensters zogen dunkle Dörfer vorbei, dunkle Hürden, unsterbliche Bäume, traurige Tankstellen, leere Lokale, lautlose Berge, verschreckte Hasen. Etwas Ähnliches habe ich schon vorher gesehen, dachte ich, als auf dem Bildschirm des Busses der gutherzige, wohlmeinende Filmheld, lange nachdem er begriffen hatte, wie schlimm er betrogen worden war, zuerst die bösen Männer zur Rechenschaft zog und dann begann, sie abzuschießen. Er befragte jeden von ihnen, bevor er sie umbrachte, ließ sie betteln, bereuen, war bis zur Möglichkeit einer neuerlichen Gemeinheit unentschlossen und geneigt zu vergeben, und gleichzeitig mit dieser Gemeinheit kamen, wenn auch wir Zuschauer das Urteil fällten, daß der Kerl so einer war, der es verdiente, umgebracht zu werden, die Schüsse vom Bildschirm ein wenig über den Kopf unseres Fahrers. Daraufhin schaute ich wie jemand, dem die Geschmacklosigkeiten von Blut und Mord zuwider sind, aus dem Fenster, Engel, und überlegte, warum ich den eleganten Arzt nicht gefragt hatte, wer du warst, als er mir das Rezept für das Buch gab, und mir war, als hörte ich zwischen den Schüssen, dem Brummen des Motors und dem Geräusch der Räder ein seltsames Lied heraus. Und so begann sein Text:

Als der junge Patient: Wer ist der Engel? fragte, sagte der Arzt: Der Engel?, holte mit dem Selbstvertrauen des ganz von sich erfüllten Mannes eine Karte hervor, breitete sie auf dem Tisch aus und erklärte, als zeige er dem armen Patienten dessen hoffnungslose Eingeweide auf dem Röntgenbild: Hier ist der Hügel der Bedeutung, hier die Stadt des einmaligen Augenblicks, hier das Tal der Reinheit, und wenn hier die Stelle des Unfalls ist, sehen Sie, dann ist hier der Tod.

Muß der Mensch, wie dem Engel, auch dem Tod mit Liebe begegnen?

Meinen Notizen nach mußte ich in dem Städtchen Ikizler den dortigen Zeitungshändler als Leser des Buches besuchen: Zehn Minuten nach Verlassen des Omnibusses sah ich ihn mitten im Marktviertel in seinem Laden, wie er fröhlich, ohne jede Ähnlichkeit mit Canans Geliebtem, seinen kurzen, umfangreichen Leib durch das Hemd hindurch kratzte, und als der schnelle und entschlossene Detektiv, der ich war, verließ ich diese Stadt nach zehn Minuten wieder mit dem ersten Bus. Mein Verdächtiger in der Hauptstadt des Bezirks, zwei Busse und vier Stunden später, bereitete mir sogar noch weniger Mühe als der vorherige. Denn während der fleißige Barbier in seinem Laden gegenüber dem Busbahnhof einen Kunden rasierte, schaute er selbst, in einer Hand die Kehrichtschaufel, in der anderen die blitzsaubere Schürze, uns glücklichen Reisenden mit trauervollem Blick beim Aussteigen zu. Ich hätte gern gesagt: »Komm mit auf Fahrt, Bruder, zum Bus, laß uns gemeinsam reisen, in das Land, das noch unbekannt sein muß!«, da mir hier jedoch ein Reim eingefallen war, wollte ich die Sache zu Ende bringen, ehe mich die Muse verließ. Und weil ich eine Stunde später in der nächsten Ortschaft in dem arbeitslosen Verdächtigen einen ziemlich verdächtigen Verdächtigen sah, war ich nach Aufsuchen des Denunzianten mit gebrochenem Herzen gezwungen, sehr eingehend die alten Käfige, Taschenlampen, Scheren, Wasserpfeifenmundstücke aus Rosenholz und – so erstaunlich es ist – auch Handschuhe,

Schirme, Fächer und eine Browning-Pistole zu inspizieren, die er hinten im Garten in den Schacht des versiegten Brunnens gehängt hatte. Dieser Vertreter mit gebrochenem Herzen und abgebrochenen Zähnen übergab mir als untertänigsten Ausdruck seiner Verehrung und Bewunderung für Dr. Narin eine Serkisof-Uhr als Geschenk. Als er mir erzählte, wie er sich freitags nach dem Gebet jeweils mit drei anderen Freunden im Hinterzimmer eines Kuchenbäckers traf, um den Tag der Erlösung zu besprechen, fiel mir plötzlich auf, daß unversehens nicht nur Abend, sondern auch der Herbst hereingebrochen war. Während sich die Dunkelheit und die tief hängenden Wolken auf mein Gemüt legten, ging in einem Zimmer im Nachbarhaus das Licht an, und für einen Augenblick erschienen zwischen dem Herbstlaub die schön geformten, honigfarbenen Schultern einer halbentkleideten Frau, um gleich wieder wie ein Schaudern zu verschwinden. Danach sah ich am Himmel die schwarzen Rosse dahinrasen, Engel, ungeduldige Ungeheuer, Benzinpumpen an Tankstellen, Phantasiebilder vom Glück, andere Omnibusse, andere Menschen, andere Orte.

Es enttäuschte mich nicht, sondern ermunterte mich eher, daß der Kassettenverkäufer, mit dem ich viel später am gleichen Abend sprach, nicht der bewußte Mehmet war, und wir redeten von dem Vergnügen, das seine Ware den Käufern bereitete, redeten über den Regen, der kam und weiterzog, über die Traurigkeit der Stadt, in der ich soeben angekommen war, und sprangen von einem Thema zum anderen, als ich das melancholische Pfeifen eines Zuges hörte und in Aufregung geriet. Ich mußte dieses Nest, dessen Name mir sogar entfallen ist, sofort verlassen, mußte in meine samtige Nacht zurückkehren, in die mich ein Bus hinaustragen würde.

Während ich die Richtung des Pfeifens und des Busbahnhofs einschlug, sah ich im Rückspiegel eines abgestellten, auf Hochglanz polierten Fahrrads, wie ich auf dem Gehsteig entlangging: meine Pistole unsichtbar, mein neu erworbenes purpurfarbenes Jackett, die Serkisof, das Geschenk für Dr. Narin, in meiner Tasche, meine Bluejeans an den Beinen, meine ungeschickten Hände, die Schritte, mit denen ich vorbeiging – da zogen sich die Läden und Schaufenster zurück und verschwanden, und auf einem Platz in der Nacht sah ich ein Zirkuszelt und über dem Eingang ein Engelsbild. Der Engel war eine Kreuzung aus persischen Miniaturen und einheimischen Filmstars, doch mein Herz machte einen Sprung. Der den Unterricht schwänzende Schüler raucht nicht nur, sieh mal an, er geht obendrein auch noch heimlich in den Zirkus!

Ich kaufte eine Eintrittskarte, betrat das Zelt, setzte mich hin und wartete, fest entschlossen, in dem Schimmel-, Schweiß- und Erdgeruch alles zu vergessen. Ausgelassene Soldaten, noch nicht zu ihrer Einheit zurückgekehrt, Männer, die die Zeit totschlugen, Alte und Bekümmerte und vielleicht ein, zwei Familien, die mit den Kindern an den falschen Ort gekommen waren. Denn es gab weder die wunderbaren Trapezkünstler aus dem Fernsehen noch fahrradfahrende Bären, noch einheimische Zauberkünstler. Ein Mann holte unter einer schmuddlig-grauen Plane mit schnellem Griff ein Radio hervor, dann verschwand das Radio und wurde Musik. Wir hörten eine türkische Weise, eine junge Sängerin kam herein, sang mit trauriger Stimme noch ein zweites Lied und trat wieder ab. Man ließ uns wissen, daß die Eintrittskarten numeriert seien, die Nummern verlost würden und wir uns gedulden sollten.

Die Frau, die kurz zuvor gesungen hatte, erschien wieder, sie war jetzt ein Engel geworden, und die schwarzen Striche in den Augenwinkeln ließen sie schlitzäugig erscheinen. Sie trug einen dieser ziemlich geschlossenen Bikinis wie meine Mutter im Süreyya-Strandbad. Was ich für ein merkwürdiges Kleidungsstück, einen Überwurf oder einen sonderbaren Schal hielt, stellte sich als eine Schlange heraus, die sich um ihren Nacken ringelte und an beiden Seiten über die zarten Schultern herunterhing. Sah ich ein seltsames Licht, oder erwartete ich dieses Licht? Vielleicht glaubte ich das nur. Ein solches Glücksgefühl empfand ich dort in jenem Zelt, mit dem Engel und der Schlange und den übrigen zwanzig, fünfundzwanzig Menschen zusammen, daß ich meinte, die Tränen müßten mir aus den Augen quellen.

Als die Frau dann mit der Schlange redete, ging mir etwas durch den Kopf. Man erinnert sich plötzlich an eine längst vergessene Sache, fragt sich, warum man sich gerade jetzt daran erinnert, und ist reichlich verwirrt. Das spürte ich jetzt, doch statt verwirrt zu sein, fühlte ich Ruhe und Frieden. Onkel Rıfkı hatte bei einem unserer Besuche zu Vater und mir gesagt: »Ich kann an jedem Ort leben, wo Eisenbahnzüge haltmachen, und sei es am anderen Ende der Welt. Ein Leben aber, in dem der Mensch vor dem Einschlafen nicht das Pfeifen eines Zuges hört, kann ich mir einfach nicht vorstellen.« Ich konnte mir jedoch in jenem Moment sehr gut vorstellen, den Rest meines Lebens in diesem Städtchen unter diesen Menschen zu verbringen. Nichts ist so wertvoll wie die ruhevolle Gabe, alles vergessen zu können. Dies ging mir durch den Sinn, während ich den sanft mit der Schlange redenden Engel betrachtete.

Plötzlich wurde die Beleuchtung schwächer, und der Engel trat von der Bühne ab. Als es wieder hell wurde, sagte man zehn Minuten Pause an. Und ich wollte hinausgehen, um den Mitbürgern näherzukommen, mit denen ich den Rest meines Lebens verbringen würde.

Als ich zwischen den hölzernen Kaffeehausstühlen hindurchging, sah ich jemanden einige Reihen hinter der Bodenerhebung, die sich Bühne nannte, der die *Viranbağ-Post* las, und mein Herz schlug schneller. Da saß er, der bewußte Mehmet, Canans Geliebter, Dr. Narins toter Sohn, ein Bein über das andere geschlagen, weltvergessen, und las mit der Ruhe, nach der ich suchte, die Zeitung.

DREIZEHNTES KAPITEL

Sowie ich herauskam, traf mich ein leichter Wind im Nacken, wanderte über meinen ganzen Körper und ließ mir die Haare zu Berge stehen. Meine zukünftigen Mitbürger wurden zu mißtrauischen Feinden. Während mein Herz noch immer klopfte, fühlte ich das Gewicht der Pistole an meiner Hüfte und ließ mit meiner Zigarette die ganze Welt in Rauch aufgehen.

Es klingelte, ich schaute hinein, er las immer noch die Zeitung. Ich kehrte zusammen mit den anderen ins Zelt zurück. Drei Reihen hinter ihm nahm ich Platz, das »Programm« begann, und mir wurde schwindlig. Was ich sah oder nicht sah, was ich hörte, was ich mir anhörte – ich weiß es nicht mehr. Ich dachte nur an einen Nacken. An den sauber ausrasierten, anspruchslosen Nacken eines guten Menschen.

Sehr viel später sah ich zu, wie aus einem purpurnen Beutel Lose gezogen wurden; dann verkündete man die Nummer des Gewinners. Ein zahnloser Greis stürzte hocherfreut auf die Bühne. Der Engel, wieder im Bikini und mit Brautschleier, gratulierte ihm. Gleich darauf erschien der Billettverkäufer mit einem gewaltigen Leuchter in der Hand.

»Allah, das sind die sieben Leuchten der Plejaden!« schrie der zahnlose Alte.

Aus den Rufen einiger Zuschauer im Hintergrund entnahm ich, daß jeden Abend das Los dieses Mannes gewann und auch der Leuchter derselbe war, der jeden Abend in seiner Plastikfolie hin und her getragen wurde.

Der Engel sprach in ein kabelloses Mikrofon, das die Stimme nicht verstärkte, vielleicht auch eine Imitation war: »Wie fühlen Sie sich, wie ist das, Gewinner zu sein, sind Sie aufgeregt?«

»Ich bin sehr aufgeregt, sehr glücklich. Möge Allah es Ihnen lohnen!« sagte der Alte ins Mikrofon. »Das Leben ist eine schöne Sache. Trotz aller Sorgen und allem Kummer habe ich weder Angst, noch schäme ich mich, glücklich zu sein!«

Einige Leute applaudierten ihm.

»Wo wollen Sie den Leuchter aufhängen?« fragte der Engel.

»Das ist ein guter Zufall«, erklärte der Alte und beugte sich nah ans Mikrofon, als würde es funktionieren. »Ich bin verliebt, und meine Verlobte liebt mich genauso. Wir werden bald heiraten und eine neue Wohnung haben. Da hängen wir diese siebenarmige Leuchte auf.«

Es wurde applaudiert. Dann hörte ich Rufe: »Küß ihn, küß ihn!«

Als der Engel den Greis leicht auf beide Wangen küßte, war es ganz still. Und in der Stille verschwand der Alte, den Leuchter in der Hand.

»Aber wir gewinnen nie«, ließ sich eine wütende Stimme von hinten vernehmen.

»Ruhe!« verlangte der Engel. »Hört mir jetzt zu.« Die gleiche seltsame Stille wie bei der Kußszene setzte ein. »Eines Tages wird das Glück auch euch lachen, vergeßt nicht, auch für euch wird die Stunde des Glücks schlagen«, erklärte der Engel. »Ihr dürft nicht ungeduldig sein, dem Leben nicht grollen, wartet ab, ohne auf andere eifersüchtig zu sein! Wenn ihr lernt, das Leben zu lieben, dann werdet ihr auch verstehen, was ihr tun müßt, um glücklich zu werden. Dann werdet ihr mich zu sehen bekommen, ob ihr den Weg aus den Augen verliert oder nicht.« Ein anzügliches Heben der Augenbraue. »Denn der Wunsch-Engel ist jeden Abend hier, in dem hübschen Städtchen Viranbağ.«

Das magische Licht über dem Engel verlosch. Eine nackte Birne brannte. Ich hielt Abstand zu meinem Zielobjekt und ging mit der Menge hinaus. Der Wind war stärker geworden. Während ich nach rechts und links schaute, hatte sich auf einmal vorn eine Stauung gebildet, so daß ich mich zwei Schritte hinter ihm befand.

»Wie war's, Osman Bey, hat's dir gefallen?« fragte ihn ein Mann mit Filzhut.

Und er meinte: »Na ja, soso.« Die Zeitung unter den Arm geklemmt, beschleunigte er seine Schritte. Warum hatte ich nicht daran gedacht, daß er nach der Flucht aus der Nahit-Existenz auch den Mehmet aufgeben und nun diesen Namen als Pseudonym annehmen könnte? Hatte ich deswegen nicht daran gedacht, weil ich mir das nicht hätte denken können? Das konnte ich mir nicht denken. Ich blieb zurück und wartete, daß er sich ein wenig mehr entfernte. Und betrachtete sehr eingehend seinen schmalen, leicht nach vorn gebeugten Körper. Also das war der Kerl, in den Canan unsterblich verliebt war. Ich folgte ihm.

Die am reichsten mit Bäumen bestandenen Straßen unter den vielen Ortschaften, die ich bisher gesehen hatte, waren die des Städtchens Viranbağ. Wenn mein Zielobjekt unter eine Straßenlampe kam, während es rasch voranschritt, schien es von einem matten Bühnenlicht beleuchtet zu sein, verlor sich aber im unsteten Dunkel von Wind und Blattgezitter, sobald es zu einer der Kastanien oder Linden kam. Vom Neue-Welt-Kino angefangen, tönten die schwachen Neonlampen der Konditorei, Post, Apotheke und Teestube auf dem Platz der Ortschaft das weiße Hemd meines Zielobjektes nacheinander zart gelb, orange, hellblau und schließlich rötlich, bevor wir in eine Seitenstraße einbogen. Als ich die makellose Perspektive bemerkte, die von den einheitlichen dreistöckigen Häusern, den Straßenlampen und den raschelnden Bäumen gebildet wurde, ließ der, wie ich annahm, von all den Serkisofs, Zeniths und Seikos empfundene Reiz des Verfolgens auch mich erschauern, und ich be-

eilte mich, dem unpersönlichen weißen Hemd meines Zielobjektes näher zu kommen, um mein Vorhaben zu beenden.

Was dann auch immer geschah – es gab ein lautes Geräusch, ich fürchtete plötzlich, eine der Uhren sei mir auf
den Fersen, und zog mich in einen Winkel zurück. Es war
wohl ein Fenster durch den Wind zugeschlagen und die
Scheibe klirrend zerbrochen, mein Zielobjekt hatte sich im
Dunkeln umgewandt und hatte angehalten, und als ich
meinte, es gehe weiter, ohne mich bemerkt zu haben, hatte
es auf einmal schon den Schlüssel hervorgeholt, eine Tür
geöffnet und war in einem der Einheitsbetonkästen verschwunden, bevor ich meine Walther überhaupt entsichern
konnte. Ich wartete noch, bis im zweiten Stock ein Fenster
hell wurde.

Dann merkte ich auf einmal, daß ich wie jeder Mörder
und Mörderkandidat in der Welt einsam und allein geblieben war. In der nächsten Straße ließ der Wind die schlichten
Neonlettern des Hotels Sicherheit, das sich achtungsvoll der
bestehenden perspektivischen Ordnung gebeugt hatte, hin
und her schwingen, und sie versprachen mir etwas Geduld,
etwas Vernunft, etwas Frieden, ein Bett und eine lange
Nacht, um nochmals über mein ganzes Leben, meinen Entschluß, Mörder zu werden, und meine Canan nachzudenken. Niedergeschlagen ging ich hin, und weil der Angestellte am Empfang danach fragte, bat ich um ein Zimmer
mit Fernseher.

Ich drückte die Taste, sowie ich das Zimmer betrat, und
lobte meinen Entschluß, als das schwarzweiße Bild erschien.
Nun würde ich die Nacht nicht in der Einsamkeit eines
wilden Mörders verbringen, sondern mit dem fröhlichen
Geplauder meiner schwarzweißen Freunde, die diese Tätigkeit nicht weiter ernst nahmen und sie oft genug ausführ-
ten. Ich stellte den Ton etwas lauter. Als nach einer Weile
fünfzig bewaffnete Männer einander anzuschreien und

amerikanische Autos rasend und schleudernd die Kurven zu nehmen begannen, fühlte ich mich wohler und schaute ruhig aus dem Fenster auf die zornigen Kastanienbäume, in die Welt dort draußen.

Ich war nirgends und überall, und aus diesem Grund schien es mir, als wäre ich im nicht existierenden Zentrum der Welt. Vom Fenster meines wunderhübschen, schrecklich toten, in diesem Zentrum befindlichen Hotelzimmers aus war das Licht im Zimmer des Mannes zu sehen, den ich umbringen wollte. Ihn selbst sah ich nicht, doch ich war zufrieden, ihn jetzt dort und mich für diese Nacht hier zu wissen, und außerdem hatten meine Freunde im Fernsehen angefangen, sich gegenseitig mit Geschossen einzudecken. Bald nachdem mein Zielobjekt sein Licht gelöscht hatte, muß ich wohl, die Schüsse im Ohr, eingeschlafen sein, ohne über das Leben, die Liebe und den Sinn des Buches nachgedacht zu haben.

Morgens stand ich auf, wusch und rasierte mich und verließ das Hotel, ohne den Fernseher abzustellen, der für das ganze Land Regen voraussagte. Ich hatte weder meine Walther kontrolliert, noch war ich, wie es einem jungen Mann entspräche, der sich auf einen Liebes- und Buchmord einstellt, nervös geworden beim Blick in den Spiegel meines Zimmers und in die Welt da draußen. In meinem purpurnen Jackett muß ich wohl wie einer der freundlichen Studenten ausgesehen haben, die während der Sommerferien von einem Ort zum anderen fahren und versuchen, die Republiksenzyklopädie und das *Who's Who* zu verkaufen. Hofft der freundliche Student denn nicht, wenn er in der Provinz an die Tür eines ihm namentlich bekannten Buchliebhabers klopft, daß man ausführlich über die Literatur und das Leben reden wird? Mir war schon lange klar, daß ich ihn nicht sofort töten würde. Ich ging die Treppe hoch in den ersten Stock und klingelte, wie ich meinte, aber es klingelte nicht, sondern der elektrisch betriebene Mechanismus ahmte das Trillern eines Kanarienvogels nach. Die letzten Neuheiten sogar gelangten in das Städtchen Viranbağ, und der Mörder findet sein Opfer, selbst wenn es am äußersten Ende der Hölle wäre. Im Film umgeben sich die Opfer in dieser Situation mit einem Fluidum, das ihr Wissen um das Bevorstehende ahnen läßt, und sagen: »Ich wußte, daß du kommst!« Doch so lief es nicht ab.

Er war verblüfft. Doch seine Verblüffung erstaunte ihn nicht, er nahm sie ganz selbstverständlich auf. Zwar stimmte sein Gesicht nicht ganz mit dem überein, an das ich mich erinnerte und was ihm meine Phantasie an Gedankentiefe zugeschrieben hatte, doch ja, es war gut geschnitten, na schön, er sah gut aus.

»Ich bin's, Herr Osman«, sagte ich, und Schweigen folgte.

Dann aber faßten wir uns beide. Er blickte für einen Moment verschämt auf mich und die Tür, als wolle er mich nicht einlassen, und sagte dann: »Komm, laß uns zusammen weggehen.«

Er zog ein nicht kugelsicheres graubraunes Jackett an, wir verließen zusammen das Haus und gingen durch Straßen, die Straßen imitierten. Ein mißtrauischer Hund musterte uns auf dem Gehsteig, die Turteltauben im Wipfel einer Kastanie verstummten. Sieh nur, Canan, sieh, wie er und ich Freunde geworden sind! Ich stellte gerade fest, daß sein Hals ein kleines bißchen kürzer war als der meine, und beurteilte seinen Gang, das auffälligste persönliche Merkmal bei Kerlen wie mir – wie soll ich's sagen, also, die Harmonie zwischen dem Heben und Senken der Schultern und dem ausgreifenden Schwung der Schritte –, als einen mir ähnlichen, da fragte er mich, ob ich schon etwas gefrühstückt hätte, ob ich etwas essen wolle, am Bahnhof gebe es ein Kaffeehaus, ob ich Tee trinken wolle?

Er kaufte in einer Backstube zwei frische, in heißem Fett

gebratene Kringel, ließ bei einem Krämer hundert Gramm Kaşar-Käse in Scheiben schneiden und in Pergamentpapier einwickeln. Der Engel auf dem Zirkusplakat winkte uns im Vorbeigehen zu. Wir betraten ein Kaffeehaus durch den Vordereingang, er bestellte zweimal Tee, wir gingen durch die Hintertür hinaus und setzten uns in einen Garten mit Blick auf den Bahnhof. Auf dem Dach und in der Kastanie saßen Turteltauben und gurrten vor sich hin, ohne sich um uns zu kümmern. Es herrschte eine angenehme Morgenkühle, eine Stille, und kaum hörbar kam aus der Ferne Radiomusik.

»Jeden Morgen, bevor ich zu arbeiten anfange, trinke ich draußen in einem Kaffeehaus meinen Tee«, erklärte er und packte den Käse aus. »Im Frühling ist es schön hier. Und auch, wenn der Schnee fällt. Ich mag es, morgens die verschneiten Bäume anzuschauen und die Krähen auf dem Bahnhof zu beobachten, wenn sie durch den Schnee staksen. Auch das große Kaffeehaus Heimat am städtischen Platz ist angenehm, es hat einen großen, gut heizenden Ofen. Dort lese ich meine Zeitung, höre manchmal Radio und sitze manchmal nur da und tue nichts.

Mein neues Leben ist ordentlich, diszipliniert und pünktlich ... Jeden Morgen kurz vor neun gehe ich nach Hause zurück zu meinem Tisch. Wenn es neun ist, sitze ich dort, meinen Kaffee vor mir, und habe schon mit dem Schreiben angefangen. Meine Arbeit mag einfach erscheinen, doch sie verlangt Konzentration. Ich schreibe das Buch immer wieder von neuem, ohne ein einziges Komma zu überspringen, ohne einen Buchstaben oder einen Punkt an die falsche Stelle zu setzen. Alles soll bis auf Punkt und Komma übereinstimmen. Das kann man nur mit der gleichen Intuition, mit dem gleichen Willen erreichen. Andere mögen sagen, ich würde das Buch nur kopieren, meine Tätigkeit geht jedoch weit über das einfache Abschreiben hinaus. Ich schreibe fühlend und verstehend, schreibe jeden Satz, jedes

Wort und jeden Buchstaben jedesmal so, als wären sie von mir. Auf diese Weise arbeite ich zielstrebig von morgens um neun bis mittags um eins, tue nichts anderes, und nichts kann mich von meiner Arbeit abbringen. Morgens kann ich im allgemeinen besser arbeiten.

Dann gehe ich zum Mittagessen aus. Es gibt zwei Lokale in dieser Ortschaft. Bei Asim herrscht immer Gedränge. Das Bahnhofslokal ist ruhiger und schenkt auch Alkohol aus. Ich suche mal das eine, mal das andere auf. Es kann auch vorkommen, daß ich nur Brot und Käse in einem Kaffeehaus zu mir nehme oder das Haus überhaupt nicht verlasse. Mittags trinke ich nichts. Ich lege mich höchstens mal ein bißchen hin, das ist alles. Hauptsache, ich sitze um halb drei wieder an meinem Tisch. Dann arbeite ich durchgehend bis um halb sieben, sieben Uhr abends. Es kann auch sein, daß ich weitermache, falls ich gut vorankomme. Man soll sich die Gelegenheit nicht entgehen lassen und so lange wie möglich weiterschreiben, wenn einem das Geschriebene gefällt und man mit allem zufrieden ist. Das Leben ist kurz, und so stehen die Dinge, du weißt es ja. Laß deinen Tee nicht kalt werden.

Wenn ich den ganzen Tag gearbeitet habe, sehe ich, was ich schaffen konnte, in guter Stimmung noch einmal durch und gehe dann aus. Denn ich mag es, abends einige Leute zum Gespräch um mich zu haben, während ich in die Zeitungen schaue oder vor dem Fernseher sitze. Das ist ein Muß, weil ich allein lebe und mich zum Alleinbleiben entschlossen habe. Menschen zu treffen, mit ihnen zu schwatzen, ein wenig zu trinken, ein paar Geschichten zu hören und vielleicht selbst eine zum besten zu geben – das alles gefällt mir. Manchmal gehe ich später ins Kino oder schaue mir ein Fernsehprogramm an; dann wieder gibt es Tage, da spiele ich Karten im Kaffeehaus, oder ich kehre mit meinen Zeitungen früh nach Hause zurück.«

»Gestern warst du im Zelttheater«, sagte ich.

»Diese Leute sind hier vor einem Monat angekommen und geblieben. Es gibt noch immer Menschen, die abends hingehen.«

»Die Frau dort«, sagte ich, »sie scheint ein bißchen Ähnlichkeit mit einem Engel zu haben.«

»Sie ist kein Engel oder etwas Ähnliches«, erwiderte er. »Sie schläft mit den Raffkes der Stadt und mit Soldaten, die sie bezahlen, verstehst du?«

Wir schwiegen. Dieses »Verstehst du?« riß mich hoch vom behaglichen Polster sarkastischer Wut, auf dem ich während meines Hin- und Hergetriebenwerdens in den letzten Tagen gutgelaunt und genüßlich wie ein Betrunkener geruht hatte, und versetzte mich in die lästige Unruhe eines harten, unbequemen Holzstuhls im Garten vis-à-vis dem Bahnhof.

»Was im Buch steht«, sagte er, »habe ich schon lange hinter mir gelassen.«

»Aber du schreibst doch den ganzen Tag an diesem Buch«, sagte ich.

»Ich schreibe für Geld«, sagte er.

Weder Siegesgefühl noch Scham lagen in seiner Schilderung, sondern eher so etwas wie eine Entschuldigung dafür, daß er die Umstände erklären mußte. Er schrieb das Buch noch einmal mit der Hand ab, und zwar in die wohlbekannten sauberen Schulhefte. Da er täglich im Durchschnitt acht bis zehn Stunden arbeitete und etwa drei Seiten pro Stunde einhalten konnte, schaffte er die handschriftliche Fassung der dreihundert Seiten des Buches bequem in zehn Tagen. Es gab hier Menschen, die für solche Dinge einen »angemessenen« Preis bezahlten. Die Prominenten der Stadt, traditionsbewußte Leute, solche, die ihn mochten, die seine Mühe, seine Überzeugung, seine Treue zur Sache und seine Geduld schätzten, Leute, die es bei anderen gesehen hatten

und nun selbst besitzen wollten, und andere, die es irgendwie glücklich machte, daß einer in Frieden unter ihnen
lebte, der eine Sisyphusarbeit tat ... Und er war sogar unge-
wollt – das brachte er nur stockend heraus – für seine Umgebung zu einer Art »harmloser Legende« geworden, weil
er sein ganzes Leben einer so anspruchslosen Mühe gewidmet hatte; man achtete ihn und fand an seiner Arbeit – er
sagte auf meine Art: »Wie soll ich's sagen?« – etwas geradezu Heiliges ...

All dies erzählte er, weil ich ihn dazu brachte, weil ihn
meine bohrende Fragerei dazu zwang; denn einem, der
gern von sich selbst spricht, glich er auf keinen Fall. Nachdem er dankbar von seinen Kunden, von dem Wohlwollen
derer, die sich für die handschriftliche Kopie des Buches in-
teressierten, und von der ihm entgegengebrachten Achtung
gesprochen hatte, sagte er noch: »Wie dem auch sei, ich er-
weise ihnen einen Dienst, biete ihnen etwas Echtes an. Ein
Buch, in dem jedes Wort aus tiefer Überzeugung, voller Hingabe und deshalb mit der Hand geschrieben wurde. Sie geben
mir ein mehr oder weniger hohes Entgelt für meine ehrliche
Arbeit. So spielt sich schließlich jedermanns Leben ab.«

Wir schwiegen. Während ich die frischen Kringel mit den
Käsescheiben aß, konnte ich klar erkennen, daß sich sein Leben längst gefestigt hatte oder, wie das Buch sagte, »auf dem
richtigen Gleis war«. Auch er war wie ich durch das Buch
auf Fahrt gegangen, doch er hatte nach der Suche, den Reisen und den Abenteuern voll Liebe, Tod und Katastrophen
etwas erreicht, was mir verwehrt geblieben war, er hatte
inneren Frieden und ein Gleichgewicht gefunden, in dem
sich jahrelang nichts ändern würde. Während er behutsam
in die Käsescheiben biß und aus seinem Glas, das Aroma
genießend, den letzten fingerbreiten Schluck Tee trank,
ahnte ich, wie er diese kleinen Gesten der Hand, der Finger,
des Mundes, des Kinns und des Kopfes tagtäglich wieder-

holte. Das von ihm erreichte friedliche Gleichgewicht hatte ihm eine unendliche, eine immerwährende Zeitspanne geschenkt. Ich aber wippte sorgenvoll und unglücklich mit den Beinen unter dem Tisch.

Plötzlich packte mich die Eifersucht, der Wunsch, Böses zu tun. Dann aber wurde mir etwas noch Schlimmeres klar. Wenn ich jetzt meine Pistole zog und ihn mitten ins Auge schoß, würde ich diesem Mann, der schreibend zum Frieden der unendlichen Zeit gefunden hatte, nicht das geringste antun. Er würde seinen Weg innerhalb der gleichen reglosen Zeitspanne fortsetzen, wenn auch auf etwas andere Weise. Mein unruhiger Geist jedoch, der nicht »Halt« sagen konnte, wartete wie jene Busfahrer, denen das Woher und Wohin ihrer Reisen entfallen ist, ungeduldig darauf, irgendwohin zu gelangen.

Ich stellte ihm viele Fragen. Er antwortete kurz mit »Ja«, »Nein« oder »Natürlich«, und dadurch wurde mir klar, daß ich die Antwort auf meine Fragen schon im voraus gewußt hatte: Er war mit seinem Dasein zufrieden. Er erwartete nichts weiter vom Leben. Er liebte das Buch noch und glaubte daran. Er war niemandem böse. Er hatte verstanden, was das Leben bedeutete. Aber er konnte diese Bedeutung nicht erklären. Natürlich, er war erstaunt gewesen, als er mich vor sich sah. Er glaubte nicht, irgend jemandem etwas beibringen zu können. Jeder lebte sein eigenes Leben, und er meinte, im Grunde genommen seien alle Leben gleich. Er mochte die Einsamkeit, doch das war nicht so wichtig, denn er mochte auch die Menschen. Auch Canan hatte er sehr gemocht. Ja. Er war in sie verliebt gewesen. Doch dann war es ihm gelungen, zu entkommen. Er war nicht erstaunt, daß ich ihn gefunden hatte. Er ließ Canan vielmals grüßen. Das Schreiben war die einzige Tätigkeit in seinem Leben, aber nicht sein einziges Glück. Er wußte, daß er wie jeder andere eine Beschäftigung haben mußte. Es könnte sein, daß ihm auch andere Arbeiten gefallen würden. Ja, wenn solche Arbeiten ihm das Nötigste an Geld bringen würden, könnte er sie ebenso tun. Es sei zum Beispiel eine reizvolle Sache, die Welt zu betrachten, im wahren Sinne des Wortes sehend zu betrachten.

Eine Lokomotive rangierte auf dem Bahnhof, und wir schauten zu. Unsere Köpfe folgten ihr, während sie dicke Rauchwolken ausstieß und Blech- und Wimmerlaute von sich gab wie eine alte, müde, aber immer noch rüstig klingende städtische Kapelle.

Als die Lokomotive hinter den Mandelbäumen verschwand, erschien Trauer in den Augen des Mannes, dessen Herz ich bald mit den Schüssen meiner Pistole zu durchbohren gedachte, um vielleicht mit Canan jenen Frieden zu finden, den er durch das ständige Neuschreiben des Buches erreicht hatte. Und während ich für einen Augenblick brüderlich nah die kindliche Naivität und Melancholie in seinen Augen beobachtete, verstand ich sehr wohl, warum Canan diesen Mann so sehr liebte. Und was ich verstanden hatte, erschien mir so wirklich und wahr, daß ich Canan dieser Liebe wegen achtete. Doch gleich darauf verwandelte sich diese mich erdrückende Achtung in eine Eifersucht, in die ich wie in einen tiefen Brunnen geschleudert worden war.

Der Mörder fragte sein Opfer, warum er seinen Namen, Osman, als Pseudonym gewählt hatte, als er sich entschloß, in dieser abgelegenen Kleinstadt vergessen zu werden.

»Ich weiß nicht«, erklärte der falsche Osman, ohne die Eifersuchtswolken in den Augen des echten Osman zu bemerken. Dann lächelte er lieb und nett und fügte hinzu: »Ich mochte dich, als ich dich sah, vielleicht deswegen.«

Die Lokomotive, die hinter den Mandelbäumen heraus- und auf einem anderen Gleis zurückkam, verfolgte er mit einer fast respektvollen Aufmerksamkeit. Der Mörder hätte schwören können, daß sein Opfer, dessen Augen an der im Sonnenlicht glitzernden Lokomotive hingen, in jenem Augenblick die ganze Welt vergessen hatte. Doch so war es nicht. Während die Morgenfrische von der Schwere eines sonnigen Tages abgelöst wurde, sagte mein Gegner: »Es ist neun Uhr vorbei, die Zeit, in der ich am Tisch sitzen muß ... Wo wirst du hinfahren?«

Ich war mir sehr wohl bewußt, was ich da aufgeregt und verzweifelt, doch keineswegs gedankenlos tat, als ich das erstemal in meinem Leben einen Menschen inständig anflehte: Was soll's, laß uns noch etwas länger bleiben, laß uns etwas weiterreden, laß uns einander noch besser verstehen!

Er wunderte sich, war wohl auch ein wenig beunruhigt, doch er erkannte es: Nicht die Pistole in meiner Tasche, sondern meinen Wissensdurst. Er lächelte mir auf so tolerante Weise zu, daß sogar jenes Gefühl unserer Ebenbürtigkeit gänzlich zerstob, das ich doch nur der Tatsache verdankte, daß ich die Walther an meiner Hüfte spürte. Dadurch packte den unglücklichen Reisenden, der im Lauf seiner Fahrten nicht zum Herzen des Lebens, sondern nur bis an die Grenzen seines eigenen Elends vordringen konnte, der Ehrgeiz, den weisen Scheich, dem er an dieser Grenze begegnet war, nach dem Sinn des Lebens, des Buches, der Zeit, des Schreibens, des Engels und aller Dinge zu fragen.

Ich fragte ihn nach der Bedeutung all dieser Dinge, und er wiederum fragte, was ich mit »all diesen Dingen« meinte. Daraufhin wollte ich von ihm wissen, wie die Frage lautete, die der Ursprung aller Dinge sein könnte, damit ich imstande sei, ihm diese Frage zu stellen. Er sagte mir, es müsse einen Ort geben, wo die Dinge, die ich dort finden würde, keinen Anfang und kein Ende hätten. Das hieß also, es gab nicht einmal so eine Frage, die ich ihm vielleicht hätte stellen können. Es gab keine. Was gab es also? Was es gab, hing von der Betrachtungsweise des Menschen selbst ab. Manchmal sei da eine Stille, und der Mensch versuche, daraus Gewinn zu ziehen. Und manchmal saß der Mensch, wie wir beide jetzt, im Kaffeehaus, trank seinen Tee, plauderte auf nette Art, hielt Ausschau nach den Lokomotiven, den Zügen und lauschte dem Gurren der Turteltauben. Das war vielleicht auch nicht alles, aber nichts war es auch nicht. Nun gut, aber gab es nicht ein neues Land, das er nach all seinen Fahrten irgendwo jenseits gesehen hatte? Wenn es irgendwo jenseits einen Ort gab, so lag er nur in dem, was geschrieben stand, denn er selbst war zu dem Schluß gekommen, daß es unnütz sei, außerhalb des Schriftwerks, im Leben draußen nach dem zu suchen, was er in den Schriften gefunden hatte. Denn die Welt sei zumindest ebenso grenzenlos, fehlerhaft und unzulänglich wie das, was geschrieben stand.

Da fragte ich ihn, warum wir wohl beide so stark unter den Einfluß des Buches geraten konnten. Und er sagte, diese Frage könne nur jemand stellen, der von dem Buch nicht im geringsten beeindruckt sei. Es gab viele solcher Menschen auf der Welt, aber war ich denn einer von ihnen? Ich hatte vergessen, was für ein Mensch ich war. Denn auf den Straßen, die ich bewältigt hatte, um Canans Liebe zu gewinnen, das Land des Buches und meinen Gegner zu finden und ihn später zu töten, war der Kern meiner Seele ins Schleudern geraten, und sie war mir verlorengegangen. Danach fragte ich nicht, Engel, doch ich fragte ihn, wer du bist.

»Ich bin dem im Buch erwähnten Engel nie begegnet«, ließ er mich wissen. »Vielleicht vermag ihn der Mensch im Sterben vor dem Fenster eines Omnibusses zu erkennen.«

Wie schön er dabei lächelte, wie erbarmungslos. Ich würde ihn töten. Aber nicht sofort. Wir mußten noch länger miteinander sprechen. Ich mußte ihn zum Reden bringen, um den verlorenen Kern meiner Seele wiederzufinden. Doch die elende Lage, in der ich mich befand, ließ mich einfach nicht die rechten Fragen stellen. Die Vorhersage im Radio, daß es regnen würde, der teils bewölkte, ganz normale ostanatolische Morgen, die strahlende Helle des friedlichen Bahnhofs, zwei Hühner, die versunken den Bahnsteig vom einen bis zum anderen Ende durchscharrten, zwei fröhlich parlierende Jungen, die Kästen mit BUDAK-Sprudel von einem Handkarren zum Bahnhofsbuffet trugen, der rauchende Fahrdienstleiter, das Sein des voranschreitenden Tages – all diese Dinge hatte ich ganz und gar in mich aufgenommen, und sie hatten meinem konfusen Verstand keine Kraft mehr gelassen, um gute Fragen über das Leben und das Buch zu stellen.

Wir schwiegen eine lange Zeit. Ich überlegte hin und her, was ich ihn und wie ich es fragen sollte. Und vielleicht war auch er am Überlegen, wie er mir und meinen Fragen entkommen könne. Dann aber schlug das Verhängnis zu. Er bezahlte den Tee, umarmte und küßte mich auf beide Wangen. Wie sehr er sich doch gefreut hatte, mich zu sehen! Wie sehr ich ihn doch haßte! Nein, na gut, ich mochte ihn. Nein, warum sollte ich ihn mögen? Ich würde ihn töten.

Aber nicht jetzt. Wenn er zu seinem Rattenloch in der Straße zurückkehrte, die sich der Ordnung und der Gesetztheit der Perspektiveregeln unterworfen hatte, um seine irrsinnige Arbeit zu tun, würde sein Weg am Zelttheater vorbeiführen. Ich würde die Schienen entlanggehen, ihn über die Abkürzung erreichen und unter den Blicken des Wunsch-Engels töten, den er verachtet hatte.

Sollte er doch gehen, dieser eingebildete Mensch! Ich war wütend auf Canan, weil sie es fertigbrachte, ihn zu lieben. Doch ein Blick von fern auf seinen empfindsamen, melancholischen Schatten genügte, um zu verstehen, wie recht Canan hatte: Osman, der Held des Buches, das Sie lesen, war weder unschlüssig, noch war er armselig ... Er wußte nur zu genau, daß der Mann, den er zu hassen versuchte,

»im Recht« war. Und auch, daß er ihn nicht sofort töten würde. Fast zwei Stunden lang saß ich bekümmert und mit den Beinen wippend auf dem klapprigen Kaffeehausstuhl und überlegte, welche weiteren Fallen mir Onkel Rıfkı in meinem neuen Leben gestellt haben mochte.

Gegen Mittag kehrte ich als kleinlauter Mörderkandidat still und leise in das Hotel Sicherheit zurück. Der Angestellte freute sich sehr, daß der Gast aus Istanbul eine weitere Nacht blieb, und bot ihm Tee an. Aus Furcht vor der Einsamkeit meines Zimmers hörte ich lange seinen Reminiszenzen an die Militärzeit zu und beschränkte mich, als ich an die Reihe kam, auf die Bemerkung, ich müsse noch »eine Rechnung begleichen«, hätte aber die »Angelegenheit noch nicht beenden können«.

Sobald ich das Zimmer betrat, stellte ich den ausgeschalteten Fernseher wieder an: Auf dem Bildschirm lief ein bewaffneter Schatten eine schwarzweiße Mauer entlang und entleerte das Magazin in Richtung seines Zieles, sowie er um die Ecke kam. Hatten wir nicht, Canan und ich, diese Szene farbig in einem Omnibus gesehen? Ich setzte mich auf den Bettrand und wartete geduldig auf die folgende Mordszene. Auf einmal bemerkte ich, daß meine Blicke von meinem zu seinem Fenster hinüberwanderten. Dort schrieb er, der Schatten, doch ich konnte nicht genau erkennen, ob er es war. Ich stellte mir aber vor, daß er dort in Ruhe schrieb, um mich zu quälen. Eine Weile saß ich da und starrte versunken auf den Bildschirm, doch als ich aufstand, wußte ich nicht mehr, was ich gesehen hatte. Und erneut fand ich mich vor dem Fenster wieder, die Augen auf das seine gerichtet. Er hatte die friedliche Endstation seiner Reise erreicht, und ich befand mich zwischen den schwarzweißen Schatten, die einer auf den anderen feuerten. Er wußte Bescheid, war auf die andere Seite hinübergegangen, hatte etwas gelernt über das neue Leben, das er mir verschwieg, ich aber hatte nichts weiter als die ungewisse Hoffnung, Canan für mich zu gewinnen.

Warum zeigen uns diese Filme niemals den Kummer der traurigen Mörder, die in ihren Hotelzimmern der eigenen Armseligkeit erliegen? Wäre ich ein Regisseur, würde ich in meinem Film das Bett mit der zerwühlten Decke, den abgeblätterten Fensterrahmen, die verdreckten Vorhänge, das schmutzige, verknitterte Hemd des Mörderkandidaten, die durchwühlten und ausgestülpten Taschen des purpurnen Jacketts zeigen und auch sein Nachdenken darüber, ob er sich zum Zeitvertreib einen runterholen sollte oder nicht.

Eine Zeitlang ließ ich die Stimmen in meinem Verstand offen über folgende Themen sprechen: Warum verlieben sich schöne, sensible Frauen in kaputte Männer, deren Leben entgleist ist? Werde ich wie ein Jammerlappen oder wie ein Melancholiker aussehen, wenn ich zum Mörder werde und dessen Spuren lebenslang in meinen Augen zu lesen sind? Ob Canan mich wohl wirklich lieben kann, wenn auch nur halb so sehr, wie sie jenen Mann liebt, den ich bald umbringen werde? Könnte ich, wie Nahit-Mehmet-Osman es fertigbringt, mein ganzes Leben dem Zweck widmen, Onkel Rıfkıs Buch immer und immer wieder in irgendwelche Hefte abzuschreiben?

Nachdem die Sonne hinter der perspektivischen Straße untergegangen und auch eine leichte Kühle, einer listigen Katze gleich, mit den langen Schatten herumzuschleichen begann, schaute ich unaufhörlich von meinem zu seinem Fenster hinüber. Ich sah ihn nicht, glaubte nur, daß ich ihn sah, beobachtete das Zimmer hinter dem Fenster, ohne mich auch nur einen Moment von den wenigen Fußgängern auf der Straße ablenken zu lassen, und wollte unbedingt daran glauben, daß dort jemand zu sehen wäre.

Ich weiß nicht, wie lange das dauerte. Es war noch nicht dunkel, in seinem Zimmer brannte noch kein Licht, als ich

mich plötzlich auf der Straße unter seinem Fenster wieder-
fand und nach ihm rief. Ein Schatten erschien am Fenster
und verschwand, sowie er mich erblickte. Ich betrat das
Haus, hastete die Treppen hoch, die Tür ging auf, bevor ich
das Vogelgezwitscher auslösen mußte, doch er ließ sich
nicht sofort blicken.

Ich betrat die Wohnung. Auf einem mit grünem Tuch
bedeckten Tisch sah ich ein offenes Heft und das Buch liegen. Bleistifte, Radiergummis, ein Päckchen Zigaretten, Tabakkrümel, neben dem Aschenbecher eine Armbanduhr,
Streichhölzer, eine Tasse mit kaltem Kaffee. Das waren also
die Instrumente des Glücks für einen armen Kerl, der dazu
verurteilt war, sein Leben lang zu schreiben.

Er kam von irgendwo heraus. Ohne ihn anzusehen,
wahrscheinlich aus Furcht, begann ich in dem Heft zu lesen,
was er geschrieben hatte. »Manchmal überspringe ich ein
Komma«, sagte er. »Ich schreibe ein falsches Wort, einen
falschen Buchstaben. Und dann ist mir klar, daß ich ohne
Gefühl und Überzeugung geschrieben habe, und ich höre
auf. Manchmal brauche ich Stunden oder Tage, bis ich
wieder mit derselben Konzentration ans Schreiben gehen
kann. Da ich kein einziges Wort ohne Gefühl schreiben
möchte, ohne dessen Kraft zu spüren, warte ich geduldig auf
die Inspiration.«

»Hör mal«, sagte ich gleichgültig, als spräche ich nicht
von mir, sondern von einem anderen, »ich kann nicht ich
selbst sein. Nichts kann ich sein. Hilf mir. Hilf mir, damit
ich dieses Zimmer, das Buch und was du geschrieben hast
aus meinem Hirn vertreiben und wieder in Frieden zu meinem alten Leben zurückkehren kann.«

Er verstehe mich, meinte er, als sei er ein gereifter
Mensch, der einen Blick ins Leben und in das Herz der Welt
geworfen hatte. Er glaubte wahrscheinlich, alles zu verstehen. Warum ich ihn nicht da sofort erschossen habe? Weil er

sagte: »Gehen wir ins Bahnhofsrestaurant und reden miteinander.«

Um dreiviertel neun gehe ein Zug, erklärte er mir, nachdem wir uns in dem Lokal niedergelassen hatten. Er wollte ins Kino gehen, wenn ich auf dem Weg war. Er hatte sich also längst vorgenommen, mich abzuschieben.

»Als ich Canan kennenlernte, war ich schon davon abgekommen, zu anderen über das Buch zu sprechen und es weiter bekannt zu machen«, sagte er. »Ich wollte ein Leben wie jeder andere führen. Und mit dem Buch hätte ich mehr gehabt als jeder andere. Auch was ich erlebte, um die Welt zu erreichen, die mir das Buch eröffnete, wäre mehr als Gewinn für mich gewesen. Doch Canan spornte mich an und wollte dafür sorgen, daß ich mich dem Leben erschloß. Irgendwo im Hintergrund, jenseits von mir, da sei ein Garten, den ich kennen, vor ihr jedoch verbergen und verschweigen würde. Sie verlangte so tief überzeugt von mir den Schlüssel zu diesem Garten, daß ich gezwungen war, ihr von dem Buch zu erzählen und es ihr später zu geben. Sie las es, las es wieder und wieder. Ihre Hingabe an das Buch, ihr starkes Verlangen nach der Welt, die sie darin entdeckt hatte, brachten mich zum Nachgeben. Es gab eine Phase, in der mir die Stille des Buches, was dort geschrieben stand – wie soll ich's sagen –, seine innere Melodie entfallen war. Törichterweise hoffte ich, diese Melodie auf den Straßen, in weiter Ferne oder an irgendeinem anderen Ort von neuem hören zu können, genau wie in den ersten Tagen, als ich es gelesen hatte. Sie kam damals auf die Idee, das Buch an andere weiterzugeben. Daß du es gelesen und sofort daran geglaubt hast, erschreckte mich. Ich war drauf und dran, die Bedeutung des Buches zu vergessen, als man zum Glück auf mich schoß.«

Ich fragte ihn natürlich nach der Bedeutung des Buches.

»Ein gutes Buch ist etwas, was uns an die ganze Welt denken läßt«, sagte er. »Vielleicht ist jedes Buch so, müßte so sein.« Kurzes Schweigen. »Das Buch ist Teil einer Sache, die nicht in ihm enthalten ist, doch ich fühle die Existenz und Kontinuität dieser Sache in dem, was das Buch schildert.« Ich merkte jedoch, daß er mit seinen Worten nicht zufrieden war. »Sie mag aus dem Schweigen oder dem Lärm der Welt entnommen worden sein, ist aber selbst nicht ihr Schweigen oder ihr Lärm.« Dann bemühte er sich ein letztes Mal um eine richtige Erklärung, damit ich nicht dachte, er rede dummes Zeug: »Ein gutes Buch ist ein Schriftstück, das nicht vorhandene Dinge, eine Art Abwesenheit, eine Art Tod beschreibt ... Doch es ist zwecklos, das jenseits der Wörter liegende Land außerhalb des Geschriebenen und des Buches zu suchen.« Er sei beim Schreiben und Wiederschreiben des Buches darauf gekommen und habe es gründlich gelernt, erklärte er. Es sei vergeblich, das neue Leben und das Land außerhalb des Buches zu suchen. Weil er dies getan hatte, war er zu Recht bestraft worden. »Mein Mörder hat sich jedoch als unfähig erwiesen, er konnte mich nur an der Schulter verletzen.«

Ich erzählte ihm, wie ich von einem Fenster der Taşkışla aus den Überfall auf ihn beobachtet hatte.

Er sagte: »Mein langes Suchen, meine Reisen und Busfahrten haben mich darüber belehrt, daß es eine Verschwörung gegen das Buch gibt. Ein total Verrückter will jeden umbringen, der sich ernsthaft mit dem Buch beschäftigt. Wer es ist, warum er es tut, weiß ich nicht. Es ist jedoch, als ob er mich in meinem Entschluß bestärken wollte, anderen das Buch nicht zu zeigen. Niemandem will ich das Leben verderben, möchte keinen Menschen in Schwierigkeiten bringen. Ich habe Canan verlassen, denn ich wußte, wir würden das Wunschland nicht finden können, und hatte auch begriffen, daß sie mit mir zusammen durch das aus dem Buch sprühende Todeslicht getroffen werden könnte.«

Um ihn zu verwirren, um etwas aus ihm herauszuholen, was er mir vorenthielt und nicht sagen wollte, erwähnte ich ganz plötzlich Onkel Rıfkı. Ich sagte ihm, dieser Mann könne der Autor des Buches sein. Er sei mir aus der Kindheit bekannt und ich hätte die von ihm gezeichneten Bildergeschichten geradezu verschlungen. Nach der Lektüre des Buches hätte ich sie, zum Beispiel *Pertev und Peter*, nochmals genauer angesehen und dabei festgestellt, daß so manches Thema darin schon behandelt worden war.

»Ist das für dich eine Enttäuschung gewesen?«

»Nein«, sagte ich. »Erzähle mir von deinem Treffen mit ihm.«

Seine Schilderung ergänzte auf logische Weise die Berichte von Serkisof. Nachdem er das Buch Tausende Male gelesen hatte, schien es ihm auf einmal, als erinnere es ihn an die Bildergeschichten seiner Kinderzeit. Er habe sich die Hefte aus den Bibliotheken geholt, ein paar erstaunliche Ähnlichkeiten entdeckt und die Person des Verfassers ausfindig gemacht. Bei seinem ersten Besuch hatte er kaum mit Herrn Rıfkı sprechen können, weil dessen Frau es verhinderte. Sowie er das Interesse des jungen Mannes an dem Buch erkannte, hatte Herr Rıfkı im Gespräch an der Türschwelle das Thema beenden wollen und auf Mehmets weiteres Drängen hin erklärt, daß er mit der Sache nichts mehr zu tun habe. Und während sich dort vor der Tür vielleicht gerade eine rührende Szene zwischen dem jungen Verehrer und dem alten Autor entwickelte, war die Frau Herrn Rıfkıs – Tante Ratibe, warf ich ein – genau wie ich jetzt dazwischengekommen, hatte ihren Ehemann in die Wohnung gezogen und dem ungeladenen Gast und Verehrer die Tür vor der Nase zugemacht.

»Ich war so tief enttäuscht, daß ich's nicht glauben mochte«, sagte mein Gegner, von dem ich einfach nicht wußte, ob ich ihn Nahit, Mehmet oder Osman nennen sollte. »Eine Zeitlang suchte ich sein Viertel auf und beobachtete ihn von weitem. Doch einmal nahm ich allen Mut zusammen und klingelte wieder an seiner Tür.«

Diesmal hatte ihn Herr Rıfkı verständnisvoller empfangen und gesagt, er habe zwar nichts mehr mit dem Buch zu tun, könne aber mit dem hartnäckigen jungen Mann eine Tasse Kaffee trinken. Herr Rıfkı hatte wissen wollen, warum er ausgerechnet sein vor Jahren verfaßtes Buch gewählt und gelesen hatte, wo es doch so viele andere schöne Bücher gab, und an welcher Universität unser junger Mann wohl studierte, was er später im Leben zu tun gedachte, und ähnliches. »Und wenn ich ihn auch mehrmals nach den Geheimnissen des Buches fragte, so nahm er meine Fragen nicht einmal ernst«, erklärte der einstige Mehmet. »Er hatte auch recht. Jetzt weiß ich, es gab kein Geheimnis, das er mir hätte verraten können.«

Doch weil er es damals noch nicht wußte, hatte er darauf bestanden. Der alte Mann hatte erklärt, daß er des Buches wegen in Schwierigkeiten geraten sei, daß ihn Polizei und Staatsanwaltschaft bedrängt hätten. »Das alles eines Buches wegen, mit dem ich Kinder unterhalten und erfreuen wollte und vielleicht auch ein paar Erwachsene«, hatte er gesagt. Und weiter, als ob das noch nicht reichte: »Ich konnte natürlich nicht zulassen, daß mein ganzes Leben durch ein Buch verpfuscht wurde, das ich zu meinem Vergnügen geschrieben habe.« Wie sehr sich der Alte grämte, als er sagte, er habe dem Staatsanwalt versprochen, sich von dem Buch zu distanzieren und keine Neuauflage davon drucken zu lassen und dergleichen nie mehr zu schreiben, war dem zornigen Nahit in jenem Moment nicht aufgefallen, jetzt aber verstand er – weder als Nahit noch als Mehmet, sondern als Osman – diesen Kummer so gut, daß er sich jedesmal schämte, wenn er daran zurückdachte, wie sehr er sich anschließend gehenließ.

Er hatte den alten Schriftsteller der Verantwortungslosigkeit, des Wortbruchs, des Verrats und der Feigheit bezichtigt, wie irgendein ganz gewöhnlicher junger Mensch, der von einem Buch eingenommen war. »Ich habe ihn wütend angeschrien, er hat mich verstanden und war nicht einmal böse.« Einmal sei Onkel Rıfkı aufgestanden und habe gesagt: »Eines Tages werden Sie es begreifen, aber dann werden Sie so alt geworden sein, daß es ohnehin nichts mehr nützt.« Und der Mann, den Canan so unbändig liebte, sagte: »Ich habe es begriffen, weiß aber nicht, ob es nützt. Außerdem glaube ich, daß die Leute dieses Verrückten, der alle Leser des Buches umbringen läßt, auch den alten Mann umbrachten, nachdem sie mir gefolgt waren.«

Der Mörderkandidat fragte den Opferkandidaten, ob es für ihn selbst eine lebenslang untragbar schwere Last bedeuten würde, wenn er den Anlaß zum Tod eines anderen wäre. Der Opferkandidat schwieg, doch der Mörderkandidat erkannte die Trauer in seinen Augen und fürchtete sich vor der eigenen Zukunft. Gemächlich und vornehm tranken sie Raki, und in der Gewißheit, die Republik der mit dem Trinken beschäftigten Wirtshausmenge anvertraut zu haben, lächelte Atatürk zwischen den Eisenbahnbildern, Landschaften und Künstlerporträts an den Wänden aus seiner gerahmten Fotografie auf sie alle herab.

Ich schaute auf meine Uhr. Bis zur Abfahrt des Zuges, mit dem er mich auf den Weg bringen wollte, fehlten noch eine und eine Viertelstunde, und die Stimmung zwischen uns entsprach dem Gefühl, alles mehr als genug besprochen zu haben, oder wie es in den Büchern steht: »Alles, was gesagt werden mußte, war gesagt.« Wir schwiegen lange, wie echte alte Freunde, die das zwischen ihnen liegende Schweigen nicht aufregt, die es nicht sinnlos finden, und meiner Meinung nach hielten wir beide dieses Schweigen für die sinnvollste Gesprächigkeit.

Im Nebel der Unentschlossenheit, ob ich ihn bewundern und nachahmen oder ihn erledigen und mir Canan aneignen sollte, dachte ich trotz allem kurz einmal daran, ihm zu sagen, daß der total Verrückte, der jeden Leser des Buches töten ließ, sein Vater Dr. Narin war. Einfach nur so, aus Ärger, um ihn zu verletzen. Doch ich brachte es nicht fertig. O ja, natürlich, ich dachte daran, für alle Fälle; aber man sollte das Gleichgewicht nicht zu sehr erschüttern.

Er mußte wohl meine Gedanken oder zumindest einen unbestimmten Widerhall davon erfaßt haben, so daß er mir das Busunglück schilderte, das ihm half, die Männer abzuschütteln, die sein Vater ihm hinterhergeschickt hatte. Lächeln, das erstemal. Er begreift, daß sein junger Nachbar in dem mit rabenschwarzer Tinte übergossenen Bus sofort tot war durch den Unfall. Er zieht dem jungen Mann namens Mehmet den Ausweis aus der Tasche. Als der Bus in Flammen aufgeht, steigt er aus. Nach dem Brand kommt ihm diese glänzende Idee. Er steckt seinen eigenen Ausweis der verkohlten Leiche in die Innentasche des Jacketts, plaziert den Leichnam auf seinen eigenen Sitz und geht seinem neuen Leben entgegen. Seine Augen leuchten kindlich froh, während er das erzählt. Daß ich dieses fröhliche Gesicht auf seinen Kinderfotos in dem Museum gesehen hatte, das sein Vater für ihn geschaffen hatte, behielt ich für mich.

Eine Stille, Stille, Stille – Ober, bringen Sie uns gefüllte Auberginen!

Damit die Zeit vergeht, deswegen. So sprachen wir auch einmal ganz beiläufig über unsere Lage, das heißt unser Leben, wobei er zwischendurch auf die Uhr und ich in seine Augen schaute, und wir erzählten uns gegenseitig solche Dinge wie: So war eben das Leben. Im Grunde genommen war alles sehr einfach. Ein alter Sonderling, der die Eisenbahnerzeitschrift verfaßte, Omnibusse und Busunfälle haßte und ein fanatischer Bahnreisender war, schrieb, angeregt von den Kindergeschichten aus seiner Hand, irgendein Buch. Lange danach, viele Jahre später also, lasen wir optimistischen jungen Leute, denen jene Bildergeschichten aus der Kindheit vertraut waren, besagtes Buch, glaubten, unser ganzes Leben sei von A bis Z verändert, und ließen zu, daß unser Dasein aus der Bahn geriet. Welche Magie besaß das Buch, welches Gnadenwunder das Leben! Wie mochte das geschehen sein?

Ich sagte ihm noch einmal, daß ich Onkel Rıfkı seit meiner Kindheit kannte.

»Irgendwie ist es seltsam, das zu hören«, sagte er.

Doch wir wußten beide, daß es nichts Seltsames gab. Alles war so. So war eben alles.

»Im Städtchen Viranbağ ist alles noch mehr auf solche Weise so«, erklärte mein lieber Freund.

Das sollte mich an etwas erinnern, so daß ich mich darauf konzentrierte, beim Reden in sein Gesicht schaute und jede Silbe einzeln betonend sagte: »Weißt du, ich habe sehr oft gedacht, das Buch würde von mir sprechen und es sei meine Geschichte, die es erzählte.«

Schweigen. Die letzten inneren Laute einer absterbenden Seele, einer Taverne, einer Kleinstadt, einer Welt. Bestecklärm. Nachrichten im Fernsehen. Es sind noch fünfundzwanzig Minuten.

»Weißt du«, begann ich noch einmal, »auf meinen Fahrten durch Anatolien habe ich an vielen Orten die Bonbonmarke ›Neues Leben‹ gesehen. Vor Jahren wurde sie auch in Istanbul verkauft, aber an abgelegenen Orten gibt es sie noch, auf dem Grund von Glasgefäßen und Büchsen.«

»Du willst zum Ursprung aller Dinge, zur ersten Ursache, zur Wurzel vordringen, nicht wahr?« fragte mein Gegner, der so viele Einblicke in das andere Leben hatte nehmen können. »Du willst zum Reinen, Unverdorbenen, Wahren gelangen. Doch einen solchen Anfang gibt es nicht. Es ist sinnlos, nach einem Original, einem Schlüssel, einem Wort, einer Wurzel zu suchen.«

So beschloß ich, ihn auf dem Weg zum Bahnhof zu durchlöchern, Engel, nicht um Canan zu gewinnen, sondern weil er nicht an dich glaubte.

Er sagte noch ähnliche Dinge, um das brüchige Schweigen aufzuheben, doch ich hörte dem traurigen und gutaussehenden Mann nicht einmal mehr richtig zu: »In der Kindheit kam mir das Lesen vor wie ein Beruf, den man auf sich nehmen würde, später einmal, wenn alle die Berufe kamen, einer nach dem anderen.

Auch der Notenschriften kopierende Rousseau wußte, was es bedeutet, die Schöpfungen anderer immer wieder neu zu schreiben.«

Auf einmal war alles in eine brüchige Atmosphäre getaucht, nicht nur die Momente des Schweigens. Jemand hatte den Fernseher ab- und das Radio angestellt, aus dem ein rührend sehnsüchtiges Lied von Liebe und Abschied erklang. Wie oft im Leben empfindet der Mensch einen solchen Genuß bei gegenseitigem Schweigen? Er hatte vom Ober die Rechnung verlangt, da setzte sich ein ungebetener Gast in mittleren Jahren an unseren Tisch und betrachtete mich musternd. Als er erfuhr, daß ich Herrn Osmans Militärkamerad Herr Osman sei, bemerkte er freundlich: »Wir hier mögen Herrn Osman wirklich sehr gern; Sie waren also mit Ihrem Namensvetter zusammen beim Militär.« Danach sprach er vorsichtig, als verrate er ein Geheimnis, von einem möglichen Kunden für die handschriftliche Fassung des Buches. Sowie mir klar wurde, daß unser kluger Freund Vermittlern solcher Art eine Kommission zahlte, gestand ich mir zu, ein letztes Mal Liebe für ihn zu empfinden.

Die Abschiedsszene würde, so nahm ich an, vom Lärm meiner Walther abgesehen, im großen und ganzen dem Ende der *Peter-und-Pertev*-Serie entsprechen, doch ich irrte mich. In jenem letzten Abenteuer setzen sich die beiden engen Freunde, die so oft für die gleichen Ziele gekämpft und so viele Abenteuer bestanden haben, an einen Tisch und lösen ihr Problem auf freundschaftliche Weise, als sie erkennen, daß sie beide dasselbe Mädchen lieben, das an demselben Land hängt wie sie. Da er weiß, sie wird mit dem anderen glücklicher, überläßt der empfindsamere und eher verschlossene Pertev das Mädchen stillschweigend Peter, der offener und lebensfroher ist, und die Helden trennen sich, von den Seufzern weinender Leser wie mir begleitet, auf dem Bahnhof, den sie einmal heldenhaft verteidigt haben. Zwischen uns jedoch stand der Vermittler, der keiner Art von Gefühlsüberschwang und zornigen Auftritten die geringste Bedeutung beimessen würde.

Schweigend gingen wir drei zum Bahnhof. Ich kaufte einen Fahrschein und suchte mir zwei in Fett gebackene Gebäckstückchen vom Morgen aus. Pertev ließ sich für mich zwei Pfund der berühmten Çavus-Trauben aus Viranbağ abwiegen. Während ich unter den Witzblättern wählte, ging er zum Klo, um die Trauben zu waschen. Der Vermittler und ich wechselten Blicke. Der Zug sollte nach zwei Tagen Istanbul erreichen. Als Pertev zurückkam, gab der Fahrdienstleiter mit einer feinen, entschiedenen Geste, die mich an meinen Vater erinnerte, das Zeichen zur Abfahrt. Wir küßten uns zum Abschied.

Was dann geschah, paßte eher zu den spannenden Filmen, die Canan und ich mit Hingabe auf den Videos der Busse gesehen hatten, als zu Onkel Rıfkıs Bildergeschichten. Der zum Mord aus Liebe entschlossene, blindwütige junge Mann wirft die Plastiktüte voll nasser Trauben und die Zeitschriften in eine Ecke des Abteils und springt ganz am Ende des Bahnsteigs aus dem Waggon, bevor der Zug an Fahrt gewinnt. Nachdem er sicher ist, nicht entdeckt worden zu sein, verfolgt er vorsichtig und aus einigem Abstand sein Opfer und den Vermittler. Nachdem sich beide eine Zeitlang unterhalten haben und durch die leeren, melancholischen Straßen geschlendert sind, trennen sie sich vor dem Postamt. Der Mörder sieht, wie sein Opfer das Kino Neue Welt betritt, und zündet sich eine Zigarette an. Wir wissen niemals, was der Mörderkandidat in derlei Filmen beim Zigarettenrauchen denkt, wir beobachten nur, wie er – gleich mir – den Zigarettenstummel zu Boden wirft und austritt, mit fest erscheinenden Schritten hineingeht, ein Billett für den Film *Endlose Nächte* kauft und vor Betreten des Saales kurz in das Klo hineinschaut, um sich den Aus- und Fluchtweg zu sichern.

Was dann folgte, war brüchig wie die Momente des Schweigens, welche die Nacht begleiteten. Ich zog meine Walther, entsicherte sie, betrat den Zuschauerraum. Drinnen war es feucht und heiß, die Decke war niedrig. Mein dunkler Schatten mit der Waffe in der Hand fiel auf die Leinwand, und auf meinem Hemd und dem Purpurjackett spielte ein bunter Film. Der Strahl des Projektionsgerätes blendete mich, doch ich fand mein Opfer sehr schnell, da die Reihen ziemlich leer waren.

Er ist wahrscheinlich erstaunt gewesen, hat wohl nicht begriffen, hat mich wohl nicht erkennen können, hat es vielleicht erwartet, denn er hatte sich nicht vom Fleck gerührt.

»Da findet ihr jemanden wie mich, gebt ihm ein Buch zu lesen, und dann laßt ihr zu, daß sein Leben aus dem Gleis gerät«, sagte ich, doch zu mir selbst.

Um sicherzugehen, daß ich ihn traf, schoß ich dreimal aus der Nähe auf seine Brust und in sein Gesicht, das ich nicht sehen konnte. Nach dem Abfeuern meiner Walther rief ich in den dunklen Zuschauerraum: »Ich habe einen Mann getötet.«

Während ich den Raum verließ und dabei meinen Schatten auf der Leinwand und die ihn umgebenden *Endlosen Nächte* verfolgte, schrie jemand: »Maschinist, Maschinist!«

In dem ersten Omnibus, den ich umgehend im Busbahnhof bestieg, hat mich unter vielen anderen lebenswichtigen Fragen auch diese beschäftigt: Warum in unserem Land einer, der die Züge, und einer, der die Filme in Bewegung setzt, mit dem gleichen, aus dem »Fränkischen« stammenden Namen bezeichnet wird.

VIERZEHNTES KAPITEL

Ich stieg zweimal um, erlebte eine schlaflose Mördernacht, betrachtete mich in dem zersprungenen Spiegel auf dem Klo einer Raststätte: Niemand wird mir glauben, wenn ich sage, der Mensch, den ich im Spiegel sah, ähnelte weniger dem Mörder als dem Gespenst des Ermordeten. Doch wie weit war dort auf dem Klo und später über den rastlosen Rädern des Omnibusses der innere Frieden von mir entfernt, den der Ermordete schreibend gefunden hatte!

Bevor ich zu Dr. Narins Heim zurückkehrte, ging ich am frühen Morgen in der Stadt zu einem Barbier, ließ mich rasieren und mir die Haare schneiden, weil ich meiner Canan als ein tapferer, zuversichtlicher junger Mann entgegentreten wollte, der dem Tod ins Auge gesehen und viele Abenteuer erfolgreich bestanden hatte, um ein Nest für eine glückliche Familie bauen zu können. Als ich Dr. Narins Grund und Boden betrat, zu den Fenstern der Villa aufschaute und mir vorstellte, daß Canan in ihrem warmen Bett auf mich wartete, schlug mein Herz doppelt so schnell, und ein Spatz auf einer Platane tschilpte seine Nachdichtung dazu.

Gülizar öffnete die Tür. Vielleicht konnte ich das Staunen auf ihrem Gesicht nicht erkennen, weil ich einen halben Tag zuvor ihren älteren Bruder mitten in einem Film durchlöchert hatte. Deswegen beachtete ich vielleicht nicht ihre zweifelnd gehobenen Brauen, war nur mit halbem Ohr bei dem, was sie sagte, ging sofort, als sei es mein Elternhaus, schnurstracks zu unserem Zimmer, wo ich Canan krank im Bett zurückgelassen hatte. Um meine Geliebte zu überraschen, trat ich, ohne anzuklopfen, ein. Sobald die Tür aufging und ich das leere Bett in der Ecke des

Zimmers sah, verstand ich, wovon Gülizar beim Betreten des Hauses zu mir gesprochen hatte und noch immer sprach.

Canan habe drei Tage im Fieber gelegen und sich dann erholt. Nachdem sie aufstehen konnte, sei sie zum Telefonieren in die Stadt gegangen, habe mit ihrer Mutter in Istanbul gesprochen und sei, plötzlich entschlossen, zurückgefahren, da ich in jenen Tagen nichts von mir hören ließ.

Mein Blick ging aus dem Fenster des leeren Zimmers zu dem Maulbeerbaum im Garten, der schimmernd in der Morgensonne stand, kehrte aber hin und wieder zu dem ordentlich gemachten Bett zurück. Dort lag die *Güdül-Post*, die mir im Auto auf dem Weg hierher als Fächer gedient hatte. Eine innere Stimme sagte mir, daß Canan schon lange wußte, was für ein gemeiner Mörder ich war, daß ich sie deshalb niemals mehr würde wiedersehen können und daß ich als einziges in dieser Lage nur noch die Tür schließen, mich in das noch immer nach Canan duftende Bett legen und mich in den Schlaf weinen konnte. Eine andere innere Stimme hielt dagegen, daß Mörder sich wie Mörder verhalten, kaltblütig sein müßten und nicht in Panik geraten dürften: Canan wartete sicher bei ihren Eltern zu Hause in Nişantaşı auf mich. Bevor ich das Zimmer verließ, sah ich endlich diese hinterhältige Mücke auf dem Fensterrahmen, ja, und ich zerdrückte sie mit einem Schlag meiner Hand. Das Blut aus dem Mückenbauch, das die Liebeslinie in meiner Handfläche verschmierte, war, das wußte ich genau, Canans süßes Blut.

Ich überlegte, daß es für meine, für unsere Zukunft von Vorteil sein würde, mit Dr. Narin zu sprechen, bevor ich mich aus dem Haus im Herzen der Großen Gegenverschwörung davonmachte und Canan in Istanbul wiedersah. Dr. Narin saß an einem Tisch unweit des Maulbeerbaums, wo er genußvoll Weintrauben aß, mit einem Buch in der Hand zu den Hügeln hinaufschaute, über die wir gemeinsam gewandert waren, und seinen müden Augen Ruhe gönnte.

Friedlich und gelassen, wie Leute, die genug Zeit haben, so sprachen wir von den Grausamkeiten des Lebens, von der Art, in der die Natur heimlich das Schicksal des Menschen regiert, sprachen davon, wie diese Zeit genannte komprimierte Sache der Menschenseele Frieden und Stille suggeriert, und davon, daß der Mensch, wenn er keine starke Willenskraft und Entschiedenheit besitzt, nicht einmal diese prallen Weinbeeren genießen kann, und von dem starken Bewußtsein und Verlangen, die man besitzen muß, um zum Wesen jenes wahren Lebens vorzudringen, das keinerlei Nachahmungsspuren trägt, und davon, welcher großen Ordnung und welchem asymmetrischen Zufall der einfache an uns vorbeihuschende Igel als spaßige Erscheinungsform angehört. Das Morden muß den Menschen wohl reifer werden lassen, denn ich konnte meine erstaunlicherweise immer noch wache Bewunderung für Dr. Narin mit Verständnis und Toleranz vereinen, die plötzlich auf krankhafte Weise aus der Tiefe meiner Seele auftauchten. Aus diesem Grund war es mir möglich, Dr. Narins Vorschlag, ihn am Nachmittag zum Grab seines Sohnes zu begleiten, entschieden abzulehnen, ohne ihn dabei zu verletzen: Die vergangene Woche war sehr ausgefüllt gewesen und hatte mich sehr mitgenommen; ich mußte so schnell wie möglich nach Hause zu meiner Frau zurückkehren, mußte meine Gedanken sammeln, damit ich einen Entschluß fassen konnte hinsichtlich der großen Verantwortung, die sein Vorschlag enthielt.

Auf die Frage Dr. Narins, ob ich Gelegenheit zum Erproben seines Geschenks gefunden hätte, gab ich zur Antwort, ja, ich hätte die Walther probiert und sei sehr zufrieden damit, erinnerte mich dann an die Serkisof-Uhr, die ich seit zwei Tagen bei mir trug, und holte sie aus der Tasche. Dies sei der Ausdruck von Bewunderung und Verehrung, die ein

Vertreter mit gebrochenem Herzen und gebrochenen Zähnen für ihn hege, erklärte ich und legte die Uhr neben die goldfarbene Schüssel voll Trauben.

»All diese Unglücklichen mit gebrochenem Herzen, diese Armen und Schwachen«, sagte Dr. Narin und warf aus dem Augenwinkel einen Blick auf die Uhr. »Wie leidenschaftlich sie sich daran hängen, wenn ihnen jemand gleich mir die Hoffnung auf eine gerechte Welt gibt, damit sie mit den geliebten Dingen leben können, an die sie gewöhnt sind, die zu ihrem Dasein gehören! Und wie gnadenlos sind die äußeren Kräfte, die unser Leben, unsere Erinnerungen zerstören wollen! Wenn du nach Istanbul zurückkommst, denke darüber nach, bevor du dich entschließt, was du für das zerbrochene Leben dieser Menschen tun könntest.«

Ich dachte kurz daran, daß ich Canan sofort in Istanbul finden, überreden und hierher in die Villa bringen sollte, wo wir im Herzen der Großen Gegenverschwörung – ... und wenn sie nicht gestorben sind, dann leben sie noch heute! – viele Jahre verbringen könnten ...

»Du solltest aber, ehe du zu deiner lieben Frau zurückgehst, dich von diesem purpurnen Jackett trennen, in dem du mehr einem Mörder als einem Helden ähnelst, nicht wahr?« meinte Dr. Narin und benutzte eine Sprache, die nicht das wahre Leben, sondern die Übersetzung französischer Romane imitierte.

Ich fuhr sofort mit einem Bus nach Istanbul zurück. Meiner Mutter, die mir während des morgendlichen Gebetsrufs die Tür öffnete, sagte ich weder, daß ich nach dem Goldenen Land gesucht hatte, noch erwähnte ich die Engelsbraut.

»Verlasse deine Mutter nicht noch einmal auf diese Weise!« sagte sie, stellte den Gasofen an und ließ das heiße Wasser in die Badewanne laufen.

Wir frühstückten schweigend, Mutter und Sohn, wie in alten Zeiten. Ich begriff, daß sie wie viele Mütter, deren

Söhne sich auf politische oder religiöse Bewegungen eingelassen hatten, meinte, ich sei in den Sog einer der Zellen
unserer im Dunkeln liegenden Landesteile geraten, und
nun schwieg, weil sie die Antworten fürchtete, die ich ihr
auf ihre Fragen geben könnte. Als die rasche, gelenkige
Hand meiner Mutter für einen Augenblick neben dem Glas
mit Kornelkirschkonfitüre ruhte, sah ich die Altersflecken
darauf und dachte, ich sei in mein früheres Leben zurückgekehrt. War es möglich, alles so weiterzumachen, als wäre
nichts geschehen?

Nach dem Frühstück setzte ich mich an meinen Tisch und
schaute lange Zeit in das Buch, das immer noch offen dalag,
wie ich es zurückgelassen hatte. Man konnte es nicht lesen
nennen, was ich tat, es war eine Art Erinnern, eine Art,
Schmerz zu empfinden ...

Als ich das Haus verlassen wollte, um nach Canan zu suchen, trat mir meine Mutter in den Weg: »Versprich mir,
daß du abends nach Hause kommst!«

Ich versprach es. Versprach es zwei Monate lang jeden
Morgen, wenn ich zur Tür hinausging, doch Canan war nirgends. Ich fuhr nach Nişantaşı, wanderte durch die Straßen, wartete vor den Türen, klingelte an Türen, überquerte
Brücken, fuhr mit Dampfern, ging in Kinos, telefonierte,
konnte aber nichts erfahren. Als Ende Oktober die Vorlesungen begannen, redete ich mir ein, ich müßte ihr auf den
Fluren der Taşkışla begegnen, doch sie kam nicht. Ich wanderte den ganzen Tag durch die Gänge der Fakultät, lief
manchmal aus der Vorlesung hinaus auf den Gang, weil ich
meinte, ein Schatten wie der ihre sei am Fenster zum Flur
vorübergekommen, und betrat manchmal einen der leeren
Unterrichtsräume, deren Fenster auf den Park und die Haltestelle der Minibusse hinausgingen, um gedankenverloren
zu den Menschen auf dem Gehsteig hinunterzuschauen.

An einem der ersten Tage der beginnenden Heizperiode

klingelte ich mit einem, wie ich meinte, ausgeklügelten Szenario an der Tür der Eltern meiner vermißten Kommilitonin, gab mein fein gesponnenes Geschwätz von mir und blamierte mich. Sie konnten mir weder etwas über den Verbleib von Canan sagen, noch gaben sie mir irgendeinen Hinweis auf eine Möglichkeit, mich danach zu erkundigen. Bei meinem zweiten Besuch an einem Sonntagnachmittag, als die bunten Bilder eines friedlichen Fußballspiels fröhlich im Fernsehen zwitscherten, begriff ich dennoch, daß sehr viel geschehen und ihnen auch bekannt sein mußte, denn sie fragten weder nach dem Grund meiner Neugier, noch versuchten sie, irgend etwas von mir zu erfahren. Auch mein Bemühen, mit Hilfe des Telefonbuchs aus der dort verzeichneten Verwandtschaft etwas herauszubekommen, erbrachte nichts. Als Ergebnis der Telefonate mit all den abweisenden Onkeln, neugierigen Schwägerinnen, vorsichtigen Dienstmädchen und spöttischen Neffen studierte Canan Architektur in der Taşkışla.

Die Kommilitonen aus dem gleichen Semester aber hatten sich über Canan wie auch über Mehmet, von dem sie wußten, daß er etliche Monate zuvor an der Minibushaltestelle angeschossen worden war, ihre eigenen, für sie glaubhaften Legenden zurechtgemacht. Auch kam mir zu Ohren, daß man auf Mehmet wegen einer internen Abrechnung zwischen den Heroinhändlern des Hotels, in dem er arbeitete, geschossen habe, und ebenso wurde mir zugeflüstert, er sei das Opfer fanatischer Scheriat-Anhänger. Andere wieder erzählten, Canan sei zum Studium nach Europa geschickt worden, doch ein wenig Detektivarbeit im Einschreibungsbüro bewies mir, daß dies nicht stimmte.

Es wird wohl das beste sein, von der genialen detektivischen Kleinarbeit, die ich monate-, jahrelang leistete, von den kühlen, zu einem Mörder passenden Kalkulationen und auch von den Farben nichts zu erwähnen, die zu den Träumen eines Hoffnungslosen gehörten. Nun, Canan war fort, ich konnte nichts über sie erfahren, nirgendwo eine Spur von ihr finden. Ich besuchte den Kurs, den ich versäumt hatte, und absolvierte auch den nächsten. Weder ließ ich etwas von mir hören, noch erfuhr ich etwas von Dr. Narin und seinen Männern. Ob die Morde weitergingen, war mir nicht bekannt. Mit Canans Abwesenheit waren auch sie aus meinen Vorstellungen und Angstträumen verschwunden. Der Sommer kam, im Herbst begann ein neues Unterrichtsjahr, ich brachte es hinter mich. So auch das folgende. Dann begann ich sofort meinen Militärdienst.

Zwei Monate vor dessen Ende erhielt ich die Nachricht vom Tod meiner Mutter. Ich nahm Urlaub, kam rechtzeitig zur Beerdigung nach Istanbul, und wir übergaben sie der Erde. Nach einem mit meinen Freunden verbrachten Abend kam ich in unsere Wohnung zurück und fürchtete mich, als ich die Leere und Lautlosigkeit der Räume bemerkte. Während ich in der Küche die Pfannen und Stieltöpfchen an der Wand betrachtete, hörte ich das wohlvertraute Geräusch des Kühlschranks und sein kummervolles Stöhnen und Seufzen. Das Leben hatte mich vollkommen allein gelassen. Ich legte mich in das Bett meiner Mutter und weinte ein bißchen, schaltete den Fernseher ein, setzte mich wie meine Mutter davor und schaute lange gottergeben und in gewisser Weise froh über mein Dasein zu. Vor dem Schlafengehen holte ich das Buch aus seinem Versteck, legte es auf den Tisch, begann zu lesen und hoffte, seine Wirkung zu verspüren wie am ersten Tag. Obwohl ich nicht den Eindruck hatte, mir sprühe ein Licht ins Gesicht oder mein Körper löse und erhebe sich von Tisch und Stuhl, fühlte ich inneren Frieden.

Und so begann ich von neuem, das Buch immer und immer wieder zu lesen. Doch meinte ich nun nicht mehr, dabei jedesmal von einem starken Wind aus ungewisser Richtung erfaßt und zu einem unbekannten Leben hingetrieben zu werden. Ich versuchte, die verborgene Geometrie einer Geschichte, die wesentlichen Faktoren einer längst abgeschlossenen Rechnung herauszufinden und deren innere Stimmen zu hören, die mir während des Erlebens entgangen waren. Ich hatte mich noch vor Ende meiner Militärzeit in einen alten Mann verwandelt, Sie verstehen das, nicht wahr?

Und so begann ich dann, mich noch weiteren Büchern zu widmen: Ich las nicht etwa, weil ich Herr über die andere Seele sein wollte, die sich jeweils in den frühen Abendstunden in mir wand und krümmte, oder um die Begeisterung zur Teilnahme an dem heimlichen Fest auf der anderen, vollkommen unsichtbaren Oberfläche der Welt anzufachen, oder aber – was weiß ich! – um zu einem neuen Leben hinzustreben, in dem ich irgendwo Canan begegnen könnte, sondern weil ich meine Erlebnisse und das tiefe Gefühl, Canan zu vermissen, weise und würdig bewältigen wollte. Ich erhoffte nicht einmal mehr eine siebenarmige Lampe, die mir der Wunschengel als Trost überreichen würde und die ich mit Canan in unserem Heim aufhängen konnte. Wenn ich während der Nächte zufrieden und seelisch im Gleichgewicht meinen Kopf von einem der Bücher hob, spürte ich die tiefe Stille unseres Viertels, und auf einmal wurden vor meinen Augen eine der, wie ich gemeint hatte, niemals endenden Busreisen und die neben mir schlafende Canan lebendig.

Auf einer jener Omnibusfahrten, die in der Erinnerung jedesmal vielfarbig wie Paradiesträume wiederauflebten, waren Canans Stirn und Schläfen durch die unerwartet starke Heizung des Busses in Schweiß gebadet gewesen, und ich hatte ihre verklebten Haare gesehen. Während ich die Schweißtropfen auf ihrer Stirn vorsichtig mit einem Taschentuch aus Kütahya, der Stadt der Fayencen, abtupfte, das mit einem Motiv dieser Kachelmalerei bedruckt war, hatte ich auf dem Gesicht meiner im Traumland weilenden Geliebten – auch durch das fliederfarbene, uns vorübergehend beleuchtende Licht einer Tankstelle – einen starken Ausdruck der Freude und des Erstaunens bemerkt. Später, auf der Rast in einem Lokal, wo sie in ihrem schweiß-nassen Kleid aus Sümerbank-Kattun ein Glas Tee nach dem anderen trank, hatte Canan heiter lächelnd erzählt, daß ihr Vater sie im Traum auf die Stirn geküßt habe, doch gleich darauf sei ihr klargeworden, daß es nicht ihr Vater, sondern der Bote des aus Licht geformten Landes gewesen war. Da-nach schob Canan, wie so oft beim Lächeln, das Haar mit einer weichen Handbewegung hinter die Ohren, und jedes-mal schmolz ein Teil meines Verstandes, meines Herzens und meiner Seele dahin und verlor sich in der dunklen Nacht.

Ich glaube, einige meiner Leser vor mir zu sehen, die traurig die Brauen zusammenziehen, weil sie verstehen, wie ich nach jenen Nächten versuchte, mit den Resten meiner Seele, meines Verstandes und meines Herzens auszukom-men. Geduldiger, verständiger, sensibler Leser, weine um mich, wenn du weinen kannst, vergiß aber niemals, daß der, für den du Tränen vergießt, ein Mörder ist. Falls man jedoch meint, auch für gewöhnliche Mörder könnten, wie bei den mildernden Umständen im Strafrecht, einige Gründe ange-führt werden, die etwas Güte, Verständnis und Wohlwollen rechtfertigen könnten, dann möchte ich diese dem Buch, in das ich mehr als genug verwickelt bin, noch hinzufügen:

Obwohl ich später heiratete, war mir jetzt klar, daß alles, was ich bis zu dem, wie ich annahm, nicht allzu fernen Ende meines Lebens tat, mehr oder weniger mit Canan zusam-menhängen würde. Vor meiner Eheschließung und sogar noch viele Jahre nachdem sich meine Braut ohne weiteres in der vom Vater geerbten und von meiner Mutter verlassenen Wohnung eingelebt hatte, unternahm ich Reisen mit dem Omnibus, weil ich hoffte, Canan zu begegnen. Wie ich auf diesen jahrelangen Fahrten feststellte, waren die Busse schwerer und größer geworden und rochen innen antiseptisch, ihre Türen öffneten und schlossen sich lautlos auf Knopfdruck durch die Automatik und das hydraulische System, die Fahrer hatten ihre verblichenen Jacken und verschwitzten Hemden ausgezogen und sich einen Pilotendreß mit Schulterstücken zugelegt, die rowdyhaften Beifahrer rasierten sich jetzt täglich und waren manierlicher geworden, die Raststätten leuchteten heller und heiterer, hatten sich aber alle zu einem Einheitstyp entwickelt, die asphaltierten Straßen waren verbreitert worden, aber Canan traf ich nicht, fand nicht einmal eine Spur von ihr. Ich gab es auf, nach ihr, nach einer Spur von ihr zu suchen, doch was hätte ich darum gegeben, auf irgendeinen Gegenstand zu treffen, der aus einer jener wunderbaren Nächte stammte, die wir zusammen in den Bussen verbracht hatten, oder einer älteren Frau zu begegnen, mit der wir uns teetrinkend in einem der Busbahnhöfe unterhalten hatten, oder auch nur einem kleinen Lichtstrahl, von dem ich sicher wußte, daß er ihr Gesicht gestreift hatte und von ihrem auf das meine reflektiert worden war, nur, um sie durch die Kraft dieses Lichtes für einen Augenblick an meiner Seite spüren zu können! Es schien mir jedoch, als sei alles allein damit beschäftigt, in panischer Hast die Erinnerungen, unsere Erinnerungen loszuwerden, wie diese neuen Straßen, die sich mit Asphalt bedecken und die Kindheitserinnerungen schwärzen, sich mit Verkehrszeichen, an- und ausgehenden Lampen und rücksichtslosen Werbeflächen umgeben.

Die Nachricht, daß Canan verheiratet und ins Ausland gegangen sei, erhielt ich kurze Zeit nach einer dieser enttäuschenden Reisen. Als Ihr Held und Mörder, der gute Familienvater mit Frau und Kind, abends von seiner Arbeit bei der städtischen Bauplanungsdirektion mit seiner Tasche in der Hand, in der Tasche Schokomel für das Kind, das Herz von Wehmut umwölkt und der Blick starr vor Müdigkeit, aufrecht in der Menge eingezwängt mit dem Dampfer nach Kadıköy zurückkehrte, war ihm plötzlich eine mitteilsame Studienfreundin begegnet. Nach der Aufzählung der Eheschließungen aller Kommilitoninnen des gemeinsamen Semesters hatte die redselige Frau gesagt: »Und Canan hat einen Arzt aus Samsun geheiratet und sich in Deutschland niedergelassen.« Als ich den Kopf abwandte und zum Fenster hinausschaute, damit mir die Frau nicht noch mehr schlechte Neuigkeiten mitteilte, sah ich draußen einen Nebel, der sich selten über Istanbul und den Bosporus legt. »Ist das Nebel«, fragte sich der Mörder, »oder ist es die Stummheit meiner gramerfüllten Seele?«

Es bedurfte keiner längeren Befragung, um zu erfahren, daß Canans Ehemann der breitschultrige, gutaussehende und fleißige Arzt aus der Sozialversicherungsklinik in Samsun war, der das Buch nach dem Lesen im Gegensatz zu allen anderen auf gesunde Weise seinem Verarbeitungssystem einverleibt hatte und glücklich leben konnte. Weil sich mein mitleidloses Gedächtnis nicht immer wieder an die traurigen Einzelheiten jenes Gesprächs erinnern wollte, das ich vor Jahren von Mann zu Mann mit dem Arzt in seinem Zimmer im Hospital über den Sinn des Lebens und des Buches geführt hatte, war ich sogar eine Zeitlang, wenn auch ohne ein besonders glänzendes Ergebnis, dem Alkohol verfallen gewesen.

Wenn es im Haus still geworden, wenn der Tageslärm verklungen und nur noch der Feuerwehrwagen meiner Tochter mit zwei abgebrochenen Rädern und außerdem ihr blauer Bär, der im Kopfstand auf den toten Bildschirm blickte, zugegen waren, dann mixte ich mir in der Küche maßgerecht einen Raki, setzte mich, das Glas in der Hand, artig neben den Bären, schaltete den Fernseher ein, stellte den Ton leise, wählte mir eine nicht allzu aggressive, nicht allzu gewöhnliche Serie aus und versuchte, den Kopf voller

Dunst, auf den Bildschirm zu blicken und dabei die Farben der Dunstwolken in meinem Hirn zu sortieren.

Bitte kein Selbstmitleid. Glaube nicht, daß deine Persönlichkeit und Existenz irgendwie einmalig sind. Jammere nicht darüber, daß die starke Kraft deiner Liebe nicht verstanden wurde. Weißt du, ich hatte einmal ein Buch gelesen, mich in ein Mädchen verliebt und tiefgreifende Dinge erlebt. Sie haben mich nicht verstanden, sind verschwunden, was tun sie jetzt? Canan ist in Deutschland, Bahnhofstraße, wie es ihr wohl geht, der Mann ist Arzt, denke nicht dran. Wenn er Bücher liest, unterstreicht er immer irgendwelche Stellen, der gutaussehende Gimpel von Doktor, denke nicht dran. Er kommt abends nach Hause, Canan empfängt ihn, ein schönes Haus, neue Autos, außerdem zwei Kinder, denke nicht dran, Gimpel von Ehemann. Der Prüfungsausschuß der Stadtverwaltung schickt mich nach Deutschland, eines Abends treffen wir uns auf dem Konsulat, guten Tag, bist du glücklich? Ich habe dich sehr geliebt. Und jetzt? Jetzt auch noch, ich liebe dich, ich lasse alles zurück, ich kann in Deutschland bleiben, ich liebe dich sehr, bin deinetwegen zum Mörder geworden, nein, sag nichts, wie schön du bist, denke nicht dran. Niemand kann dich so lieben wie ich. Erinnerst du dich, wie wir einmal, als dem Bus der Reifen geplatzt war, mitten in der Nacht eine betrunkene Hochzeitsgesellschaft getroffen haben? Denke nicht dran ...

Manchmal, wenn ich trinke und trinke, eindöse und Stunden später aufwache, wundere ich mich über das blaue Bärchen, das kopfgestanden hatte, als ich mich auf dem Diwan niederließ, jetzt aber ganz ordentlich vor dem Fernseher sitzt: In welch einem empfindsamen Augenblick mochte ich wohl den Bären richtig hingesetzt haben? Ein andermal wieder, wenn ich gedankenverloren einem Clip ausländischer Sänger auf dem Bildschirm zuschaue und auch dem, der folgt, dann fühle ich die Wärme von Canans zarter Schulter an der meinen, wie auf den Sitzen der Omnibusse, wenn sich unsere Körper leicht aneinanderlehnten, und ich erinnere mich daran, daß wir eins dieser Lieder gemeinsam gehört hatten: Schau nur, wie sehr ich weinen muß, während sich diese Musik, die wir einmal zusammen anhörten, auf dem Bildschirm so farbig entfaltet. Einmal auch, als ich das Kind in seinem Zimmer ausnahmsweise hatte husten hören, bevor seine Mutter es merkte, und, da es wach war, auf dem Arm ins Wohnzimmer getragen hatte, versank ich, während es die Farben im Fernsehen anschaute, in die Betrachtung seiner Hände, seiner Finger und Nägel, dieser wundervoll perfekten kleinen Kopie einer Erwachsenenhand mit ihren erstaunlich winzigen, aber deutlichen Linien, und in die Gedanken über das Leben genannte Buch ...

Da sagte meine Tochter: »Der Mann ist bumm!«

Wir hatten neugierig in das verzweifelte Gesicht des unglücklichen Mannes geschaut, der schwer zusammengeschlagen, blutend zu Boden gestürzt und dessen Leben nun »bumm« war.

Der sensible, meinen Abenteuern folgende Leser sollte aber nicht annehmen, ich hätte mich aufgegeben, weil mein Leben längst »bumm« war und ich meine Nächte mit Trinken verbrachte. Gleich vielen Männern an diesem Ende der Welt war auch ich noch vor meinem fünfunddreißigsten Jahr ein gebrochener Mann, trotzdem schaffte ich es, mich zusammenzureißen und meine Gedanken durch Lesen in Ordnung zu bringen.

Ich las sehr viel, nicht nur jenes Buch, das mein ganzes Leben verwandelt hatte, sondern auch andere Bücher. Doch ich wagte mich während des Lesens niemals daran, meinem zerbrochenen Leben einen tieferen Sinn zu geben, nach einem Trost oder gar nach der schönen, ehrenwerten Seite der Traurigkeit zu suchen. Ich bedaure allerdings jene Leser,

die ihr zweckloses, enttäuschendes Leben mit einer soge-
nannten Tschechowschen Sensibilität ästhetisieren, die Misere ihres Lebens aufblasen und daraus eine Schönheit und
Größe herausspüren, und ich hasse auch jene wissenden
Schriftsteller, die auf der Befriedigung des Trostbedürfnis-
ses solcher Leser eine Karriere aufbauen. Aus diesem Grund
habe ich viele moderne Romane und Erzählungen halb gelesen beiseite gelegt. Ach, der traurige Mann, der mit seinem
Pferd redet und so versucht, seine Einsamkeit zu überwinden! O weh, der schon etwas abgetakelte Adlige, der seine
ganze Liebe den Topfpflanzen zuwendet, die er unaufhörlich begießt! Ach je, der empfindsame Mann, der inmitten
seiner alten Möbel ganz vergeblich auf, was weiß ich, einen
Brief, eine ehemalige Geliebte oder auf seine unverständige
Tochter wartet! Im Grunde genommen wollen uns diese
Autoren, die uns jene ständig ihre Wunden und Leiden zur
Schau stellenden, grob nach Tschechow gestalteten Helden
in veränderten Landschaften und Klimata vorstellen, alle
nur eins sagen: Seht uns an, seht unsere Leiden und Verletzungen, wie sensibel wir sind, wie edel, wie besonders! Die
Schmerzen haben uns viel feinfühliger und fragiler werden
lassen, als ihr es seid. Ihr wollt doch wie wir sein, wollt eure
Misere in einen Sieg oder sogar in ein Überlegenheitsgefühl
verwandeln, nicht wahr? Dann glaubt uns, glaubt daran, daß
unsere Schmerzen lustvoller sind als irgendeiner der normalen Lebensgenüsse, das ist genug.

Siehst du, Leser, und deswegen glaube nicht an mich, der
ich keineswegs sensibler bin als du, sondern an die Gewalt
der von mir erzählten Geschichte, glaube nicht an meine
Leiden, sondern an die Grausamkeit der Welt! Abgesehen
davon ist dieses als Roman bezeichnete moderne Spielzeug,
diese größte Erfindung der westlichen Kultur, keine Tätigkeit für uns. Und wenn der Leser auf diesen Seiten meine
trockene, brüchige Stimme vernimmt, liegt es nicht daran,

daß ich von einer jetzt durch Bücher verschmutzten, durch umfangreiche Gedanken vulgär gewordenen Ebene aus spreche, sondern weil ich immer noch nicht herausfinden konnte, wie ich mich innerhalb dieses fremden Spielzeugs zu bewegen habe.

Was ich sagen will: Ich bin durch das ständige Lesen, um Canan zu vergessen, um das Erlebte zu verarbeiten, um mir das Kolorit des unerreichten neuen Lebens vorstellen zu können und um eine bessere und sinnvollere Zeit zu verbringen – auch wenn sie nicht immer sinnvoll genannt werden kann –, zu einer Art Bücherwurm geworden, habe mir aber nicht den Anschein eines Intellektuellen gegeben. Was noch wichtiger ist: Ich verachtete niemanden, der sich von dieser Neigung hinreißen ließ. Ich liebte es, Bücher zu lesen, wie ich es liebte, ins Kino zu gehen, in Zeitungen und Zeitschriften zu blättern. Das tat ich nicht, weil ich mir einen Nutzen, ein Ergebnis davon versprach, weil ich mich womöglich anderen überlegen fühlte oder kenntnisreicher, tiefschürfender als sie. Man kann sogar sagen, ein Bücherwurm zu sein hat mich Bescheidenheit gelehrt. Ich las gern, mochte aber nicht zu anderen über das Gelesene sprechen, genausowenig wie Onkel Rıfkı, was ich aber erst später erfuhr. Und wenn die Bücher bei mir das Bedürfnis zu reden weckten, so fand das Gespräch oft zwischen den verschiedenen Stimmen in meinem Kopf statt. Manchmal hatte ich das Gefühl, die nacheinander gelesenen Bücher flüsterten intensiv miteinander, so daß in meinem Kopf ein Orchester mit Instrumenten entstanden war, deren Murmeln aus allen Richtungen kam, und ich merkte, daß ich das Leben nur dank der Musik in meinem Kopf ertrug.

Während ich zum Beispiel abends zu Hause in der so reizvoll-schmerzlichen Stille, nachdem meine Frau und meine Tochter schlafen gegangen waren, staunend in das

Kaleidoskop der Farben im Fernsehen eintauchte, dachte ich an Canan, an das Buch, das mich zu ihr geführt hatte, an das Leben also, den Engel, den Unfall und die Zeit, und ich kam darauf, aus dem, was mir diese Musik über die Liebe zuflüsterte, eine Blütenlese zu machen. Da mein Leben in jungen Jahren der Liebe wegen aus der Bahn geraten war – du siehst, Leser, ich bin vernünftig genug, nicht »des Buches wegen« zu sagen! –, hatte sich alles, was die Zeitungen, Bücher, Zeitschriften, das Radio, das Fernsehen, die Werbung, die Kolumnisten, die Magazin-Ecken und die Romane zu diesem Thema vorbrachten, unauslöschlich in meinem Gedächtnis festgesetzt:

Was ist Liebe?

Liebe ist Sich-Ergeben. Liebe ist der Grund der Liebe. Liebe ist Verstehen. Liebe ist Musik. Liebe und ein edles Herz sind das gleiche. Liebe ist die Poesie der Traurigkeit. Liebe ist der Blick der zarten Seele in den Spiegel. Liebe ist vergänglich. Liebe ist, niemals »Es tut mir leid« zu sagen. Liebe ist eine Kristallisation. Liebe ist Geben. Liebe ist das Teilen eines Kaugummis. Liebe ist niemals sicher. Liebe ist ein leeres Wort. Liebe ist das Eingehen in Allah. Liebe ist ein Leiden. Liebe ist, dem Engel Aug in Auge gegenüberzustehen. Liebe ist Tränenvergießen. Liebe ist das Warten auf das Klingeln des Telefons. Liebe ist eine ganze Welt. Liebe ist im Kino Händehalten. Liebe ist ein Rausch. Liebe ist ein Ungeheuer. Liebe ist Blindheit. Liebe ist das Lauschen auf die Stimme des Herzens. Liebe ist ein heiliges Schweigen. Liebe wird in Liedern besungen. Liebe tut der Haut gut.

Ohne mich gläubig zu ergeben, aber auch ohne gänzlich zum Spötter zu werden, was meine Seele heimatlos machen würde, das heißt genau wie bei den Fernsehbildern, von denen man sich bewußt verführen läßt, so nahm ich diese Perlen an, ohne mich verführen zu lassen, obwohl ich verführt werden wollte. Aus meiner begrenzten, doch intensiven Erfahrung heraus füge ich noch meine Gedanken zu diesem Thema bei:

Liebe ist die Sehnsucht, einen Menschen heftig zu umschlingen, mit ihm am gleichen Ort zu sein. Sie ist das Verlangen, ihn zu umarmen und die ganze Welt auszuschließen. Sie ist das Sehnen des Menschen, eine sichere Zuflucht für seine Seele zu finden.

Sie sehen, ich konnte nichts Neues sagen. Trotz allem habe ich etwas gesagt! Ob es neu ist oder nicht, ist mir jetzt gleichgültig. Ganz anders, als so mancher dumme Nachahmer glaubt, sind ein, zwei Worte besser, als zu schweigen. Was nützt es denn, um Himmels willen, den Mund nicht aufzumachen und kein einziges Wort zu sagen, während das Leben in seiner ganzen Erbarmungslosigkeit wie ein langsamer Zug an uns vorbeifährt und unsere Seele und unser Körper unterdessen zerfallen? Ich habe einen Mann in meinem Alter gekannt, der sagen wollte, daß ein solches Stillschweigen besser sei, als mit jener ganzen Gewalt und Schlechtigkeit zu kämpfen, die über uns kommt und uns vollkommen durchlöchert. Wollte es sagen, sage ich, denn er brachte nicht einmal das heraus, er saß von morgens bis abends an einem Tisch und schrieb still und brav die Wörter eines anderen in ein Heft. Manchmal dachte ich, er sei nicht gestorben, er schreibe immer noch, und ich fürchtete mich davor, daß sein Schweigen in meinem Innern wachsen und zu einer haarsträubenden Schreckensgestalt werden könne.

Ich hatte ihm Kugeln ins Gesicht und in die Brust gejagt, doch hatte ich ihn wirklich töten können? Es waren doch nur drei Kugeln gewesen, außerdem war wegen der Dunkelheit im Kino und dem Lichtstrahl des Projektionsgerätes, der mich blendete, meine Umgebung kaum zu erkennen gewesen.

Wenn ich meinte, er sei nicht gestorben, stellte ich ihn mir in seinem Zimmer beim Abschreiben des Buches vor.

Und wie unerträglich dieser Gedanke für mich war! Während ich versuchte, mir mit meiner gutmütigen Frau, meiner süßen Tochter, meinem Fernseher, meinen Zeitungen und Büchern, meiner Arbeit bei der Stadtverwaltung und meinen Kollegen dort, meinem Tratsch, meinen Kaffees und Zigaretten eine mir verständliche, tröstliche Welt zu errichten, und mich zu meinem Schutz mit Dingen umgab, die man anfassen konnte, war er imstande, sich aus eigenem Entschluß heraus ganz und gar dem Schweigen hinzugeben. Wenn ich in den Nächten an die Stille dachte, an die er glaubte und der er sich in aller Bescheidenheit verschrieben hatte, wenn ich mir vorstellte, wie er das Buch von neuem schrieb, dann vollzog sich das größte Wunder in meinem Verstand, und ich spürte, wie die Stille mit ihm zu reden begann, während er dort an seinem Tisch geduldig immer wieder das gleiche tat. Und in jener Stille und Dunkelheit lagen die Geheimnisse der unerreichbar gebliebenen Dinge, die ich jedoch erhofft und die meine Liebe sich vorgestellt hatte, und ich meinte, das wahre Flüstern der tiefen Nacht, zu dem einer wie ich niemals hingelangen würde, komme zum Ausdruck, solange der von Canan geliebte Mann schrieb.

FÜNFZEHNTES KAPITEL

Eines Nachts wurde der Wunsch, dieses Flüstern zu hören, so stark in mir, daß ich den Fernseher ausschaltete, leise das Buch vom Kopfende meines Bettes holte, ohne meine Frau, die früh aufstand, aus dem Schlaf zu wecken, und mich an unseren Tisch setzte, wo wir täglich unser Abendessen einnahmen und dabei auf den Bildschirm blickten, und begann, mit neuer Lust darin zu lesen. Das brachte mir den Abend ins Gedächtnis zurück, an dem ich es zum erstenmal in jenem Zimmer gelesen hatte, in dem jetzt meine Tochter schlief. So intensiv war das Verlangen nach dem Licht, das aus dem Buch in mein Gesicht sprühen sollte, daß sich das Bild der neuen Welt für einen Augenblick in meinem Innern rührte. Ich fühlte eine Bewegung, eine Ungeduld, etwas regte sich, um mir das Geheimnis des Flüsterns zu verraten, das mich zum Herzen des Buches führen würde ...

Wie in der ersten Nacht, in der ich das Buch gelesen hatte, so fand ich mich auch jetzt auf den Straßen unseres Viertels wieder. Sie waren dunkel und naß an diesem Herbstabend, und hin und wieder kam auf dem Gehsteig noch jemand vorbei, der nach Hause wollte. Als ich den Bahnhofsplatz von Erenköy erreichte, sah ich die altvertrauten Schaufenster der Krämerläden, die schäbigen Lastwagen, die alten Schutzplanen, mit denen der Obsthändler seine Orangen- und Apfelkisten auf dem Gehsteig zudeckte, das blaue, aus dem Schaufenster des Fleischerladens sickernde Licht, den alten großen Ofen in der Apotheke – alles war da, wo es hingehörte. In dem Café, das ich in meiner Studienzeit aufgesucht hatte, um mich mit meinen Freunden aus dem Viertel zu treffen, saßen ein, zwei Leute vor dem Fernseher und schauten auf seine Farben. Während ich durch die Straßen wanderte, konnte ich dort, wo die Familien noch nicht zu Bett gegangen waren, durch die nicht ganz geschlossenen Vorhänge der Wohnzimmer das gleiche sich auf den Platanen, den nassen Laternenmasten und an den eisernen Balkongittern spiegelnde Fernsehprogramm und manchmal blaue, manchmal grüne und sich dann rot färbende Lichter sehen.

Im Weitergehen beobachtete ich diese Fernsehlichter durch die halboffenen Vorhänge, blieb vor Onkel Rıfkıs Haus stehen und schaute lange zu den Fenstern der oberen Etage hinauf. Einen kurzen Augenblick spürte ich Freiheit und Zufall, als seien wir, Canan und ich, aus einem der aufs Geratewohl bestiegenen Busse irgendwo aufs Geratewohl ausgestiegen. Durch den Gardinenspalt konnte ich zwar in den vom Bildschirm erleuchteten Raum sehen, doch Onkel Rıfkıs Witwe und ihre Art, im Sessel zu sitzen, blieb meiner Vorstellung überlassen. Dem Wechsel der Bilder entsprechend, wurde das Zimmer manchmal von einem schreiend rosa, dann wieder von einem totengelben Licht erhellt. Der Gedanke, das Geheimnis des Buches und meines Lebens könne in diesem Zimmer liegen, hatte sich in mir festgesetzt.

Entschlossen stieg ich auf die Trennmauer zwischen dem Garten des Apartmenthauses und dem Gehsteig. Jetzt sah ich Tante Ratibes Kopf und auch den Fernsehapparat ihr gegenüber. Während sie im Winkel von fünfundvierzig Grad zu dem leeren Sessel ihres seligen Mannes saß und auf den Bildschirm blickte, hatte sie ganz wie meine Mutter den Kopf zwischen die Schultern gezogen, doch anders als meine Mutter, die strickte, paffte sie eine Zigarette. Eine ganze Weile schaute ich ihr zu und erinnerte mich dabei an die beiden anderen Personen, die vor mir auf diese Mauer gestiegen waren und das Innere der Wohnung beobachtet hatten.

Ich drückte auf einen der Klingelknöpfe an der Eingangstür des Hauses: Rıfkı Hat. Kurz darauf rief eine Frau aus einem Fenster in der oberen Etage: »Wer ist da?«

»Ich bin's, Tante Ratibe«, sagte ich und trat einige Schritte zurück in den Schein der Straßenlampe, damit sie mich besser erkennen konnte. »Osman, Sohn des Eisenbahners Akif.«

»Ach, Osman!« sagte sie und ging hinein. Sie drückte auf den Knopf, und die Eingangstür sprang auf.

Lächelnd empfing sie mich an der Wohnungstür und küßte mich auf die Wangen. »Gib mir auch mal deinen Kopf!« sagte sie. Als ich mich bückte, roch sie wie in meiner Kinderzeit auf übertriebene Weise an meinem Haar und setzte einen Kuß darauf.

Diese Geste ließ mich zuerst an ihren und Onkel Rıfkıs Kummer denken, keine eigenen Kinder zu haben, aber auch daran, daß mich seit dem Tod meiner Mutter vor sieben Jahren niemand mehr als Kind behandelt hatte. Ich fühlte mich plötzlich so wohl, daß ich noch beim Eintreten zu ihr sprechen mußte, bevor sie mich etwas fragte.

»Ich kam gerade vorbei und sah noch Licht bei dir, Tante Ratibe, es ist schon spät, aber ich wollte dir wenigstens guten Tag sagen.«

»Das hast du gut gemacht!« meinte sie. »Setz dich dort vor den Fernseher. Ich kann nachts auch nicht schlafen und sehe mir dann dieses Zeug an. Schau mal, die Frau an der Schreibmaschine, das ist eine richtige Schlange. Was auch passiert, immer erwischt es diesen netten jungen Polizisten. Diese Leute wollen die ganze Stadt in die Luft jagen ... Möchtest du Tee?«

Doch sie ging nicht sofort hinaus, um Tee zu holen. Wir verfolgten eine Zeitlang zusammen, was im Fernsehen geschah. »Sieh doch mal, diese schamlose Person!« rief sie einmal und wies auf die rotblonde amerikanische Schönheit im Bild. Die Schönheit entkleidete sich teilweise, es folgte eine lange Kußszene mit einem Mann, dann schlief sie mit ihm inmitten der Rauchschwaden unserer Zigaretten. Und wie viele Autos, Brücken, Revolver, Nächte, Polizisten und Schönheiten auf dem Bildschirm verschwand am Ende auch sie. Ich konnte mich einfach nicht daran erinnern, diesen Film mit Canan gemeinsam gesehen zu haben, doch ich spürte, wie die Erinnerung an die mit Canan gemeinsam gesehenen Filme rasch und bitter in mir hochstieg.

Als Tante Ratibe das Zimmer verließ, um Tee zu holen, wurde mir klar, daß ich hier in dieser Wohnung etwas finden mußte, um mich von dieser Bitternis zu befreien, daß ich, um wenigstens etwas erleichtert zu sein, das Rätsel des Lebens, des Buches lösen mußte, das mich zu einem gebrochenen Mann gemacht hatte. War der schläfrig in seinem Bauer hockende Kanarienvogel dort in der Ecke noch der gleiche, der ungeduldig auf und ab gehüpft war, wenn Onkel Rıfkı mit mir als Kind in diesem Raum gespielt hatte, oder war es ein neuer Vogel, der nach dem Tod des alten und der folgenden gekauft und in das gleiche Bauer gesteckt worden war? Auch die sorgfältig gerahmten Bilder von Waggons und Lokomotiven hingen noch an ihrem alten Platz an den Wänden, doch es machte mich traurig, diese müden und zumeist aus dem Verkehr gezogenen Vehikel vergessen und verstaubt im Licht des Fernsehers betrachten zu müssen, denn ich hatte sie in meiner Kindheit stets unter einem freundlichen Tageslicht gesehen, während ich Onkel Rıfkıs Witzen zuhörte und versuchte, auf seine Rätselfragen zu antworten. Auf einer Seite in der Vitrine auf der Anrichte standen Likörgläser und eine angebrochene Flasche Himbeerlikör. Daneben lag zwischen Onkel Rıfkıs Verdienstmedaillen der Eisenbahn und dem Lokomotiven-Feuerzeug seine Kontrolleurzange, die er mir als Kind zum Spielen gegeben hatte, wenn Vater und ich ihn besuchten.

In der anderen Hälfte der Vitrine sah ich hinter Miniatur-waggons, einem Aschenbecher aus falschem Kristall und fünfundzwanzig Jahre alten Eisenbahnfahrplänen etwa drei-ßig Bücher, die sich in der Spiegelrückwand reflektierten, und mein Herz schlug schneller.

Das mußten die Bücher sein, die Onkel Rıfkı in der Zeit gelesen hatte, als er *Das neue Leben* schrieb. Eine Welle der Erregung überlief mich, als hätte ich nach all den Reisen, nach all den Jahren endlich eine handfeste Spur von Canan gefunden.

Während wir unseren Tee tranken und das Fernsehpro-gramm anschauten, fragte mich Tante Ratibe zuerst nach dem Ergehen meines Kindes und dann nach meiner Frau. Da ich sie nicht zu unserer Hochzeit eingeladen hatte, mur-melte ich beschämt einige Worte und wollte ihr gerade sagen, meine Frau komme aus einer Familie in unserer Straße, als mir einfiel, daß ich sie, die später meine Frau wurde, zum erstenmal in meinem Leben in jenen Stunden gesehen hatte, als ich das Buch zum erstenmal las. Welcher dieser Zufälle war nun bedeutender und erstaunlicher? Daß ich die Tochter einer Familie, die in der leeren Wohnung ge-genüber eingezogen war und an jenem Abend im Licht der starken, nackten Glühbirne vor dem Fernseher und beim Essen saß, daß ich dieses traurige Mädchen, meine Frau in späteren Jahren, zum erstenmal an jenem Tag erblickte, als ich das Buch zum erstenmal las, oder daß ich mir dieses er-sten Zufalls bewußt wurde, während ich in Onkel Rıfkıs Sessel saß, um Jahre nach meiner Heirat die verborgene Geo-metrie meines Lebens herauszufinden? Ich erinnerte mich daran, was ich damals festgestellt hatte: Das Haar des Mäd-chens war dunkelblond und der Bildschirm grün gewesen.

So sprachen wir, Tante Ratibe und ich, über den Klatsch im Viertel, über die neu eröffnete Fleischerei, meinen Bar-bier, die alten Kinos und einen Freund, der den Schuhladen seines Vaters erweitert, eine Fabrik aufgemacht und, nachdem er reich geworden war, das Viertel verlassen hatte, während ich mich innerlich dem delikaten Durcheinander einer Gedankenspielerei über den Zufall und das Leben hingab. Während wir in unserem mit Schweigen durchsetzten, bruchstückhaften Gespräch erwähnten, »wie bruchstückhaft das Leben ist«, erklärte das Fernsehen unter Revolverschüssen, heißen Liebesszenen, lautem Geschrei, abstürzenden Flugzeugen und explodierenden Benzintankern: »Trotzdem, man muß zerbrechen und vernichten!«, doch wir bezogen es nicht auf uns.

Als zu reichlich später Stunde das Jammern und Stöhnen und die Todesschreie von einem Dokumentarfilm über das Leben der roten Landkrebse auf Christmas Island im Indischen Ozean abgelöst wurde, näherte ich mich, der scharfsinnige Detektiv, dem Thema wie der empfindsame Krebs auf dem Bildschirm von der Seite her und brachte den Mut auf zu sagen: »Wie schön doch früher alles war!«

»Das Leben ist schön, wenn man jung ist«, meinte Tante Ratibe, doch sie konnte mir über das Leben mit ihrem Mann in jungen Jahren nichts Erfreuliches sagen – vielleicht auch, weil ich nach den Kindergeschichten, dem Eisenbahnergeist, Onkel Rıfkıs Schriften und Bildergeschichten fragte.

»Dein Onkel Rıfkı hat uns beiden mit seinem Hang zum Schreiben und Zeichnen die jungen Jahre verdorben.«

Sie hatte es eigentlich in der ersten Zeit begrüßt, daß ihr Mann für die Eisenbahnerzeitschrift schrieb und sich damit beschäftigte. Denn unter diesem Vorwand konnte sich Onkel Rıfkı wenigstens teilweise von den langen Reisen der Bahninspektoren befreien, und Tante Ratibe war nicht gezwungen gewesen, tagelang allein zu Hause sehnsüchtig auf ihren Mann zu warten. Dann hatte er auf einmal beschlossen, für die letzten Seiten der Zeitschrift Bildergeschichten zu zeichnen, damit auch die Kinder sie lasen und an die Sache der Eisenbahn glaubten, die das Land retten würde. »Manche Kinder haben das sehr gern gemocht, nicht wahr?« sagte Tante Ratibe und lächelte zum erstenmal dabei, und ich erzählte ihr, wie begeistert ich diese Abenteuer gelesen hatte und daß ich die Serie *Pertev und Peter* sogar auswendig wußte.

»Doch er hätte es dabei belassen, nicht so übermäßig ernst nehmen sollen«, schnitt sie mir das Wort ab. Den Fehler ihres Mannes sah sie darin, daß er sich nach dem Erfolg der Bildergeschichten von einem gerissenen Verleger in Babıali überreden ließ und beschloß, sie in einem gesonderten Heft herauszubringen. »Danach kannte er weder Tag noch Nacht, kam müde und erschöpft von der Inspektionsreise oder aus der Direktion, setzte sich sofort an seinen Tisch und arbeitete bis in den Morgen hinein.«

Diese Hefte waren eine Zeitlang viel gelesen worden, als jedoch kurz nach ihrem glänzenden Anfangserfolg die historischen Bildergeschichten mit all diesen gegen die Byzantiner kämpfenden türkischen Kriegern wie Kaan, Karaoğlan und Hakan in Mode kamen, waren sie nicht mehr gefragt. »*Pertev und Peter* ging damals ziemlich gut, und wir verdienten etwas daran, aber das große Geld machte natürlich dieser Bandit, der Verleger«, sagte Tante Ratibe. Der Bandit habe von Onkel Rıfkı verlangt, diese Geschichten von türkischen Kindern, die in Amerika Cowboy und Bahnreisende spielten, aufzugeben und ihm statt dessen solche Figuren wie den damals so begehrten Karaoğlan oder Kaan oder das Schwert der Gerechtigkeit zu bringen. »Ich zeichne keine Bildergeschichte, in der nicht wenigstens einmal ein Zug vorkommt«, habe Onkel Rıfkı erklärt. Das sei das Ende der Verbindung zu dem treulosen Verleger gewesen. Er habe noch eine Weile für sich zu Hause Bildergeschichten gezeichnet und nach anderen Verlegern gesucht, sei dann aber irgendwann gekränkt gewesen, weil sich niemand dafür interessierte.

»Wo sind jetzt diese unveröffentlichten Abenteuer?«
fragte ich und ließ dabei meine Augen durch das Zimmer
wandern.

Sie gab keine Antwort. Für eine Weile schaute sie der
schwierigen Reise des leidgeprüften Landkrebsweibchens
zu, das die Insel von einem zum anderen Ende überquerte,
um die befruchteten Eier aus seinem Leib zur rechten Zeit
dem angestiegenen Meer zu überlassen.

»Ich habe sie alle fortgeworfen«, sagte sie. »Schränke
voller Bilder, Zeitschriften, Cowboy-Abenteuer, Bücher über
die Amerikaner und Cowboys, Bücher über Filme mit Ko-
pien von Kostümen, ja, und all diese *Pertev und Peter* und
was sonst noch … Nicht mich, sondern sie hat er geliebt.«

»Onkel Rıfkı mochte Kinder sehr gern.«

»Ja, ja, er mochte Kinder«, sagte sie. »Er war ein guter
Mensch, er mochte jeden gern. Wo gibt es heute noch solch
einen Menschen?«

Sie vergoß ein paar Tränen, vielleicht aus dem Schuldgefühl heraus, über ihren verstorbenen Mann einige bittere
Worte verloren zu haben. Während sie den wenigen jungen
Krebslein zuschaute, die nicht der Brandung oder den
Möwen zum Opfer fielen und glücklich das rettende Land
erreichten, hatte sie verblüffend schnell von irgendwoher
ein Taschentuch hervorgezogen, trocknete die Tränen und
putzte sich die Nase.

Genau in diesem Augenblick sagte der wachsame Detektiv: »Onkel Rıfkı soll außerdem für Erwachsene ein
Buch mit dem Titel *Das neue Leben* geschrieben und
wahrscheinlich unter einem anderen Namen veröffentlicht
haben.«

»Wo hast du denn das gehört?« fiel sie mir ins Wort. »So
etwas gibt es nicht.«

Sie warf mir einen solchen Blick zu, entzündete ihre Zigarette so erbost, blies den Rauch so heftig fort und hüllte

sich in ein so aufgebrachtes Schweigen, daß dem scharfsinnigen Detektiv nichts übrigblieb, als still zu sein.

Eine Zeitlang sagten wir kein einziges Wort. Doch ich brachte es nicht fertig, einfach aufzustehen und fortzugehen, hoffte dagegen, daß etwas geschah, daß die unsichtbare Symmetrie des Lebens endlich offenbar wurde.

Der Dokumentarfilm ging zu Ende, und ich versuchte, in dem Gedanken Trost zu finden, daß es schlimmer war, ein Krebs statt ein Mensch zu sein, als Tante Ratibe sich rasch und entschieden erhob und mich am Arm zur Vitrine hin zog. »Schau!« sagte sie. Eine Stehlampe mit geneigtem Schirm beleuchtete ein gerahmtes Foto nahe an der Wand.

Auf den Stufen vor dem Bahnhof Haydarpaşa standen etwa vierzig Männer im gleichen Anzug, mit der gleichen Krawatte und die meisten auch mit dem gleichen Schnurrbart und lächelten in die Kamera. »Die Eisenbahninspektoren«, erklärte Tante Ratibe. »Sie glaubten daran, daß sich dieses Land mit Hilfe der Eisenbahn entwickeln würde.« Auf einen der Männer wies sie mit dem Finger: »Rıfkı.«

Er war so, wie ich ihn aus meiner Kindheit kannte, wie ich all die Jahre an ihn gedacht hatte. Etwas mehr als mittelgroß. Schlank. Ein wenig gutaussehend, ein wenig traurig. Glücklich darüber, mit den anderen zusammen, ihnen ähnlich zu sein. Er lächelte leicht.

»Schau, ich habe niemanden mehr«, sagte Tante Ratibe. »Zu deiner Hochzeit konnte ich nicht kommen, so nimm doch wenigstens dies!« Sie nahm die silberne Bonbonniere aus der Vitrine und drückte sie mir in die Hand. »Neulich habe ich deine Frau und deine Tochter auf dem Bahnhof gesehen. Was für eine schöne Frau! Weißt du sie zu schätzen?«

Ich blickte auf die Bonbonniere in meiner Hand und wand mich vor Beschämung und Minderwertigkeitsgefühl – was ich nicht sagen sollte, denn der Leser wird mir vielleicht nicht glauben. Sagen wir, ich erinnerte mich, ohne zu wissen, an was ich mich erinnerte. Das ganze Zimmer und ich und Tante Ratibe, wir reflektierten uns, verkleinert, rund und flach geworden, im Spiegel der Silberdose. Wie zauberhaft, für einen Augenblick die Welt nicht durch das Schlüsselloch zu sehen, das wir unsere Augen nennen, sondern durch die Linse einer anderen Logik, nicht wahr? Kluge Kinder verstehen das, kluge Erwachsene belächeln es. Meine Gedanken waren zur Hälfte abwesend, Leser, die andere Hälfte war an einer anderen Sache hängengeblieben. Geht es Ihnen nicht auch so? Sie sollten sich an etwas erinnern, doch da Sie den Grund für das Erinnern nicht herausfinden können, überlassen Sie es einem anderen Zeitpunkt.

»Tante Ratibe, darf ich diese Bücher mitnehmen?« fragte ich und vergaß sogar, mich zu bedanken. Ich zeigte auf die Bücher in der anderen Vitrinenhälfte.

»Was willst du damit anfangen?«

»Ich werde sie lesen«, erklärte ich; und sagte nicht: »Weil ich ein Mörder bin, kann ich nachts nicht schlafen«, sondern: »Ich lese nachts, meine Augen werden müde vom Fernsehen, ich kann es nicht vertragen.«

»Na gut, nimm sie«, stimmte sie unsicher zu. »Aber bring sie nach dem Lesen wieder zurück. Der Platz dort auf der Vitrine soll nicht leer stehen. Mein verstorbener Mann hat sie ständig gelesen.«

Nachdem wir, Tante Ratibe und ich, einen weiteren Film mit den bösen Kerlen der Engelsstadt Los Angeles gesehen hatten, mit kokainschnupfenden Reichen, mit erfolglosen Filmstaranwärterinnen, die in unseren Augen zum horizontalen Gewerbe neigten, mit eifrigen Polizisten, mit schönen und stattlichen Menschen, die sich sofort in einer ach so naiv-unschuldigen und paradiesisch-glückseligen Weise der Liebe hingaben und dann hinterrücks einer über den anderen, ach, wie scheußlich, so böse Worte sagten, kehrte ich zu sehr später Stunde nach Hause zurück, in meiner Hand eine riesige Plastiktüte mit Büchern und der silbernen Bonbonniere obendrauf, in der sich die Welt, die Bücher, die Straßenlaternen, die blätterstreuenden Pappeln, der dunkle Himmel, die kummervolle Nacht, der nasse Asphalt, meine die Tüte tragende Hand, mein Arm und meine sich hebenden und senkenden Beine spiegelten.

Ich reihte die Bücher ordentlich auf meinem Tisch im Wohnzimmer auf, der zu Lebzeiten meiner Mutter im hinteren Zimmer gestanden hatte, an dem ich meine Schulaufgaben gemacht und für die Universität gearbeitet und zum erstenmal *Das neue Leben* gelesen hatte. Der Deckel der Bonbonniere klemmte, sie ließ sich nicht öffnen. Ich stellte auch sie zu den Büchern, zündete mir eine Zigarette an und betrachtete das Ganze mit Vergnügen. Es waren dreiunddreißig Werke, darunter Handbücher wie *Die Grundsätze des Sufismus, Kinder-Psychologie, Eine kurze Geschichte der Welt, Die großen Philosophen und die großen Märtyrer, Illustrierte und kommentierte Traumdeutungen,* einige Übersetzungen von Dante, Ibn Arabi und Rilke aus der Klassikerserie des Erziehungsministeriums, die in einigen Ministerien und Verwaltungsdirektionen gratis verteilt worden waren, Anthologien wie *Die schönsten Liebesgedichte* und *Geschichten vom Vaterland,* Übersetzungen von Jules Verne, Sherlock Holmes und Mark Twain in bunten Einbänden und noch andere wie zum Beispiel *Kon-Tiki, Auch Genies waren Kinder, Die letzte Station, Vögel als Haustiere, Sage mir ein Gedicht* und *Tausendundein Rätsel.*

Noch in der gleichen Nacht begann ich, die Bücher zu lesen. Und von diesem Moment an war mir klar, daß manche Szenen, manche Ausdrücke, manche Bilder des *Neuen Lebens* entweder unter dem Einfluß dieser Bücher geschrieben oder direkt aus ihnen übernommen worden waren. So zwanglos und geläufig, wie Onkel Rıfkı mit dem Bild- und

Textmaterial aus den Heften von *Tom Mix*, *Pecos Bill* und dem *Einsamen Sheriff* für seine Kindergeschichten umgegangen war, hatte er auch auf diese Bücher zurückgegriffen, als er *Das neue Leben* schrieb.

Hier ein paar Beispiele:

»Die Engel konnten nicht hingelangen zu dem Mysterium der Schöpfung des Mensch genannten Stellvertreters.«

Ibn Arabi, *Fususü'l Hikem*

»Wir waren seelenverwandt, waren Weggefährten, unterstützten einander bedingungslos.«

Neşati Akkalem, *Auch Genies waren Kinder*

»Also kehrte ich in die Einsamkeit meiner Kammer zurück und begann, über das edle Geschöpf nachzudenken. Der Schlaf überfiel mich, während ich an sie dachte, und vor meinen Augen entfaltete sich ein Wunder der Phantasie.«

Dante, *Das neue Leben*

»Sind wir vielleicht *hier*, um zu sagen: Haus, Brücke,
Brunnen, Tor, Krug, Obstbaum, Fenster –
höchstens: Säule, Turm ... aber zu *sagen*, verstehe,
oh zu sagen *so*, wie selber die Dinge niemals
innig meinten zu sein.«

Rilke, *Duineser Elegien*

»Doch in dieser Gegend gab es kein Haus, war nichts außer Trümmern zu sehen. Es schien, als habe nicht die Zeit diese Ruinen geschaffen, sondern eine Reihe von Katastrophen.«

Jules Verne, *Die namenlose Familie*

»Mir fiel ein Buch in die Hand. Lasest du es, schien es ein gebundenes Buch zu sein, lasest du es aber nicht, dann nahm es die Gestalt eines Ballens grünen Seidenstoffes an ... Da fand ich mich selbst in die Betrachtung der Ziffern und Schriftzeichen des Buches versunken wieder und erkannte aus der Handschrift, daß es der Sohn des Scheichs Abdurrahman, Kadi zu Aleppo, geschrieben hatte. Als ich wieder bei Sinnen war, sah ich mich jenen Abschnitt schreiben, den ihr jetzt lest. Und ich verstand auf einmal, daß der Abschnitt, den der Sohn des Scheichs geschrieben und den ich in meinem Traum gelesen hatte, der gleiche war wie der in dem Buch, das ich jetzt schreibe.«

Ibn Arabi, *Fütuhátü'l Mekkiye*

»Die Liebe wirkte so stark auf mich, daß mein Leib, der vollkommen ihren Befehlen gehorchte, sich oftmals wie ein schweres, lebloses Ding bewegte.«

Dante, *Das neue Leben*

»Ich habe meinen Fuß auf jenen Lebensabschnitt gesetzt, von dem es keine Rückkehr mehr gibt.«

Dante, *Das neue Leben*

SECHZEHNTES KAPITEL

Man weiß inzwischen, nehme ich an, daß wir beim Erläuterungsteil unseres Buches angelangt sind. Ich las die dreiunddreißig Bücher auf meinem Tisch monatelang immer wieder von neuem durch, unterstrich Wörter und Sätze auf den vergilbten Seiten, machte mir Notizen in Hefte und auf Zettel, suchte Bibliotheken auf, wo die Wärter den Leser mit Blicken fragten: »Was hast du hier zu suchen?«

Zahllosen enttäuschten Männern gleich, die sich für eine gewisse Zeit mit Lust und Liebe in das als Leben bezeichnete stürmische Meer gestürzt und das Erhoffte nicht gefunden haben, entdeckte ich in der Lektüre, im Vergleich einiger Bildvorstellungen und in der Ausdrucksweise das heimliche Geflüster der Texte untereinander, entnahm ihnen Geheimnisse, reihte diese Geheimnisse auf, verband sie auf neue Weise miteinander und versuchte so, mich für die im Leben versäumten Dinge zu rächen, wobei ich mich selbst für die Komplexität des von mir in geduldiger Feinarbeit gewobenen Beziehungsnetzes lobte. Wer die mit handschriftlichen Deutungen und Kommentaren zu anderen Büchern vollgestopften Bibliotheksregale in muslimischen Städten sieht, der sollte sich nicht wundern, sondern einen Blick auf die Masse gebrochener Männer in den Straßen werfen, das genügt!

Jedesmal, wenn ich im Verlauf dieser Tätigkeit auf einen neuen Satz, ein Bild oder eine Idee in Onkel Rıfkıs Büchlein stieß, die sich aus einem anderen Buch eingeschlichen hatten, enttäuschte mich das zunächst – wie den träumerischen Jungen die Erfahrung mit dem engelhaften Mädchen, das nicht so ganz engelrein war –, dann aber wollte ich daran glauben, daß die auf den ersten Blick nicht vollkommen rein erscheinende Sache im Grunde genommen der Hinweis auf ein tiefer gelegenes, magisches Geheimnis, auf eine besondere Gnade sein müsse.

Während ich mit den anderen Schriften auch die *Duineser Elegien* wieder und wieder las, kam ich zu dem Schluß, ich würde alles mit des Engels Hilfe lösen können. Weniger vielleicht, weil mich der Engel aus den Elegien an den in Onkel Rıfkıs Buch erwähnten denken ließ, als vielmehr, weil ich sehnsüchtig an die Art und Weise zurückdachte, auf die Canan in den gemeinsamen Nächten von diesem Wesen gesprochen hatte. Weit nach Mitternacht, wenn die langen Güterzüge in Richtung Osten schier endlos ratternd vorbeigefahren waren, spürte ich in der Stille, die nun über dem Viertel lag, das Verlangen nach einem Licht, nach einem Sich-Regen, nach dem Ruf eines in Liebe erinnerten Lebens und kehrte dem Durcheinander von Heften und Zetteln auf meinem Tisch, meinen Zigaretten und der die laufenden Fernsehbilder reflektierenden Bonbonniere den Rücken, ging zum Fenster und schaute durch die Vorhänge hinaus in die dunkle Nacht: Ein blasser Lichtstrahl von den Straßenlampen oder aus einer der Wohnungen gegenüber traf plötzlich die Wassertropfen auf dem Fensterglas und spiegelte sich darin.

Wer war dieser Engel, wer war der, von dem ich wünschte, er solle mich aus dem Herzen der Stille anrufen? Wie Onkel Rıfkı konnte auch ich keine andere Sprache als Türkisch, doch es störte mich nicht, von schlechten und oberflächlichen Übersetzungen umgeben zu sein, die dennoch hin und wieder durch zufällige, flüchtige Begeisterung in einer mir fernliegenden Sprache etwas Schönes hervorgebracht hatten. Ich suchte die Fakultäten auf, fragte unzugängliche, mich als Amateur abtuende Professoren und Übersetzer, fand Adressen in Deutschland heraus, schrieb Briefe, und als ich von feinen, höflichen Leuten Antwort erhielt, wollt ich mir einreden, auf dem Weg in das Herz eines Mysteriums zu sein.

Rilke soll in einem berühmten Brief an seinen polnischen Übersetzer gesagt haben, der Engel seiner *Duineser Elegien* stünde den Engeln des Islam näher als denen des Christentums, was Onkel Rıfkı dem kurzen Vorwort des Übersetzers in der türkischen Ausgabe entnommen hatte. Einem Brief, den Rilke zu Beginn der Niederschrift der *Elegien* an Lou Andreas-Salomé nach Spanien schickte, entnahm ich, er habe den Koran gelesen und »staune, staune«, was mich für einige Zeit zu den Engeln des Korans hinzog, doch ich konnte dort keine jener Geschichten wiederfinden, die ich von meiner Großmutter, den Tanten aus der Nachbarschaft oder meinen allwissenden Freunden kannte. Nicht einmal Azrail, der Name des Todesengels, der uns aus den Karikaturen der Presse bis hin zu den Verkehrsplakaten im Unterrichtsfach Lebenskunde so gut bekannt ist, stand im Koran, er hieß einfach Todesengel. Über Michael und den am Jüngsten Tag die Posaune blasenden Seraph konnte ich nicht mehr erfahren, als ich ohnehin wußte. Mein deutscher Briefpartner, den ich danach fragte, ob die zu Anfang der fünfunddreißigsten Sure des Korans erwähnten »zwei-, drei- und vierflügligen« Engel ein dem Islam eigener Ausdruck seien oder nicht, schickte mir eine Mappe mit den Fotokopien christlicher Engel aus Kunstbänden und schloß das Thema ab: Außer ein paar kleinen Einzelheiten wie der Erwähnung einer anderen Kategorie von Engeln im Koran, den ebenfalls zu den Engeln zählenden Höllenwächtern und der biblischen Vorstellung, daß die Engel ein starkes Band zwischen Gott und seinen Geschöpfen darstellen, gebe es zwischen den Engeln des Christentums und denen des Islam keinen bedeutenden Unterschied, der Rilkes Wort rechtfertigen würde.

Trotzdem war ich der Ansicht, daß Onkel Rıfkı bei der

endgültigen Gestaltung seines Buches, auch wenn sie nicht von Rilke kamen, an einige Verse der Koran-Sure *Al Takwir* gedacht haben könnte, die vom Herabsinken des Buches, »in dem alles geschrieben steht«, zu Mohammed und von Gabriel spricht, der ihm zwischen den leuchtend fallenden und vergehenden Sternen vor dem Horizont an der Grenze zwischen Tag und Nacht erschien. Doch das war zu jener Zeit, als ich monatelang lesend alles, was ich gelesen hatte, mit allen Dingen verglich und in Onkel Rıfkıs Büchlein ein nicht nur aus dreiunddreißig, sondern aus allen Büchern entstandenes Werk sah. Je mehr die sich auf meinem Tisch häufenden schlechten Übersetzungen, Fotokopien und Notizen mir außer über Rilkes Engel auch etwas über den Grund für die Schönheit der Engel, über die absolute Schönheit, die den Unfall und den Zufall ausschloß, über Ibn Arabi, über die den Menschen übertreffenden Eigenschaften und die Grenzen und Sündenfälle der Engel, über ihre Fähigkeit, sowohl hier wie dort zu sein, über die Zeit, über den Tod und das Leben nach dem Tod sagten, desto mehr entsann ich mich der Dinge, die ich nicht nur in Onkel Rıfkıs Büchlein, sondern auch in den Abenteuern von *Pertev und Peter* gelesen hatte.

Zu Frühlingsanfang eines Abends nach dem Essen sprach Rilke zu mir aus einem seiner Briefe, die ich zum wer weiß wievielten Male las: »Noch für unsere Großväter war ein ›Haus‹, ein ›Brunnen‹, ein ihnen vertrauter Turm, ja ihr eigenes Kleid, ihr Mantel: unendlich mehr, unendlich vertraulicher.«

Ich denke zurück an den Augenblick, als ich mich plötzlich umsah und mir der Kopf auf köstliche Weise zu schwirren begann. Nicht nur von meinem alten Tisch und meinen Büchern her, sondern von allen Seiten, wohin meine Tochter sie verstreut hatte, von den Fensterbrettern, vom staubigen Heizkörper, von dem kurzen Ständer mit einem Fuß

und vom Teppich her, blickten mich Hunderte schwarz-
weißer Engelsschatten an und spiegelten sich in der silbernen Bonbonniere: Die schwarzweißen und blassen Fotokopien der Reproduktion von Engeln, die vor Jahrhunderten
einmal irgendwo in Europa als Ölgemälde entstanden waren. Mir gefielen sie besser als die Originale.

»Sammle die Engel ein«, sagte ich bald darauf zu meiner
dreijährigen Tochter. »Komm, gehen wir zum Bahnhof und
schauen uns den Zug an.«

»Kaufen wir auch Bonbons?«

Ich nahm sie auf den Arm, wir gingen zu ihrer Mutter
in die nach Spülmittel und gegrilltem Fleisch riechende
Küche und erklärten, wir würden jetzt zu den Zügen gehen.
Sie blickte von ihrem Abwasch auf und lächelte uns zu.

Es gefiel mir, in der weichen Frühlingskühle mit meiner
Tochter, die ich fest in meinen Armen hielt, zum Bahnhof
zu gehen. Und ich freute mich zuerst auf die Fußballspiele
des Tages im Fernsehen nach der Rückkehr und auf den
Sonntagabendfilm danach, den ich mit meiner Frau zusammen anschauen würde. Die Konditorei Leben auf dem
Bahnhofsplatz hatte die Schaufensterscheibe herausgenom-
men, die Eiscremetheke mit den Waffeltüten hergerichtet
und damit den Winter beendet. Wir ließen uns hundert
Gramm Mabel-Bonbons abwiegen. Eine nahm ich aus der
Tüte und steckte sie meiner Tochter in den ungeduldig auf-
gesperrten Mund. Dann gingen wir zum Bahnsteig.

Genau sechzehn Minuten nach neun Uhr ließ sich der
Süd-Expreß hören, zuerst als ein schweres Motordröhnen,
das irgendwo aus der Tiefe, aus der Seele der Erde zu drin-
gen schien, dann meldete er sich uns durch den Widerschein
der Lichter an den Brückenwänden und den Stahlfüßen,
schien leiser zu werden, als er sich dem Bahnhof näherte,
um gleich darauf an uns kleinen Sterblichen, die wir einander fest umarmten, in Staub und Rauch gehüllt und mit der

erschütternden und unaufhaltsamen Kraft seiner Maschinen an uns vorüberzurasen. Unter dem etwas menschlicher klingenden Brummen, das er hinter sich herzog, sahen wir die Fahrgäste seitlich geneigt in den hell erleuchteten Waggons sitzen, die im Eisenbahntakt vorüberrollten. In einem einzigen Augenblick waren die Reisenden, die am Fenster lehnten, ihre Jacke aufhängten, sprachen, eine Zigarette anzündeten und uns nicht erkannten, vorbei und verschwunden. In der Stille und dem leichten Lufthauch, den der Zug hinterließ, schauten wir lange den roten Lichtern des letzten Wagens nach.

»Weißt du, wohin dieser Zug fährt?« fragte ich meine Tochter aus einem Impuls heraus.

»Wohin geht der Zug?«

»Zuerst nach Izmit, dann nach Bilecik.«

»Und dann?«

»Dann nach Eskişehir, dann nach Ankara.«

»Und dann?«

»Dann nach Kayseri, Sivas und Malatya.«

»Und dann?« wiederholte meine dunkelblonde Tochter noch einmal fröhlich und blickte, angetan von Spiel und Geheimnis, den immer noch sichtbaren roten Lichtern des letzten Wagens nach.

Und während sich ihr Vater an die einzelnen Stationen erinnerte, die der Zug anlief, und sich doch nicht an jede einzelne erinnern konnte, erkannte er in denen, an die er sich erinnerte, seine eigene Kindheit wieder.

Ich muß wohl elf, zwölf Jahre alt gewesen sein, als Vater und ich an einem Spätnachmittag Onkel Rıfkı besuchten. Während die Herren Tavla spielten, schaute ich mit einem Keks von Tante Ratibe in der Hand dem Kanarienvogel im Käfig zu, klopfte an die Scheibe des Barometers, das ich heute noch nicht ablesen und erklären kann, holte eines der alten Hefte aus dem Regal und vertiefte mich in eines der

Abenteuer von *Pertev und Peter*. Da rief Onkel Rıfkı mich zu sich und begann mir die gleichen Fragen wie bei jedem unserer Besuche zu stellen.

»Nenne mir die Stationen zwischen Yolçatı und Kurtalan!«

»Yolçatı, Uluova, Kürk, Sivrice, Gezin, Maden«, zählte ich alle richtig auf.

»Und die zwischen Amasya und Sivas?«

Ich nannte sie, ohne zu stottern, da ich den Fahrplan, den nach Onkel Rıfkıs Meinung jedes kluge türkische Kind kennen sollte, auswendig gelernt hatte.

»Warum fährt der Zug von Kütahya über Afyon, um nach Uşak zu gelangen?«

Die Antwort auf diese Frage war nicht aus dem Fahrplan, sondern ich hatte sie von ihm gelernt: »Weil der Staat leider die Eisenbahnpolitik aufgegeben hat.«

»Letzte Frage«, hatte Onkel Rıfkı mit leuchtenden Augen gesagt. »Wir fahren von Çetinkaya nach Malatya.«

»Çetinkaya, Demiriz, Akgedik, Ulugüney, Hasan Çelebi, Hekimhan, Kesikköprü ...« hatte ich aufzuzählen begonnen und dann geschwiegen, als ich nicht weiterkam.

»Und danach?«

Ich war still gewesen. Mein Vater blickte einmal auf die Würfel in seiner Hand, dann auf das Brett mit den Steinen und suchte nach einem Ausweg aus seiner bedrängten Lage.

»Und nach Kesikköprü?«

Der Kanarienvogel pickte im Käfig.

»Hekimhan, Kesikköprü«, begann ich noch einmal hoffnungsvoll, doch die nächste Station fiel mir immer noch nicht ein.

»Und dann?«

Dann kam ein langes Schweigen. Ich glaubte schon, mir kämen die Tränen, da sagte Onkel Rıfkı: »Ratibe, gib ihm mal einen Karamelbonbon, vielleicht fällt es ihm dann ein.«

Tante Ratibe brachte die Bonbons und bot mir davon an. Und sowie ich mir einen in den Mund steckte, war mir die Station nach Kesikköprü wieder eingefallen, wie es Onkel Rıfkı vorausgesagt hatte.

Während er jetzt dreiundzwanzig Jahre später mit seiner hübschen Tochter auf dem Arm den roten Lichtern am letzten Waggon des Süd-Expresses nachschaut, erinnert sich Osman, dieser Trottel, wieder nicht an die Station nach Kesikköprü! Ich strengte mich jedoch sehr lange an, um wieder darauf zu kommen, und dachte, um meine latenten Assoziationen zu streicheln, anzureizen und aufzuwecken: Welch ein Zufall! 1. Der Zug, der eben an uns vorbeifuhr, wird diese Station, die mir nicht einfallen will, morgen erreichen. 2. Tante Ratibe hatte mir die Karamelbonbons in der gleichen Dose angeboten, die sie mir viele Jahre später schenkte. 3. Meine Tochter hat einen Karamelbonbon in ihrem Mund, ich halte in meiner Hand hundert Gramm Karamelbonbons.

Durch die Lähmung meines Gedächtnisses und das Aufeinandertreffen meiner Vergangenheit und meiner Zukunft an einem Schnittpunkt, weit entfernt von allen Unfällen, empfand ich eines Abends im Frühling eine so tiefe Freude, lieber Leser, daß ich dort wie angenagelt stehenblieb, wo ich versuchte, mich an die Station zu erinnern.

»Hund«, sagte meine Tochter auf meinem Arm lange danach.

Ein sehr verdreckter, erbärmlich aussehender Straßenköter schnupperte an meinem Hosenbein, und der schlichte Abend, der über dem Bahnhof, über dem Viertel lag, wurde von einem leichten Wind gekühlt. Wir kehrten sofort nach Hause zurück, doch ich eilte nicht sofort zu der Bonbonniere. Nachdem meine Tochter gekitzelt, geküßt und zu Bett gebracht worden war, nachdem meine Frau und ich die Küsse und Morde im Sonntagabendfilm gesehen hatten, nachdem meine Frau schlafen gegangen war und ich auf meinem Tisch unter den Büchern, Engeln und Papieren ein wenig Ordnung geschaffen hatte, erst da wartete ich darauf, während mein Herz schneller zu schlagen begann, daß die Erinnerungen sich vertieften und sich im richtigen Maß verdichteten.

Kommt und verbindet euch, Gedanken! forderte dann der Mann mit gebrochenem Herzen, Opfer der Liebe und des Buches – und ich nahm die silberne Bonbonniere in die Hand. Etwas von der Gestik eines dünkelhaften Künstlers der städtischen Bühnen, der den Schädel eines armen Yörük, eines Nomaden, als Nachahmung von Yoricks Schädel geziert in der Hand hält, lag in meiner Bewegung, doch achten Sie bitte nicht auf die künstliche Geste, sondern auf das Ergebnis: Wie anpassungsfähig das Gedächtnis genannte Rätsel sein kann! – Ich erinnerte mich sofort!

Viranbağ war der Name der Station, wie alle die an Zufälle und Unfälle glaubenden Leser gemeinsam mit denen, die glauben, daß Onkel Rıfkı nichts dem Zufall oder Unfall überlassen würde, vermuten dürften.

Und noch mehr fiel mir wieder ein. Als ich vor dreiundzwanzig Jahren mit dem Bonbon im Mund auf die silberne Dose blickte und »Viranbağ« sagte, hatte Onkel Rıfkı mich mit einem »Bravo!« gelobt.

Gleich darauf hatte er eine doppelte Fünf geworfen, zwei Steine meines Vaters aus dem Spiel genommen und gesagt: »Akif, dein Sohn ist sehr klug! Weißt du, was ich eines Tages tun werde?« Doch mein Vater betrachtete seine herausgeworfenen Steine und die Felder und hörte ihm nicht zu.

»Ich werde eines Tages ein Buch schreiben«, hatte Onkel Rıfkı zu mir gesagt, »und dem Helden deinen Namen geben.«

»Ein Buch wie *Pertev und Peter*?« hatte ich mit klopfendem Herzen gefragt.

»Nein, ein Buch ohne Bilder. Aber ich werde deine Geschichte erzählen.« Ich hatte ungläubig geschwiegen, weil ich mir ein solches Buch nicht vorstellen konnte.

»Rede dem Kind nicht wieder etwas ein, Rıfkı!« hatte ihm Tante Ratibe in diesem Moment zugerufen.

War diese Szene wirklich gewesen oder nur die momentane Erfindung meines gutmütigen Gedächtnisses, das mich, den gebrochenen Mann, trösten wollte? Ich wußte es nicht. Am liebsten wäre ich sofort zu Tante Ratibe gelaufen, um sie danach zu fragen. Ich ging mit der silbernen Dose in der Hand zum Fenster, schaute hinunter auf die zunehmend leer werdende Straße und dachte immer wieder nach, doch ich bin mir nicht sicher, ob man es Nachdenken oder Phantasieren nennen sollte: 1. In drei verschiedenen Wohnungen wurde im gleichen Augenblick das Licht eingeschaltet. 2. Der jämmerliche Hund vom Bahnhof lief hochnäsig an der Tür vorbei. 3. Und was meine durch all diesen Gedankenwust in Bewegung geratenen Hände auch getan haben mochten – sie öffneten den Deckel der Silberdose ohne große Schwierigkeiten, ja wie von selbst.

Fast hätte ich für einen Augenblick geglaubt, daß aus der Dose Amulette, Zauberringe und vergiftete Trauben hervorkommen könnten, wie im Märchen. Was herauskam, waren sieben Bonbons der Marke Neues Leben aus meiner Kinderzeit, die man heute nicht einmal mehr bei einem Krämer fernab vom Getriebe oder in den Zuckerwarenläden der Provinz findet. Auf jedem saß am Rand des Buchstaben L auf vornehme Weise ein Markenzeichen-Engel, insgesamt sieben, die schönen Beine in dem Raum zwischen NEUES und LEBEN elegant ausgestreckt, und sie schauten mich, der sie nach zwanzig Jahren aus dem Dunkel der Bonbonniere befreit hatte, dankbar und mit liebevollem Lächeln an.

Vorsichtig und darauf bedacht, den Engeln auf dem Papier der alt und älter gewordenen, marmorharten Bonbons

keinen Schaden zuzufügen, wickelte ich sie aus. Ein Sinn-
spruch stand auf der Innenseite eines jeden Papiers, doch sie
waren alle, was die Bedeutung der Welt und des Buches betraf, wenig hilfreich für mich. Ein Beispiel:

> Hinter den Häusern
> die Zementfabrik,
> Liebes, ich wünsche mir
> eine Nähmaschine von dir.

Damit nicht genug, hatte ich in der nächtlichen Stille noch
begonnen, diese absurden Sprüche immer wieder vor mich
hin zu sagen. Von einem letzten Hoffnungsschimmer erfüllt, ging ich in das Zimmer meiner schlafenden Tochter,
um nicht den Verstand zu verlieren, zog im Halbdunkel
leise die unterste Schublade des alten Schrankes auf, erta-
stete auf der einen Seite das Lineal, auf der anderen Seite
den Brieföffner, fand auch das Kunststoffding mit stump-
fem Ende, die Lupe, dieses Vielzweckgerät meiner Kindheit,
holte sie hervor und unterzog die Engel auf dem Bonbonpa-
pier im Licht meiner Leselampe einer genauen Prüfung, wie
ein Inspektor des Finanzamts, der Falschgeld untersucht:
Sie glichen weder dem Wunsch-Engel noch den vierfach
geflügelten Wesen, die auf persischen Miniaturen zur Un-
beweglichkeit erstarrt sind, noch den Engeln, die ich vor
Jahren meinte, vor den Fenstern der Omnibusse sehen zu
können, noch den schwarzweißen Fotokopiegeschöpfen.
Nur um zu zeigen, daß es tätig war, erinnerte mich mein
Gedächtnis für nichts und wieder nichts daran, daß Kinder
diese Bonbons in den Eisenbahnzügen verkauft hatten, als
ich ein kleiner Junge war. Ich dachte gerade, die Engelsfigu-
ren müßten aus einer ausländischen Zeitschrift »abgekup-
fert« und ausgeschnitten worden sein, als mir der Hersteller
auffiel, der mir vom Rand des Papiers her zuwinkte.

»Bestandteile: Glukose, Zucker, Pflanzenfett,
Butter, Milch und Vanille.
Die Karamelbonbons NEUES LEBEN sind ein Erzeugnis
der Engel-Zuckerwaren und Kaugummi AG,
Çiçeklidere-Str. 18, Eskişehir.«

Am folgenden Abend saß ich im Bus auf dem Weg nach
Eskişehir. Meinen Vorgesetzten bei der Stadtverwaltung
hatte ich erklärt, daß ein ferner, verwaister Verwandter er-
krankt sei, und meiner Frau, daß mich meine geistesarmen
Vorgesetzten bei der Stadtverwaltung in ferne, verwaiste
Städte schickten. Sie verstehen es, nicht wahr? Wenn das
Leben nicht nur eine absurde Geschichte ist, die ein vollkommen Irrer erzählt, wenn das Leben nicht nur die wahl-
lose Kritzelei eines Kindes auf einem Stück Papier ist, dem,
wie meiner dreijährigen Tochter, ein Bleistift in die Hand
geriet, wenn das Leben nicht nur eine Kette von gnadenlosen Absurditäten ohne jede Logik ist, dann mußte hinter all
diesen scheinbar zufälligen Scherzen Onkel Rıfkıs beim
Schreiben des *Neuen Lebens* eine Logik gestanden haben.
Dann mußte der große Planer einen Zweck verfolgt haben,
als er jahrelang den Engel einmal hier, einmal dort, plötzlich
vor mir erscheinen ließ, und wenn ein so alltäglicher, gebrochener Held wie ich aus dem Mund des Bonbon-Onkels
selbst zu hören bekam, warum auf dem Papier der als Kind
so geliebten Bonbons ein Engelsbild war, dann konnte er in
dem noch verbleibenden Herbst seines Lebens, wenn ihn
abends der Kummer übermannte, statt von der Gnadenlo-
sigkeit der Zufälle zu sprechen, darin Trost finden, große
Worte über den Sinn des Lebens zu machen.
    Ich sprach vom Zufall: Daß der Fahrer des allerneuesten
Mercedes-Busses, der mich nach Eskişehir brachte, derselbe
war, der Canan und mich vierzehn Jahre zuvor aus einem
feinen, minarettverzierten Miniaturstädtchen in der Steppe

aufgenommen und in einer sumpfigen, von Regengüssen überschwemmten Stadt abgesetzt hatte, nahm mein Herz zwei kräftige Schläge vor meinen Augen wahr. Meine Augen aber versuchten gemeinsam mit meinem Körper, sich an die hochmoderne Bequemlichkeit zu gewöhnen, die während der letzten Jahre in die Busse eingezogen war, an die summenden Entlüftungsanlagen, an die Einzelbeleuchtung der Sitze, an die wie Hotelpagen uniformierten Beifahrer, an die Tabletts mit dem geflügelten Symbol des Reiseunternehmens und an die kunterbunten Beutel mit dem kunststoffartig schmeckenden Imbiß, die mit Papierservietten gereicht wurden. Die Sitze waren nun in je ein Bett verwandelt, das sich auf Knopfdruck der Länge nach bis in den Schoß des unglücklichen Hintermannes ausstreckte. Da die Fahrten »expreß« von einem Busbahnhof zum anderen führten, ohne daß an irgendeinem fliegenverseuchten Lokal gehalten wurde, hatte man in manche der Omnibusse Klozellen eingebaut, die an den elektrischen Stuhl denken ließen und wo sich wohl keiner während eines Unfalls durchschütteln lassen mochte. Die Fernseher zeigten alle naselang die Werbung für die Fahrzeuge des Reiseunternehmens, das uns in das asphaltierte Herz der Steppe beförderte, so daß der Busreisende beim schläfrigen Blick auf den Bildschirm dort x-mal sehen konnte, wie schön es war, schläfrig im Omnibus zu reisen und auf den Bildschirm zu blicken. Die herrenlose wilde Steppe aber, die wir, Canan und ich, früher einmal durch die Fenster betrachtet hatten, war mit Zigaretten- und Reifenreklamen durchlöchert und vermenschlicht worden, und die getönten Busfenster hatte man, um die Sonne auszusperren, je nach Lust und Laune manchmal mit einem schmuddligen Kaffeebraun, manchmal mit einem Kaabagrün und manchmal mit Petrolfarbe überzogen, was an den Friedhof erinnerte. Ich fühlte all dem zum Trotz, je mehr ich mich den Geheimnissen meines verlorenen Daseins und den fernab gelegenen, von der restlichen Zivilisation vergessenen Städten näherte, daß ich immer noch lebte, immer noch begierig atmete, immer noch – ich will es mit dem alten Wort sagen – so mancher Sehnsucht nachlief.

Daß meine Reise nicht in Eskişehir endete, hat man sich wohl denken können. In der Çiçeklidere-Str. 18, wo sich früher einmal das Büro und der Betrieb der Engel-Zuckerwaren und Kaugummi AG befunden hatten, stand jetzt ein sechsstöckiges Apartmenthaus, das den Schülern der Imam- und Predigerschule als Heim diente. Ein bejahrter Beamter in der Industrie- und Handelskammer Eskişehir, der mir Sprudel Marke SANTI und Lindenblütentee anbot, erklärte mir nach stundenlangem Suchen in Büchern und Akten, die Engel-Zuckerwaren und Kaugummi AG habe Eskişehir vor zwanzig Jahren verlassen, um ihre Geschäfte als Mitglied der Handelskammer Kütahya fortzusetzen.

In Kütahya wiederum ergab sich, daß die Firma den Betrieb nach sieben Jahren Tätigkeit eingestellt hatte. Wenn ich nicht darauf gekommen wäre, das Einwohneramt in dem kachelgeschmückten Regierungsgebäude und dann das Viertel Menzilhane aufzusuchen, hätte ich niemals in Erfahrung bringen können, daß Herr Süreyya, der Gründer der Engel-Zuckerwaren und Kaugummi, fünfzehn Jahre zuvor nach Malatya, der Stadt des Ehemannes seiner einzigen Tochter, gezogen war. In Malatya erfuhr ich, die Engel-Zuckerwaren und Kaugummi habe dort vor vierzehn Jahren eine letzte erfolgreiche Phase erlebt, und erinnerte mich daran, daß wir, Canan und ich, an den Endstationen der Busse diesen letzten Bonbons begegnet waren.

Als die Bonbons Neues Leben in Malatya und Umgebung ganz so wie die zuletzt geprägte Münze eines Imperiums im Zusammenbruch ein letztes Mal Verbreitung fanden, war im Nachrichtenblatt der Handelskammer ein Aufsatz über die Firma und das früher in der ganzen Türkei vertriebene Zuckerwerk erschienen und daran erinnert worden, daß die Bonbons »Neues Leben« einst in den Krämer- und Tabakläden anstelle von Kleingeld verwendet worden waren; in der Zeitschrift *Malatya-Expreß* waren einige Anzeigen abgedruckt, in denen Engel auftauchten, und die Bonbons schienen dabeizusein, in dieser Region wie in alten Tagen von jedermann wie Kleingeld in der Tasche getragen und verwendet zu werden, als mit den Fruchtessenzprodukten und den massiven Werbekampagnen der großen internationalen Unternehmen sowie auch durch die sehr hübsche Art und Weise, in der diese Produkte im Fernsehen von einem amerikanischen Star mit schönen Lippen verspeist wurden, alles ein Ende fand. Aus den Lokalzeitungen erfuhr ich, daß die Kessel, die Verpackungsmaschinen und der Name der Firma verkauft worden waren. Ich befragte die Verwandten des Schwiegersohns, wohin Herr Süreyya, der Hersteller der Bonbons Neues Leben, von Malatya aus gegangen war. Meine Nachfragen führten mich weiter nach Osten, in die Abgeschiedenheit, in vergessene Ortschaften, deren Namen nicht auf den Atlanten der Mittelschule erscheinen. Herr Süreyya und seine Familie waren, wie einst die Menschen vor der Pest, in weit entfernte Orte, zu weit entfernten Schattenstädten hin verschwunden, als wollten sie vor den bunten Konsumartikeln mit fremden Namen flüchten, die mit Hilfe der Werbung und des Fernsehens vom Westen her das ganze Land einer ansteckenden tödlichen Krankheit gleich überzogen.

Ich stieg in Omnibusse ein, stieg aus Omnibussen aus, betrat die Busbahnhöfe, ging über Märkte, suchte Gemeindevorsteher auf, wanderte durch Straßen, über die Plätze der Viertel mit Brunnen, Bäumen, Katzen, Kaffeehäusern. Eine Zeitlang meinte ich in jeder Stadt, in die ich meinen Fuß setzte, in jeder Straße, über deren Gehsteig ich lief, in jedem Kaffeehaus, in dem ich einkehrte und Tee trank, auf die Spuren einer stetigen Verschwörung zu stoßen, die zu den Kreuzfahrern, den Byzantinern, den Osmanen führten: Den schlauen Kindern, die mich für einen Touristen hielten und mir frisch geprägtes byzantinisches Falschgeld verkaufen wollten, lächelte ich zu, dem Barbier, der mir ein harnfarbenes Eau de Cologne Marke Neu-Urartu über das Genick goß, nahm ich's nicht weiter krumm, und als ich am Eingang zu einer der allseits wie Pilze aus der Erde schießenden Messen ein prachtvolles Tor entdeckte, das man aus einer hethitischen Ruine gerissen und hier eingesetzt hatte, war ich nicht verwundert. Und es bedurfte keiner Erweichung meiner Vorstellungskraft, wie der des Asphalts, über den ich in der Mittagshitze ging, um sofort den Schluß zu ziehen, daß auf den mannshohen Brillengläsern, dem Firmenzeichen des Optikers Zeki, noch etwas von dem Staub haftete, der von den Kreuzrittern aufgewirbelt worden war.

Manchmal aber ahnte ich, daß alle jene historischen und konservativen, dieses Land so unveränderbar machenden Komplotte gescheitert waren, und ich begriff, daß die Kraft des aus dem Westen wehenden Windes die Märkte, die örtlichen Krämerläden und die Gassen mit ihren Wäschegirlanden, die Canan und ich vierzehn Jahre zuvor seldschukischen Festungen gleich für unvergänglich gehalten hatten, auf und davon gewirbelt hatte. All die Aquarien, die den vornehmsten Plätzen der Restaurants im Stadtzentrum ihre stille Behaglichkeit verliehen hatten, schienen plötzlich einem geheimen Befehl gehorchend mitsamt ihren Fischen verschwunden zu sein. Wer hatte entschieden, daß sich in vierzehn Jahren nicht nur auf den Hauptstraßen, sondern selbst in den staubigen Gassen die von unzähligen Plexiglastafeln herunterschreienden Lettern wie Sand am Meer verbreiten sollten? Wer hatte die Bäume auf den Stadtplätzen fällen lassen, wer hatte die gleiche Ausführung

aller Eisengitter an den Balkonen der Betonwohnblöcke be-
fohlen, die das Atatürk-Denkmal wie Gefängnismauern
umschlossen, und wer hatte den Kindern eingeredet, auf die
ankommenden und abfahrenden Omnibusse Steine hageln
zu lassen? Wer war auf die Idee gekommen, die Hotelzimmer mit einem antiseptischen Giftgeruch zu erfüllen, im
ganzen Land jene Kalender zu verteilen, auf denen angel-
sächsische Mannequins Lastwagenreifen zwischen die Beine
nahmen, und wer hatte beschlossen, daß die Bürger einander in so neuen Räumlichkeiten wie Aufzügen, Wechselstu-
ben und Wartezimmern auf feindliche Weise anblicken
mußten, um sich selbst sicher fühlen zu können?

Ich war früh gealtert; ich ermüdete schnell, ging wenig zu
Fuß, nahm das langsame Mitschleifen und Verschleißen
meines Körpers in dem unglaublichen Gedränge nicht
wahr, und die Gesichter derer, die mich auf dem Gehsteig
anstießen oder von mir angestoßen wurden, und die Namen
der zahllosen Anwälte, Zahnärzte und Finanzberater auf
den über meinem Kopf dahinfließenden Werbeschildern
vergaß ich, sowie ich sie sah. Ich konnte nicht begreifen, wie
es möglich war, daß sich all diese naiven Städtchen und diese
Gäßchen wie aus einer Miniaturmalerei, durch die wir,
Canan und ich, einmal in spielerischer Verzauberung wie
durch den für uns geöffneten Garten eines gutmütigen
Weibleins gewandelt waren, jetzt in ein furchterregendes
Bühnendekor verwandelt hatten, das von gefährlichen Zeichen und Interjektionen wimmelte, die sich alle gegenseitig
imitierten.

Ich sah finstere Bars und Bierstuben, die man an den unmöglichsten Orten, direkt gegenüber dem Hof einer Moschee oder einem Altersheim, aufgemacht hatte. Ich sah ein
rehäugiges russisches Mannequin, das mit einem Koffer
voller Kleider von Stadt zu Stadt fuhr und in den Bussen, in
den Kinos und auf den Märkten eine Einpersonen-Moden-

schau veranstaltete und danach die vorgeführten Kleider an die Çarşaf-verhüllten, kopftuchtragenden Frauen verkaufte. Ich sah kaukasische und russische Familien, die anstelle der afghanischen Flüchtlinge, die in den Omnibussen kleinfingergroße Korane anboten, nunmehr Schachspiele und Ferngläser aus Kunststoff, Kriegsmedaillen und Kaviar vom Kaspischen Meer verkauften. Ich sah den immer noch seine Tochter suchenden Vater jenes Mädchens in Bluejeans, die nachts im Regen nach dem Unfall, den Canan und ich miterlebt hatten, die Hand des toten Geliebten haltend gestorben war. Ich sah geisterhafte kurdische Dörfer, die der nicht erklärte Krieg geleert hatte, und Einheiten der Artillerie, die auf das Dunkel des Felsengebirges in der Ferne einhämmerten. Bei einem der Spiele eines Videospielsalons, in dem sich schuleschwänzende Kinder, junge Arbeitslose und Lokalgenies trafen und ihre Talente, ihre Chancen und ihre Wut ausprobierten, sah ich einen rosa Video-Engel, der von einem Japaner entworfen und von einem Italiener gezeichnet worden war und uns, den Chancenlosen, die wir im Dunkel des stickigen, staubigen Salons die Knöpfe befingerten und die Joysticks rührten, beim Erreichen von zwanzigtausend Punkten lieb und nett und glückverheißend zulächelte. Ich sah einen Mann, von den dicken Duftwolken der OPA-Rasiercreme umhüllt, der die erst jetzt in seine Hände geratenen Kolumnen des verstorbenen Journalisten Celâl Salik buchstabierte. Ich sah die letzten Transfers bosnischer und albanischer Fußballer mit ihren hübschen blonden Frauen und ihren Kindern Coca-Cola trinkend in den Cafés auf den Plätzen der Kleinstädte sitzen, deren Holzvillen abgerissen und in Apartmenthäuser aus Beton verwandelt worden waren. Ich meinte, zwischen Alpträumen, die mich begruben, und den vielfarbigen Phantasien vom Glück die Schatten Seikos oder Serkisofs zu sehen, ob in finsteren Kneipen, auf den Märkten, wo keine Nadel zu Boden fallen konnte, in den Schaufensterscheiben der Läden gegenüber den Bruchbänder ausstellenden Apotheken oder nachts in den Hotelzimmern oder auch auf den Sitzen der Omnibusse – und ich fürchtete mich.

Da wir gerade beim Thema sind, muß ich noch erwähnen, daß ich vor Erreichen meines endgültigen Zieles, Sonpazar, kurz noch jene abseits gelegene Ortschaft Çatik aufsuchte, die Dr. Narin dem Herzen des Landes hatte einpflanzen wollen. Aber auch dort fand ich – der Kämpfe, der Abwanderungen, eines seltsamen Gedächtnisverlustes, der Menschenmassen, der Ängste, der Gerüche wegen und, Sie wissen schon, was ich meine, aus Gründen, die mir unverständlich waren – den Ort so verändert vor, daß mein Verstand inmitten des ziellosen Gedränges in den Straßen die Orientierung verlor und ich außerdem befürchten mußte, die mir von Canan verbliebenen Erinnerungen könnten Schaden erleiden. Die im Schaufenster der Apotheke aufgereihten japanischen Digitaluhren verkündeten mir sowohl tatsächlich als auch symbolisch, daß die Große Gegenverschwörung des Dr. Narin und die in seinem Dienst stehende Uhren-Organisation längst gescheitert waren; und die statt des einstigen Marktes eine neben der anderen etablierten Vertretungen von Sprudel, Autos, Eiscreme und Fernsehern, deren Namen in fremden Lettern und Wörtern geschrieben waren, setzten allem die Krone auf.

Trotzdem machte ich mich auf den Weg zu dem früher einmal von Dr. Narin und seinen liebenswerten Töchtern bewohnten Landhaus und dem besonnten Maulbeerbaum meiner Erinnerungen, um das, was mir von Canans Antlitz, ihrem Lächeln, einem von ihr gesprochenen Wort geblieben war, wiederbeleben, neu entfachen zu können, um eine kühle, dämmrige Laube zu entdecken, die dem unseligen, törichten Helden, der in diesem verlorenen Land der Gedächtnislosen den Sinn seines Lebens zu finden versuchte, als Unterschlupf für seine Phantasien vom Glück dienen konnte. Man hatte Masten im Tal errichtet, Kabel gezogen, elektrischen Strom gebracht, doch in dieser Gegend stand kein einziges Haus, außer zerfallenen Bauresten war nichts zu sehen. Und sie schienen keine Opfer der Zeit, sondern die einer Reihe von Katastrophen zu sein.

Während ich zu der AKBANK-Werbung auf einem der Hügel aufschaute, die wir damals mit Dr. Narin bestiegen hatten, begann ich höchst erstaunt darüber nachzudenken, wie recht es doch gewesen war, Canans ehemaligen Geliebten umzubringen, der geglaubt hatte, jahrelang die gleichen Zeilen schreibend zum Frieden der unendlichen Zeit, zum – nennen Sie es, wie Sie wollen! – Mysterium des Lebens zu gelangen. O ja, ich hatte Dr. Narins Sohn davor bewahrt, alle diese verschmutzten Ansichten ertragen zu müssen, inmitten all dieser Videos und Lettern zu verdursten, in dieser licht- und gnadenlosen Welt zu erblinden. Wer aber würde mich in Licht gehüllt aus diesem Land begrenzter Absonderlichkeiten und bescheidener Grausamkeiten erlösen? Ich konnte von dem Engel, dessen unsagbar sanfte Farben ich einst im Filmtheater meiner Phantasie erkannt hatte und dessen Worte in meinem Herzen widerhallten, keinen Laut, kein Zeichen vernehmen.

Der aufständischen Kurden wegen war der Zugverkehr nach Viranbağ eingestellt worden. Der Mörder hatte keine Absicht, an den Ort des Verbrechens zurückzukehren, auch wenn es Jahre her war, doch um den Ort Sonpazar zu erreichen, in welchem Herr Süreyya, der die Bonbons Neues Leben benannt und noch dazu einen Engel darauf plaziert hatte, einer Auskunft zufolge bei seinem Enkel wohnen sollte, mußte ich tagsüber mit einem Bus durch dieses von der PKK beherrschte Gebiet fahren. Soweit ich von der Busstation aus sehen konnte, war auch hier nichts geblieben, was des Gedenkens wert war, um aber zu vermeiden, daß jemand den Mörder erkennen konnte, vergrub ich meinen Kopf in der Zeitung *Milliyet*, während ich auf die Abfahrt des Busses wartete.

Auf dem Weg nach Norden ragten die Berge steil hoch im ersten Morgenlicht, wurden unzugänglicher, und ich wußte nicht genau, ob sich in unserem Bus eine ängstliche Stille verbreitete oder ob uns allen schwindlig wurde, während sich der Bus durch das schroffe Gebirge schraubte. Hin und wieder hielten wir, weil das Militär die Ausweise kontrollierte oder jemand ausstieg, der zu Fuß und gut Freund mit den Wolken sein gottverlassenes Dorf erreichen wollte. Voller Staunen blickte ich unverwandt auf die Berge, die, in sich selbst zurückgezogen, gegen die jahrhundertelang miterlebten Grausamkeiten taub geworden waren. Auch Mörder, die ihre Schuld erfolgreich verbergen, haben ein Recht darauf, so abgeschmackte Sätze zu schreiben, möchte ich sagen, und der bei diesem letzten Satz die Augenbrauen hebende Leser werfe das Buch, dessen Ende er geduldig erreicht hat, nicht verachtungsvoll beiseite.

Ich vermute, die Ortschaft Sonpazar lag außerhalb des Einflußbereichs der PKK. Ebenso konnte man sagen, der Ort liege außerhalb des Einflußbereiches der modernen Zivilisation, denn anstelle der schreienden Lettern und Symbole jener Bankfilialen, Eiscreme-, Kühlschrank-, Zigaretten- und Fernseher-Vertretungen, die mich sonst beim Aussteigen aus den Omnibussen in der Ortsmitte begrüßten und mir das Gefühl von: »Dreh und wende dich, wie du willst, du bist am gleichen Platz gelandet« verliehen, empfing mich hier eine magische Lautlosigkeit wie aus vergessenen Märchen, die von friedlichen Städten und glücklichen Sultanen erzählen. Ich sah eine Katze: Sie leckte sich gemächlich, mehr als zufrieden mit dem Leben, unter der stillen Pergola eines Kaffeehauses an einer Kreuzung, welche die Ortsmitte sein mußte. Der zufriedene Fleischer vor dem Fleischergeschäft, der sorglose Krämer vor dem Krämerladen, der schläfrige Gemüsehändler vor dem Gemüseladen und dazu die schläfrigen Fliegen, sie alle saßen in der Behagen spendenden Morgensonne und hatten klug erfaßt, welch eine große Gabe dieses Auf-der-Erde-Sein war, diese einfachste Arbeit, die jeder tat, und sie zergingen voll Ruhe und Frieden im goldenen Licht auf der Straße. Doch der fremde Ankömmling in ihrem Ort, den sie aus den Augenwinkeln beobachteten, der hatte sich sofort von dieser kuriosen, märchenhaften Szene einfangen lassen und meinte, die einmal so unbändig geliebte Canan müsse ihm mit alten Uhren aus Großvaters Zeiten, einem Bündel alter Zeitschriften in der Hand und einem schelmischen Lächeln auf dem Gesicht aus der erstbesten Straße entgegenkommen.

In der ersten Straße nahm ich die Stille meines Verstandes wahr, in der zweiten streichelten mich die bis zum Boden reichenden Zweige einer Trauerweide, und als ich in der dritten ein wunderhübsches Kind mit langen Wimpern sah, fiel mir ein, den Zettel aus der Tasche zu holen und nach der Adresse zu fragen. Waren ihm die Buchstaben aus meiner schmutzigen Welt zu fremd, oder konnte das Kind nicht lesen? Ich weiß es nicht. Doch als ich merkte, daß die zweihundert Kilometer weiter südlich von einem Gemeindevorsteher erfragte Adresse nicht lesbar war, buchstabierte ich selbst: »Ziya Tepe Sokak – Lichthügelstraße«, und bevor ich es ganz ausgesprochen hatte, sagte eine alte Hexe, die ihren Kopf aus dem Erker streckte: »Na, da drüben, den Berg hoch!«

SIEBZEHNTES KAPITEL

Während ich daran dachte, daß diese Anhöhe das Ende meiner jahrelangen Reisen bedeuten würde, hatte noch vor mir ein Pferdewagen, dicht mit randvollen Wasserkanistern beladen, die Steigung zu nehmen begonnen. Sicher brachte er Wasser zu einer oben gelegenen Baustelle. Warum die Kanister aus Zink waren, fragte ich mich, während das Wasser ständig über die Ränder schwappte, weil der Wagen so rüttelte, hatte der Kunststoff diese Gegend noch nicht erreicht? Es war nicht der mit seiner Arbeit beschäftigte Fuhrmann, dem ich Aug in Auge gegenüberstand, sondern das Pferd, und ich schämte mich. Sein Fell klebte vor Schweiß, es war wütend und hilflos und zog so schwer an seiner Last, daß es ganz sicher nur Qual empfand. Ich sah mich selbst für einen Augenblick in seinem kummervollen großen Auge und begriff, daß die Lage des Pferdes viel schlimmer war als die meine. Unter großem Lärm stiegen wir, die scheppernden Blechkanister, die auf den Pflastersteinen polternden Räder und ich mit meinem nur allzu normalen Leben, stöhnend und prustend zum Hügel des Lichts hinauf. Der Wagen fuhr in einen kleinen Garten, in dem Mörtel gemischt wurde, und während sich die Sonne hinter einer dunklen Wolke verkroch, betrat ich den mauerumgebenen, dämmrigen und geheimnisvollen Garten und das Haus des Schöpfers der Bonbons Neues Leben. Sechs Stunden blieb ich in dem steinernen Haus im Garten.

Herr Süreyya, der Schöpfer der Bonbons Neues Leben, der mir einen Schlüssel zu den Geheimnissen meines Lebens geben konnte, gehörte zu den Greisen, die mit mehr als achtzig Jahren noch immer imstande sind, pro Tag zwei Päckchen Samsun-Zigaretten zu rauchen, als wären sie ein lebenverlängerndes Elixier. Er empfing mich wie einen guten alten Bekannten seines Enkels, wie einen Freund der Familie, und begann, als sei es die Fortsetzung einer unterbrochenen Geschichte, lang und breit von einem ungarischen Nazispion zu erzählen, der eines Tages im Winter sein Geschäft in Kütahya aufgesucht hatte. Danach sprach er über ein Süßwarengeschäft in Budapest, über die einheitlichen Hüte, welche die Frauen auf einem Istanbuler Ball in den dreißiger Jahren getragen hatten, über die Fehler, die türkische Frauen machten, um schön zu erscheinen, über all die bisher aufgetretenen Hinderungsgründe für eine Heirat – dazu die Details zweier aufgelöster Verlobungen – seines Enkels, der in meinem Alter war und zwischendurch den Raum betrat und wieder verließ. Als er hörte, ich sei verheiratet, war er erfreut und stellte fest, wenn ein junger Versicherungsagent wie ich es auf sich nahm, fern von Frau und Kind zu sein, während er auf Reisen ging, etwas aufbaute im Land, die Bewohner vor anstehenden Katastrophen warnte und sich für eine Vorsorge einsetzte, dann sei das wahre Vaterlandsliebe.

Das war am Ende der zweiten Stunde. Ich sei kein Versicherungsagent, sagte ich, was mich interessiere, seien die Bonbons Neues Leben. Er regte sich in seinem Sessel, und während sein Gesicht dem bleifarbenen Licht zugewandt war, das aus dem Garten kam, fragte er mich auf rätselhafte Weise, ob ich Deutsch könne. Ohne meine Antwort abzuwarten, sagte er: »Schachmatt.« Das Wort sei, wie er erklärte, eine europäische Mischung des persischen »Schah« und des arabischen »mate«, der »Gestorbene«. Wir hätten dem Westen das Schachspiel beigebracht als etwas Irdisches in Gestalt eines Kriegsschauplatzes, auf dem sich das weiße und das schwarze Heer bekämpften, als den seelischen Kampf zwischen dem Guten und dem Bösen in uns. Und was hatten sie getan? Unseren Wesir zur Königin, unseren

Elefanten zum Läufer gemacht, was nicht so wichtig war. Doch sie hatten uns das Schachspiel als Sieg ihrer eigenen klugen Leute und als Sieg der Vernunft in der Welt zurückgegeben. Heute versuchten wir, ihren Verstand und unsere Empfindsamkeit zu verstehen, und meinten, das sei kultiviert.

Ob ich wohl darauf geachtet hätte – seinem Enkel sei es aufgefallen –, daß die Störche, die im Frühling nach Norden ziehen und im August in den Süden nach Afrika zurückkehren, im Gegensatz zu den alten, glücklichen Zeiten jetzt viel höher flögen? Es geschah, weil sich die Städte, Berge, Flüsse und alle Länder, über denen sie die Flügel ausbreiteten, für sie in eine betrübliche Geographie verwandelt hatten, deren Misere sie nicht mehr sehen wollten. Von seiner liebevollen Schilderung der Störche ging er zu einer französischen Trapezkünstlerin mit Storchenbeinen über, die fünfzig Jahre zuvor nach Istanbul gekommen war, und erzählte weniger sehnsüchtig als kolorit- und detailbewußt von seinen Erinnerungen an die alten Zirkusse und Jahrmärkte und das Zuckerzeug, das an den Eingängen verkauft wurde.

Während des Mittagessens, zu dem ich gebeten wurde, kam Herr Süreyya bei kaltem Tuborg-Bier auf den achten Kreuzzug und eine Gruppe von Rittern zu sprechen, die zu jener Zeit in Zentralanatolien eingekreist und abgeschnitten worden seien und sich in eine der unterirdischen Höhlen von Kappadokien zurückgezogen hätten. Als sie sich im Lauf der Jahrhunderte vermehrten, hätten die Kinder und Enkel dieser Ritter die Höhlen erweitert, unterirdische Hallen geschaffen, weitere Höhlen gefunden und Städte gegründet. Manchmal würde sich ein verkleideter Spion aus diesem Land der Labyrinthe, das nie das Licht der Sonne erblickte und in dem Hunderttausende von Nachkommen der Kreuzfahrer (die HNKs) lebten, in unsere Städte, unsere Straßen schleichen und eine Predigt darüber halten, was für eine großartige Sache die westliche Zivilisation sei, damit diejenigen, die den Boden unter unseren Füßen aushöhlten, auch unsere Köpfe aushöhlen und gemütlich an die Oberfläche kommen konnten. Ob ich eigentlich wisse, daß diese Spione eine Rasiercreme mit dem Markennamen OPA benutzten?

Hatte er davon gesprochen, welch ein Verhängnis es für unser Land bedeutete, daß Atatürk Geschmack an gerösteten Kichererbsen fand, oder war das zu jenem Zeitpunkt meiner Phantasie entsprungen? War er's, der die Rede auf Dr. Narin brachte, oder eine Gedankenverbindung, die mich darauf hinwies? Ich weiß es nicht. Dr. Narins Fehler sei, den Materialisten gleich, der Glaube an die Gegenstände und die Annahme gewesen, man könne den Verlust ihrer Seele verhindern, indem man sie aufbewahrte. Wäre das richtig gewesen, dann hätte es, wie man so sagt, Licht auf den Flohmarkt regnen müssen. LICHT. Es gebe viele Marken, die mit diesem Wort begannen. Alles Imitationen natürlich. LICHT-Lampen, LICHT-Tinten et cetera. Als Dr. Narin begreifen mußte, daß die mit den Dingen verlorengehende Seele, unsere Seele, nicht bewahrt werden konnte, habe er sich dem Terror zugewandt. Das sei natürlich Amerika nur recht gewesen, niemand außer dem CIA hätte das besser machen können. Heute aber wehe der Wind an der Stätte seiner Villa, seines Heims. Die Rosenmädchen seien eine nach der anderen geflohen und verschwunden, sein Sohn schon vor langer Zeit umgebracht worden. Seine Organisation sei zerfallen, vielleicht habe jeder von diesen Mördern sein eigenes unabhängiges Fürstentum proklamiert, wie es beim Niedergang großer Imperien geschehe. Aus diesem Grund wimmle jetzt diese prachtvolle Region, die man heute mit schlauer Taktik und kolonialistischem Scharfsinn als den »Mittleren Osten« bezeichne, nur so von dilettantischen Mörderfürsten, die ihre Unabhängigkeit erklärt hätten. Er wies mit der Spitze seiner Zigarette nicht auf mich, sondern auf den leeren Sessel neben mir, als er das Paradox unterstrich: Nun sei auch das Ende der eigenen unabhängigen Geschichte dieser Region gekommen.

Als sich der Abend über den dämmrigen Garten wie auf einen Friedhof legte und die Stille vertiefte, schnitt Herr Süreyya unvermutet das Thema an, auf dessen Eröffnung ich seit Stunden gewartet hatte. Während er das missionarische Treiben eines japanischen Katholiken schilderte, der es im Hof einer Moschee in der Umgebung von Kayseri mit einer Gehirnwäsche versucht hatte, wechselte er plötzlich den Gegenstand: Er könne sich nicht daran erinnern, wie er auf den Namen Neues Leben gekommen sei. Aber seiner Ansicht nach sei der magische Name durchaus angebracht, da die Bonbons über längere Zeit den Menschen in diesem Gebiet zu einer neuen Sensibilität, zu einem neuen Geschmack verholfen und damit an eine verlorene Vergangenheit erinnert hätten. Anders als gewöhnlich angenommen, seien weder die Karamelbonbons noch das Wort selbst ein Import aus Frankreich oder eine Nachahmung. Weil das Wort »kara«, »Landmasse«, »Boden«, aber auch »dunkel«, ohnehin eine der grundlegenden Vokabeln für die seit Zehntausenden von Jahren auf diesem Boden lebenden Menschen sei, befinde es sich auch in nahezu tausend von mehr als zehntausend Sinnsprüchen, mit denen er das Papier der Kara-Melas beschrieben habe.

Ja, aber der Engel? fragte noch einmal der unglückliche Reisende, der geduldige Versicherungsagent und bedauernswerte Held.

Als Antwort darauf sagte Herr Süreyya acht von diesen zehntausend Sinnsprüchen auswendig auf. Aus den Versen winkten mir Engel zu, die mit den Schönen der Welt verglichen wurden, die an schläfrige junge Mädchen denken ließen, die in einen märchenhaften Zauber verwickelt waren, und ganz reine Engel, die zunehmend kindischer wurden und sich von mir entfernten, die ich nicht anziehend fand und die meine Erinnerungen keineswegs belebten.

Wie Herr Süreyya erklärte, waren alle zitierten Verse sein Werk. Von den zehntausend Sinnsprüchen der Bonbons Neues Leben hatte er fast sechstausend selbst verfaßt. In den goldenen Jahren der unglaublich hohen Umsätze war er an manchen Tagen bis auf zwanzig Sprüche gekommen. Hatte nicht Anastasios, als er die erste byzantinische Münze prägen ließ, sein Porträt auf die Vorderseite setzen lassen? Als Herr Süreyya mich daran erinnerte, daß seine Werke früher bei jedem Krämer dieses Landes in den Glastöpfen zwischen der Kasse und der Waage gelegen, daß mehr als zehn Millionen Menschen diese mit seinem Siegel versehenen Objekte in den Taschen getragen hatten, daß sie wie Kleingeld benutzt worden waren, sagte er auch, er habe genauso wie ein Imperator, der in alten Zeiten Münzen prägen ließ, Macht, Reichtum und schöne Frauen, Ruhm, Erfolg und Glück, kurzum, alle Freuden des Lebens ausgekostet. Deswegen nutzte ihm jetzt der Abschluß einer Lebensversicherung überhaupt nichts. Doch zum Trost konnte er dem jungen Freund und Versicherungsmann erklären, warum er für die Bonbons das Bild eines Engels verwendet hatte. In seiner Jugend hatte er sich bei seinen häufigen Besuchen der Kinos von Beyoğlu mit Vorliebe Marlene-Dietrich-Filme angesehen. Und von dem *Blauen Engel* war er besonders angetan gewesen. Der hier als *Mavi Melek* gezeigte Film beruhte auf einem Meisterwerk des deutschen Romanciers Heinrich Mann. Herr Süreyya hatte auch den *Professor Unrat* betitelten Roman gelesen. Professor Unrat, von Emil Jannings gespielt, war ein bescheidener Studienrat, der sich eines Tages leidenschaftlich in eine Dirne verliebte. Trotz der engelhaften Erscheinung der Frau war sie doch im Grunde genommen ...

Wehte draußen ein starker Wind, so daß die Bäume rauschten? Oder war mein Verstand vom Wind erfaßt worden und lauschte seinem eigenen Fortgerissenwerden? Wie ein gütiger Lehrer über seine verträumten, gerade noch entschuldbar verwirrten und harmlosen Schüler urteilen würde, war ich für eine Weile »nicht ganz dagewesen«. Das hell erleuchtete Bild jenes Tages in meiner Jugend, an dem ich *Das neue Leben* zum erstenmal gelesen hatte, schwebte an meinen Augen vorbei wie die blinkenden Lichter eines unerreichbaren Wunderschiffes, das in der dunklen Nacht verschwindet. Trotz der Grabesstille, in die ich versunken war, wußte ich, daß Herr Süreyya die traurige Geschichte des Films und Romans aus seiner Jugendzeit erzählte, doch mir war, als hörte ich nichts und sähe nichts.

Da trat der Enkel ins Zimmer, schaltete das Licht an, und ich nahm zur gleichen Zeit drei Dinge wahr: 1. Der an der Decke aufflammende Leuchter war derselbe, den der Wunsch-Engel im Zelttheater des Städtchens Viranbağ Abend für Abend einem Gewinner zusammen mit den einmaligen Ratschlägen für das Leben überreicht hatte. 2. Es war so dunkel geworden, daß ich den alten Bonbonhersteller seit langer Zeit nicht im geringsten sehen konnte. 3. Auch er konnte mich nicht im geringsten sehen, denn er war blind.

Soll ich etwa den angriffslustigen, spöttischen Leser, der bei diesem dritten Punkt die Brauen hebt und an meiner Intelligenz und Aufmerksamkeit zweifelt, weil mir die Blindheit des Mannes sechs Stunden lang nicht auffiel, ebenso angriffslustig fragen, ob er jeder Einzelheit des Buches in seiner Hand genügend Aufmerksamkeit und Intelligenz gewidmet hat? Können Sie sich jetzt zum Beispiel an das Kolorit der Szene erinnern, in welcher der Engel erstmals erwähnt wurde? Oder können Sie sofort sagen, welche Inspiration *Das neue Leben* aus Onkel Rıfkıs Aufzählung der

Firmennamen in dem *Die Helden der Eisenbahn* genannten Werk bezog? Haben Sie bemerkt, welche Hinweise mir später beweisen konnten, daß Mehmet an Canan gedacht hatte, als ich ihn im Kino erschoß? Die Trauer zeigt sich bei Menschen, denen das Leben wie mir entglitten ist, als ein Zorn, der klug sein möchte. Und dieser Wunsch, klug zu sein, er ist es, der am Ende alles zerstört.

In meinen eigenen Kummer vergraben, hatte ich die Blindheit des Greises erst an der Art und Weise erkannt, wie er zum Leuchter aufschaute, und betrachtete ihn jetzt mit einer gewissen Achtung, einer gewissen Bewunderung oder, um ehrlich zu sein, einem gewissen wohlwollenden Neid. Er war eine hochgewachsene Erscheinung, schlank, elegant und für sein Alter noch relativ rüstig. Er wußte noch Hände und Finger zu gebrauchen, sein Verstand arbeitete noch reibungslos, und er konnte immer noch sechs Stunden lang zu dem verträumten Mörder sprechen, den er eigensinnig für einen Versicherungsagenten hielt, ohne daß dessen Interesse erlahmte. In seinen jungen Jahren, die er glücklich und voll Begeisterung erlebt hatte, war er erfolgreich gewesen, und wie sehr auch seine Erfolge in Millionen von Mündern und Mägen zergangen und wenn auch seine sechstausend Sinnsprüche mit dem Einwickelpapier der Bonbons im Müll gelandet waren, so hatte ihm das doch eine gesunde, zuversichtliche Vorstellung von seinem Platz in der Welt verschafft, und er konnte obendrein im hohen Alter von mehr als achtzig Jahren täglich mit Vergnügen noch zwei Päckchen Zigaretten rauchen.

Mit dem Gespür der Blinden erfaßte er in der Stille meine Trauer und versuchte, mich mit den Tatsachen zu versöhnen: So war nun einmal das Leben – da war der Unfall, da war der Glücksfall; da war die Liebe, die Einsamkeit, die Freude; da war das Geschick, ein Licht, ein Sterben, aber da war auch ein ungewisses Glück, das alles durfte man nicht vergessen. Im Radio gab es um acht Uhr Nachrichten, sein Enkel werde jetzt das Radio anstellen, und ich solle, bitte, bei ihnen zum Abendessen bleiben.

Ich entschuldigte mich und erklärte, mich erwarteten viele Leute am nächsten Tag in Viranbağ, um eine Lebensversicherung abzuschließen. Kaum gesagt, war ich schon aus dem Haus, aus dem Garten und stand auf der Straße. In der kühlen Frühlingsnacht draußen, die ahnen ließ, wie kalt es hier im Winter sein mußte, fühlte ich mich einsamer als die dunklen Zypressen im Garten.

Was sollte ich jetzt anfangen? Was ich erfahren mußte – was überhaupt nicht erfahrenswert war –, hatte ich erfahren und war am Ende aller Rätsel, die ich für mich erfinden konnte, aller Abenteuer und aller Reisen angelangt. Der als meine Zukunft geltende Lebensabschnitt entsprach ganz der dort unten vergessenen Ortschaft Sonpazar, die, von einigen matten Straßenlaternen abgesehen und weit entfernt von lustigen, lebhaften Nächten, fröhlichen Menschenmengen und hell erleuchteten Wegen, im Finstern lag. Als ein äußerst eingebildeter Hund zweimal bellte, stieg ich den Hügel hinab.

In der Zeit des Wartens auf den Omnibus, der mich aus dieser kleinen Ortschaft am Ende der Welt zurückbringen sollte zu dem munteren Geplauder der Bankplakate, Zigarettenwerbungen, Fernseher und Sprudelflaschen, wanderte ich ziellos durch die Straßen. Da mir kaum noch die Hoffnung oder der Wunsch geblieben war, die Welt, das Buch und mein Leben auf einen Nenner zu bringen und deren Sinn zu erfassen, traf ich während des Umhergehens auf beziehungslose Bilder, die kein Zeichen gaben, keine Vorstellung auslösten. Durch ein offenes Fenster beobachtete ich eine Familie, die sich zum Abendessen am Tisch versammelt hatte. So waren sie eben, Sie wissen schon! Aus einem Pappschild, das an der Moscheemauer hing, erfuhr ich die

Zeiten der Korankurse. Das Kaffeehaus mit seinem Laubengang zeigte mir, daß sich das BUDAK-Sprudelwasser trotz aller Angriffe von Coca-Cola, Schweppes und Pepsi hier behauptet hatte, doch es bewegte mich nicht besonders. Ich schaute einem Meister zu, der vor einem Fahrradgeschäft direkt gegenüber der Laube im Licht, das aus seinem Laden fiel, ein Rad richtete, während ihm sein Freund mit der Zigarette in der Hand Gesellschaft leistete. Warum sage ich »Freund«? Vielleicht gab es zwischen ihnen eine tiefsitzende Feindschaft und Spannung. Wie auch immer, sie waren weder besonders interessant noch uninteressant für mich. Jenen Lesern, die mich für einen großen Schwarzseher halten sollten, möchte ich sagen, ich hielt es für besser, in der kühlen Laube des Kaffeehauses zu sitzen und sie zu beobachten, als nicht einmal dies zu tun.

Der Omnibus kam, und mit diesen Gefühlen verließ ich die Ortschaft Sonpazar. Wir schraubten und wanden uns hoch in das Felsengebirge, fuhren, angstvoll auf das Quietschen der Bremsen horchend, wieder hinunter. Einige Male wurden wir angehalten und zeigten als Vertrauensbeweis den Soldaten unsere Ausweise vor. Sobald die Berge, die Soldaten und die Ausweiskontrollen hinter uns lagen und unser Bus auf der weiten, dunklen Ebene, wie er's selbst am besten wußte, schneller, feuriger und ungebärdiger wurde, begannen auch meine Ohren, aus dem Motorgebrumm und dem übermütigen Reifengesang die melancholischen Noten einer altvertrauten Musik herauszuhören.

Ich weiß es nicht, ich wußte es nicht, warum ich mir intuitiv den Sitz Nummer siebenunddreißig aussuchte; mag sein, weil es der letzte der alten, robusten, stabil gebauten und geräuschvollen Magirus-Busse war, in denen Canan und ich früher einmal gesessen hatten; mag auch sein, weil wir auf einem löchrigen Asphalt fuhren, der mit jenem speziellen Wimmern harmonierte, das die Räder durch ihre acht Umdrehungen pro Sekunde hervorbrachten; mag sein, weil in dem Videofilm auf dem Bildschirm Purpur und Bleigrau, die Farben meiner Vergangenheit und meiner Zukunft, auftraten, während sich das Liebespaar aus dem einheimischen Film mißverstand und weinte; vielleicht um den Sinn, den ich in meinem Leben nicht hatte finden können, in der geheimen Ordnung des Zufalls zu entdecken, oder auch, weil ich mich, über den leeren Nebensitz gelehnt und aus dem dunklen Fenster schauend, dem Anblick der Nacht aus dunklem Samt widmen wollte, die uns einmal, wie die Zeit, die Phantasie, das Leben und das Buch, unerschöpflich geheimnisvoll und anziehend erschienen war. Als ein Regen, trauriger als ich, an die Scheiben zu klopfen begann, lehnte ich mich tief in die Ecke meines Sessels und überließ mich der Musik meiner Erinnerungen.

Parallel zu meinem Schmerz nahm der Regen an Heftigkeit zu und verwandelte sich irgendwann gegen Mitternacht in einen Wolkenbruch, begleitet von Blitzen, purpurfarben wie die Trauerblumen in meinem Verstand, und von einem Wind, der an unserem Bus rüttelte. Nachdem das alte Fahrzeug eine hinter dem Regenvorhang verschwindende Tankstelle und aus Schlamm geschöpfte, sich mit den Wassergeistern herumschlagende Dörfer passiert hatte und das Wasser von den Fensterrahmen auf die Sitze lief, schlingerte es schwerfällig auf eine Raststätte zu. Als uns das blaue Licht der Neonbuchstaben des Restaurants Erinnerungen an der Quelle traf, sagte der müde Fahrer: »Eine halbe Stunde Pause, nach Vorschrift.«

Ich war entschlossen gewesen, mich nicht von meinem Platz zu rühren und mir den schmerzlichen, Erinnerungen genannten Film hier ganz allein vor den Augen ablaufen zu lassen, aber der auf das Dach des Magirus' trommelnde Regen hatte meinen ohnehin schweren Kummer so vertieft, daß ich befürchten mußte, ihn nicht ertragen zu können.

So sprang ich mit den anderen Reisenden hinaus, die sich den Kopf mit Zeitungen und Plastiktüten schützten und durch den Schlamm hüpften.

Es wird mir guttun, unter Menschen zu sein, sagte ich mir, ich esse eine Suppe, einen Reispudding, beschäftige mich mit den greifbaren Genüssen der Welt, so daß ich, statt immer wieder den hinter mir liegenden Lebensabschnitt zu betrachten und zu erforschen, die Lichter meines von der Logik weit entfernten Verstandes auf die noch vor mir liegende Zeit richte und mich wieder aufraffe. Ich nahm zwei Stufen auf einmal, trocknete mein Haar mit dem Taschentuch, betrat einen hellerleuchteten Saal, in dem es nach Fett und Zigaretten roch, hörte eine Melodie und war tief betroffen.

Ich weiß noch, daß ich mich zusammenkrümmte wie ein Kranker, der den kommenden Herzinfarkt aus Erfahrung voraussieht und nach Maßnahmen suchen will, um die Krise abzuwenden. Doch ich konnte ja nicht sagen: Bringt diese Musik im Radio zum Schweigen, Canan und ich, wir haben ihr Hand in Hand zugehört, nachdem uns der Unfall zusammengeführt hatte; und ich konnte auch nicht schreien, holt diese Bilder unserer einheimischen Filmartisten von den Wänden, die wir uns, Canan und ich, während des Essens in diesem Lokal angeschaut und über die wir so sehr gelacht hatten! Da ich keine Trinitin-Pille gegen die Kummerkrise bei mir in der Tasche trug, nahm ich mir einfach eine Schüssel Ezogelin-Suppe, ein Stück Brot und einen doppelten Raki, tat alles auf ein Tablett und zog mich an einen Tisch in der Ecke zurück. Meine Tränen begannen Salz in die Suppe zu tropfen, während ich mit meinem Löffel darin herumrührte.

Lassen Sie nur, ich möchte den mit allen Lesern zu teilenden Stolz, ein Mensch zu sein, nicht aus meinem Schmerz ableiten, wie es die Tschechow-Imitatoren tun würden, ich möchte ihn vielmehr zum Anlaß nehmen, ein Lehrbeispiel zu geben, wie es ein traditionsgebundener Autor des Ostens täte. Kurz: Ich hatte mich selbst von anderen abheben, als einen ganz besonderen Menschen sehen wollen, mit einem Ziel, das sich von dem all der anderen unterschied. Das ist hierzulande eine unverzeihliche Schuld. Ich redete mir ein, diese unmögliche Vorstellung aus den Bildergeschichten Onkel Rıfkıs erworben zu haben, die ich als Kind gelesen hatte. Und so kam ich wieder auf den Gedanken zurück, der dem auf das Lehrbeispiel neugierigen Leser schon längst gekommen ist, nämlich daß ich vom *Neuen Leben* nur deshalb so tief beeindruckt war, weil mich die Bücher meiner Kindheit schon darauf vorbereitet hatten. Da ich aber wie die alten Meister der Parabel an das von mir aufgestellte Lehrbeispiel selbst nicht glauben konnte, blieb die Geschichte meines Lebens ganz allein meine Geschichte, was meinen Schmerz nicht im geringsten milderte. Zu diesem grausamen Ergebnis, das in meinem Kopf ganz allmählich heraufdämmerte, war mein Herz schon lange gekommen: Ich hatte als Begleitung zu der Musik im Radio bitterlich zu weinen begonnen.

Als ich sah, daß meine Lage bei den anderen Omnibus- und Reisegefährten, die ihre Suppe löffelten und ihren Pilav herunterschlangen, keinen guten Eindruck hinterlassen hatte, verdrückte ich mich ins Klo. Aus einem Hahn mit Hustenanfall, der mich von oben bis unten naß spritzte, schüttete ich mir lauwarmes, trübes Wasser ins Gesicht, säuberte mir die Nase und trödelte noch ein bißchen herum. Dann ging ich zurück und setzte mich an meinen Tisch.

Als ich ein wenig später aus dem Augenwinkel zu den anderen hinschaute, sah ich, daß meine mir aus den Augenwinkeln zuschauenden Reisegefährten etwas erleichtert waren. Da näherte sich mir, den Blick direkt auf mich gerichtet und einen Schilfkorb in der Hand, ein älterer Händler, der mich mit den anderen gemeinsam beobachtet hatte.

»Nimm's leicht«, riet er mir, »auch das geht vorbei. Nimm einen von diesen Pfefferminzbonbons, das tut gut.«

Er legte einen kleinen Beutel mit Pfefferminzbonbons der Marke FRISCH auf meinen Tisch.

»Was kostet das?«

»Nicht doch! Die schenke ich dir!«

Wenn das kleine Kind auf der Straße weint, drückt ihm der gutmütige Onkel einen Bonbon in die Hand ... Ich schaute den Onkel mit den Bonbons, wie so ein Kind es tut, voller Schuldgefühle an. Nebenbei gesagt war dieser Onkel womöglich nicht viel älter als ich.

»Heute sind wir die Verlierer«, sagte er. »Der Westen hat uns geschluckt, zertreten, überfahren. Bis in unsere Suppe, unser Zuckerzeug, unsere Unterhose sind sie eingedrungen, haben uns fertiggemacht. Aber eines Tages, eines Tages nach tausend Jahren werden wir diesem Komplott ein Ende bereiten und sie aus unserer Suppe, unserem Kaugummi, unserer Seele herauszerren und Rache nehmen. Iß jetzt deine Pfefferminzbonbons und hör auf, wegen nichts zu weinen!«

Ob das der Trost war, nach dem ich suchte, weiß ich nicht. Doch ich beschäftigte mich eine Weile mit diesem Trost, wie das Kind auf der Straße, das dem Märchen des gutmütigen Onkels Glauben schenkt. Dann fiel mir eine Vorstellung ein, die auf Ibrahim Hakki aus Erzurum oder auch die Schriftsteller der frühen Renaissance zurückging, und ich fand eine neue Möglichkeit des Trostes. Wie sie nahm ich an, die Schwermut gehe auf eine schädliche dunkle Flüssigkeit zurück, die vom Magen in den Kopf aufsteige, und beschloß, auf das zu achten, was ich aß und trank.

Ich bröselte das Brot in die Suppe und löffelte sie, trank meinen Raki schlückchenweise und bestellte mir noch einen, zusammen mit einem Stück Melone. Wie ein vorsichtiger Alter, der die Vorgänge in seinem Magen aufmerksam beobachtet, war ich bis zur Abfahrt unseres Busses mit Essen und Trinken beschäftigt. Im Omnibus setzte ich mich auf einen der leeren Sitze ganz vorn. Man versteht es, nehme ich an: Mit dem früher stets bevorzugten Sitz Nummer siebenunddreißig wollte ich alles, was meine Vergangenheit betraf, hinter mir zurücklassen. Dann muß ich eingeschlafen sein.

Nachdem ich lange und friedlich durchgeschlafen hatte, erwachte ich gegen Morgen irgendwann, als der Bus zum Halten kam, und betrat eine der äußersten Vorposten der Zivilisation, eine neu eröffnete, moderne Raststätte. Es munterte mich ein wenig auf, an den Wänden die schönen, gutmütigen Mädchen der Reifen-, Bank- und Coca-Cola-Werbungen, die Kalenderlandschaften, die leuchtenden Farben der mich anschreienden Reklame-Lettern und in einer Ecke über der superschlau mit »Self-Service« beschrifteten Vitrine die Bilder von drallen Hamburgern mit überhängendem Belag und von Eiscreme in den Farben Lippenstiftrot, Kamillengelb und Traumblau zu sehen.

Ich holte mir einen Kaffee und setzte mich in eine Ecke. In der starken Beleuchtung sah ich unter drei Fernsehgeräten mir gegenüber ein kleines, recht elegantes Mädchen sitzen, das den Ketchup aus der Kunststoffflasche einer ganz neuen Marke nicht über seine Pommes frites gießen konnte und dem seine Mutter dabei half. Eine gleiche Flasche mit diesem ALTAT-Ketchup stand auf meinem Tisch, und die aufgedruckten goldgelben Buchstaben versprachen mir eine Reise ins Disneyland von Florida für eine Woche, die ich durch Auslosung gewinnen konnte, wenn ich in drei Monaten dreißig Deckel von Flaschen, die irgendwie nicht aufgehen wollten und, wenn sie aufgingen, die Kleider kleiner Mädchen beschmutzten, sammeln und an die unten verzeichnete Anschrift einsenden würde. Da aber fiel ein Tor auf dem mittleren Bildschirm.

Während ich mit meinen Brüdern, die an anderen Tischen auf ihre Hamburger warteten, das Tor noch einmal in Zeitlupe sah, erfüllten mich vernünftige Vorstellungen über das, was im Leben noch vor mir lag, und eine keineswegs nur oberflächliche Zuversicht. Ich mochte das alles – Fußballspiele im Fernsehen anschauen, sonntags zu Hause sitzen und faulenzen, an manchen Abenden etwas trinken, mit meiner Tochter zum Bahnhof gehen und den Zügen zusehen, neue Ketchup-Marken probieren, lesen, mit meiner Frau plaudern, mit ihr schlafen, Zigaretten qualmen, irgendwo sitzen wie jetzt und in Ruhe Kaffee trinken und tausend Dinge dergleichen mehr. Wenn ich ein wenig acht gab auf mich und so lange lebte wie, sagen wir mal, der Bonbonhersteller Herr Süreyya, dann blieb mir fast noch ein halbes Jahrhundert Zeit, um all das, was ich mir vorgenommen hatte, so recht mit Genuß auszukosten ... Plötzlich tauchten meine Wohnung, meine Frau und meine Tochter vor meinen Augen auf. Ich sah im Zeitlupentempo vor mir, was sein würde, wenn ich Samstag mittag nach Hause kam: wie ich mit meiner Tochter spielte, ihr aus der Konditorei am Bahnhof Süßigkeiten kaufte, wie wir uns, meine Frau und ich, aufrichtig, verlangend und ausgiebig liebten, während das Kind nachmittags im Garten spielte, wie wir dann alle zusammen vor dem Fernseher saßen und wie meine Tochter lachte, wenn ich sie kitzelte.

Der Kaffee hatte mich nach dem Schlafen richtig zu mir gebracht. In der Stille, die vor Tagesanbruch im Bus herrschte, war ich, etwas rechts hinter dem Fahrer sitzend, der einzige außer ihm, der nicht schlief. Im Mund einen Pfefferminzbonbon, die Augen weit offen und auf den glatten Asphalt mitten in der Steppe gerichtet, der wie der Rest meines Lebens unendlich erschien, die weißen Striche der Mittellinie zählend und auf die Lichter der hin und wieder vorbeikommenden Laster und Busse achtend, so erwartete ich voller Ungeduld den Morgen.

Bevor eine halbe Stunde vergangen war, konnte ich von meinem rechten Fenster aus – das hieß, wir fuhren nach Norden – die ersten Spuren des Morgens ausmachen. Zuerst zeichnete sich in der Dunkelheit ganz schwach die Grenzlinie zwischen Himmel und Erde ab. Gleich darauf nahm diese Grenzlinie eine seidig-rötliche Färbung an, welche die Steppe nicht erhellte, den dunklen Himmel aber an einer Stelle aufriß. Doch so fein, so zart und so außergewöhnlich war diese rosig-rötliche Linie, daß sich unser wie ein irres, durchgehendes Pferd in die Finsternis hineingaloppierender, arbeitsamer Bus und wir, seine Fahrgäste, für einen Augenblick in einer ganz vergeblichen mechanischen Hast befanden. Niemand bemerkte es, auch nicht der Fahrer, dessen Augen auf den Asphalt gerichtet waren.

Einige Minuten später wurden die dunklen Wolken im Osten durch ein unbestimmtes Licht, das der sich zunehmend rötende Horizont verbreitete, an den Rändern wie von unten her beleuchtet. Während ich in dem schwachen Licht die wunderbaren Formen dieser wilden Wolken betrachtete, die im Lauf der nächtlichen Fahrt nicht an Regengüssen für unseren Omnibus gespart hatten, fiel mir etwas auf: Da die Steppe draußen noch tief im Dunkeln lag, konnte ich an der weiten Vorderscheibe direkt vor mir sowohl mein von der Innenbeleuchtung matt erhelltes Gesicht und meinen Körper sehen als auch jene zauberhafte Rötung, die wunderbaren Wolken und all die sich geduldig wiederholenden weißen Straßenlinien.

Beim Betrachten dieser Linien, die von den Scheinwerfern des Busses beleuchtet wurden, fiel mir ein bestimmter Refrain ein. Sie wissen schon, dieser Refrain, der tief aus der Seele der übermüdeten Reisenden steigt und sich in Gemeinschaft mit den Strommasten wiederholt, während sich die Räder des müden Omnibusses stundenlang mit der gleichen Geschwindigkeit drehen, der Motor im gleichen Tempo brummt und das Leben ins Gleichmaß verfällt: Was ist das Leben? Eine Zeit. Was ist die Zeit? Ein Unfall. Was ist der Unfall? Ein Leben, ein neues Leben ... Das sagte ich immer wieder auf. In jenem magischen Augenblick, als die Dunkelheit im Omnibus mit der Dunkelheit draußen eins wurde und ich mich gerade fragte, wann mein Spiegelbild in der Vorderscheibe verschwinden und wann auf der finsteren Steppe der erste Schatten einer Schafhürde und der erste schemenhafte Baum erscheinen würde, nahm mein Auge plötzlich ein Licht wahr.

In diesem neuen Licht sah ich den Engel an der rechten Vorderscheibe des Omnibusses.

Er war kurz vor mir und doch wie weit entfernt. Dennoch begriff ich: Dieses tiefe, einfache und starke Licht war meinetwegen dort. Obwohl der Magirus mit voller Geschwindigkeit über die Steppe weiterraste, kam mir der Engel weder näher, noch entfernte er sich von mir. Des blendenden Lichtstrahls wegen konnte ich sein Aussehen nicht deutlich erfassen, doch ein Gefühl von Heiterkeit, eine Leichtigkeit, eine Freiheit, die mich innerlich belebten, sagten mir, daß ich ihn kannte.

Er glich weder dem Engel einer persischen Miniatur noch dem auf dem Einwickelpapier, den fotokopierten Engeln oder dem Wesen, dessen Stimme zu hören ich jedesmal in all den Jahren ersehnte, wenn ich es mir vorzustellen versuchte.

Auf einmal wollte ich etwas sagen, mit ihm sprechen, vielleicht wegen des immer noch ungewissen Gefühls von Heiterkeit und Verwirrung. Doch meine Stimme versagte, und ich geriet in Panik. Das zu Anfang empfundene Vorhandensein von Freundschaft, Nähe und Güte war noch lebendig in mir; damit wollte ich Frieden finden, und im Gedanken daran, daß dies der jahrelang erwartete Augenblick sei, wollte ich, um die schneller als die Schnelligkeit des Omnibusses in mir wachsende Furcht zu besänftigen, von ihm die Geheimnisse der Zeit, des Unfalls, des Friedens, des Schreibens, des Lebens, des neuen Lebens in Erfahrung bringen. Doch es war vergeblich.

So weit, wie er von mir entfernt war, und so herrlich, wie er war, so erbarmungslos war er auch. Nicht weil er erbarmungslos sein wollte, nein, nur weil er Zeuge war und in diesem Augenblick nichts weiter tat. Er sah mich aufgeregt und verwirrt unter einem unwahrscheinlichen Morgenlicht, mitten in der dämmrigen Steppe, auf dem vorderen Sitz des dröhnenden Konservenbüchsen-Magirus, mehr nicht. Ich bekam die volle Gewalt, die unerträgliche Macht von Erbarmungslosigkeit und Verzweiflung zu spüren.

Als ich mich instinktiv dem Fahrer zuwandte, sah ich, wie das Licht mit überwältigender Kraft die ganze Vorderscheibe bedeckte. Zwei einander überholende Laster hatten, sechzig bis siebzig Meter entfernt, ihre Fernlichter auf uns gerichtet, kamen rasch näher und direkt auf uns zu. Ich erkannte, daß der Unfall nicht mehr zu vermeiden war.

Ich dachte zurück an die Erwartung des friedlichen Gefühls, das ich nach den vor Jahren erlebten Unfällen verspürt hatte. Das nach dem Unfall verlangsamt durchlebte Empfinden des Übergangs: Ich dachte an die Reisenden, die weder hier noch dort sein konnten, und an ihr glückliches Sich-Regen, als ob sie ein Stück Zeit vom Paradies brüderlich miteinander teilten. Wenig später würden alle schlafenden Reisenden erwachen, glückliche Schreie und gedankenloses Gejammer würden die Morgenstille zerstören, und an der Schwelle zwischen den beiden Welten würden wir alle gemeinsam verwirrt und erregt das Vorhandensein von blutigen Eingeweiden, verstreuten Früchten, zerstückelten Leibern und den aus zerreißenden Koffern springenden Kämmen, Schuhen und Kinderbüchern entdecken, wie man die schier unendlichen Scherze eines schwerelosen Raumes wahrnimmt.

Nein, nicht alle gemeinsam. Die Glücklichen, denen das einmalig schöne Erlebnis vorbehalten war, würden jene Reisenden sein, die nach dem schrecklich starken Krach des Zusammenstoßes auf den hinteren Sitzreihen noch lebten. Ich aber, der wie die auf den vorderen Reihen Sitzenden mit Staunen und Furcht in die herankommenden Scheinwerfer der Laster geblendeten Auges in das aus dem Buch strömende Licht blickte, ich würde sofort in eine neue Welt hinübergehen.

Ich begriff, dies war das Ende meines Lebens. Aber ich wollte doch nach Hause zurückkehren, ein neues Leben beginnen, sterben – das wollte ich auf keinen Fall!

1992–1994

Orhan Pamuk
Rot ist mein Name
Roman
Aus dem Türkischen von Ingrid Iren
Band 15660

Im Osmanischen Reich tobt 1591 der Bilderstreit, das Land ist zerrissen zwischen Tradition und Moderne. Da wird bei der Arbeit an einem prachtvollen Bildband der Vergolder ermordet. Eines ist klar: der Mörder befindet sich unter den Künstlern und sein Stil wird ihn verraten. – Ein farbenprächtiges Märchen, ein spannender Krimi und eine leidenschaftliche Liebesgeschichte.

»Ein wunderbar reiches Stück Weltliteratur.«
Frankfurter Allgemeine Zeitung

»Rot ist sein Name und groß dieses Buch.«
Süddeutsche Zeitung

Fischer Taschenbuch Verlag

Orhan Pamuk
Das schwarze Buch
Roman
Aus dem Türkischen von Ingrid Iren

Band 12992

Literatur-Nobelpreis 2006 Orhan Pamuk:
»Ein Glückstag für die Weltliteratur.«
Thomas Steinfeld, Süddeutsche Zeitung

Galip ist ein etwas windiger Istanbuler Anwalt. Eines Tages
sind seine Frau und sein Cousin verschwunden. Auf der
Suche nach ihnen gerät Galip immer tiefer in das Labyrinth
Istanbuls – der geheimnisvollen Stadt auf der Schwelle
zwischen Europa und dem Orient. In den unterirdischen
Gängen begegnet er Zuhältern, Betrügern und Derwischen.

»Ein wunderbares Stück Großstadtliteratur,
eine Hommage an Istanbul.«
Neue Züricher Zeitung

»Ein Meisterwerk.«
Frankfurter Rundschau

Fischer Taschenbuch Verlag

Louis de Bernières
Traum aus Stein und Federn
Roman
Aus dem Englischen von
Manfred Allié und Gabriele Kempf-Alliè
Band 16648

In einem atemberaubenden Roman macht Louis de Bernières
eine vergessene Stadt im Südwesten Anatoliens zur Mitte der
Welt. Mit schillernden Farben erschafft er einen Kosmos, in
dem vor hundert Jahren Türken und Griechen, Christen und
Muslime in Frieden nebeneinander lebten. Bernières lässt Is-
kander den Töpfer auftreten, Georgio, den Händler, Rustem
Bey, der in Istanbul nach einer Mätresse sucht, und schließlich die schöne Philotei, an deren Liebe zu Ibrahim sich die
Stadt entzweit.
In seinem Weltbestseller erschafft er mit schillernden Farben
aus einer kleinen Stadt am Rand des Osmanischen Reiches einen Kosmos, in dem vor 100 Jahren Türken und Griechen,
Christen und Muslime in Frieden miteinander lebten. Bis das
fragile Gewebe aus Freundschaft und Not, aus kleinen Betrü-
gereien und großem Aberglauben zerreißt.

»Das meisterhafte Buch schildert den Niedergang
einer Kleinstadt in Anatolien – und warnt
vor Nationalismus und religiösem Eifer.«
Ulf Lippitz, Spiegel online

Fischer Taschenbuch Verlag

Louis de Bernières
Corellis Mandoline
Roman
Aus dem Englischen von Klaus Pemsel
Band 16784

Kephallonia ist eine griechische Insel im Ionischen Meer, berühmt für ihre Anmut und den Zauber ihres Lichts, als Knotenpunkt vieler Schiffahrtsrouten seit jeher ein bevorzugtes Ziel von Invasoren jeglicher Herkunft. Im Zweiten Weltkrieg landen hier die Italiener, dann die Deutschen. Im Mittelpunkt steht Pelagia, die schöne, stolze, eigenwillige Tochter des Arztes, die sich zwischen zwei Männern entscheiden muß: Mandras, dem jungen Fischer, der die Delphine aus den Tiefen des Meeres hervorzulocken vermag und sich den Partisanen anschließt, und Antonio Corelli, dem Offizier der italienischen Besatzungstruppen, der die Frauen und die Musik mehr liebt als den militärischen Drill. Aber der Krieg gestattet keine idyllische Abgeschiedenheit. In Zeiten der Barbarei treten Treue und Verrat offen zutage, große Gefühle werden vom Wahnwitz der Geschichte bedroht. Auch in Kephallonia gerät die Landschaft der Götter und der Phantasie in die Klauen der erbarmungslosen Zeitläufte.

Fischer Taschenbuch Verlag